심상에서 심경으로

문학 고전을 읽으며 5년간 내 영혼을 돌보았던 일
내 마음이 하늘에 비치는 강물처럼 청명(靑冥)했으면….

머리말

　어떤 이유로 원치 않은 깨달음을 체험(體驗)하게 되었습니다. 무엇 때문에 이토록 강렬한 깨달음의 체험이 찾아온 것일까요? 어떤 이는 깨닫기 위해 큰 노력을 한다지만, 저는 이상하게도 그저 얻은 것 같습니다. '나'라는 존재감을 경험으로 체득하고, 그 후 의식을 넘어 마음 속 깊이 각인되어, 내면의 고요함을 지나 불길함에까지 이르게 되었습니다. 그리고 차분한 기분에 도달한 이유를 곰곰이 생각해보았습니다. 이 책을 통해 제가 얻은 깨달음을 한 사람에게라도 전달할 수 있을지 장담할 순 없습니다. 그러나 한 가지 분명한 것은 진실한 마음과 깨달음은 분명 밀접한 관련이 있다는 점입니다. 깨달음을 얻으면 진실을 품은 마음의 힘을 느끼게 되는데, 이것은 순리에 가까움을 즉시 의식하여 마치 물이 흐르는 길처럼 '마땅한 것'과 같은 마음 상태가 됩니다.

　생의 마지막 순간에 '깨달음'에 직면(直面)했습니다. 너무도 멀고 긴 황야를 죽을 만큼 힘껏 달렸습니다. 그러다가 한순간에 정신과 몸에서 모든 기력이 빠져나가고 말았습니다. 황야에서 며칠을 죽은 듯이 누워 있었고, 꼼짝하지 못하는 상태에 이르렀을 때, 강한 빛을 만난 후 눈을 뜨고 세상을 살필 수 있었습니다. 내 안의 '나'를 지독히 사랑하는 '나'가 죽으며 생은 다시 시작되었습니다. 그 후 과거와는 전혀 다른 삶을 살게 되었습니다.

　사람들은 깨달음의 체험 이후, 보통 신비(神祕)에 비추어 그것을 해석하게 되고 그리하여 여러 형태로 표현하게 됩니다. 그 형태 중 하나로 저는 도서관으로 향한 사람이 되어 결국 이 책을 만들게 되었습니다. 아울러 이 책을 완성할 수 있도록 도와주신 함께 책 읽는 선생님들께 깊은 감사를 드립니다.

2023년 8월
김종욱

일러두기

인간이 명상(瞑想)을 통해 만나는 신의 경험은 다양한 신학적 및 철학적 전통에서 중요한 주제로 다뤄지고 있습니다. 다양한 종교나 철학적 전통에서 신의 존재를 직접 체험하거나 그와의 접촉을 매개로 깊은 깨달음을 얻는 것은 매우 중요한 경험으로 여겨집니다.

신성한 경험(Numinous Experience)은 명상을 통해 신을 만나는 체험은 종종 신성한 경험 또는 뉴미너스 경험으로 불립니다. 이는 개인이 신에 대한 직접적이고 강렬한 존재감을 경험하며, 신의 존재에 대한 깊은 경외심과 존경을 느끼는 경험을 의미합니다. 이러한 경험은 종교적 신앙의 바탕을 이루기도 하며, 개인적이고 정신적인 성장과 깨달음을 도모하는 데 중요한 역할을 합니다.

플라톤의 철학에서는 영혼이 물리적 육체를 뛰어넘어 이상적인 이데아의 세계로 도달하여 순수한 형식과 이치를 이해할 수 있다고 주장했습니다. 따라서 명상은 플라톤에게는 신과의 접촉을 가능하게 하는 수단이자, 지식과 깨달음을 얻기 위한 중요한 방법이었습니다.

불교에서는 명상을 통해 개인이 스스로 깨달음을 이루고, 이를 통해 무한한 개연성과 같은 보다 깊은 참된 존재의 경험을 할 수 있다고 가르칩니다. 이는 인간이 신이 아닌 자신을 통해 깨달음과 통찰을 얻을 가능성을 강조하는 점에서 다릅니다. 많은 신화와 종교적 전통에서는 명상을 통해 신과의 접촉을 통해 중요한 깨달음을 얻는 이야기가 나타납니다. 이러한 이야기들은 종종 신성한 존재와의 접촉을 통해 신성한 지혜를 얻는 인간의 노력을 상징적으로 보여줍니다. 이처럼, 명상을 통해 만나는 신의 경험은 개인적이고 깊이 있는 정신적 탐구를 통해 가능해질 수 있으며, 이는 종교적 신앙과 철학적 깨달음을 모색하는 중요한 방법의 하나입니다.

일반적인 책은 글에서 시작해 영혼에 닿지만, 저는 영혼에서 시작해 글로 옮겼습니다. 그래서 제 글의 문장 사이가 너무 멀게 느껴질 수 있습니다. 저는 멀지 않다고 느끼지만, 독자들은 충분히 그렇게 느길 수 있을 것입니다. 그리하여 저는 아래의 단어를 다음과 같이 정의하여 사용합니다.

프뉴마 Pneuma(그리스어): '숨·호흡'을 의미며 인간 속에 내재하는 최고의 본성=영. 프뉴마(pneuma), 프시케(psyche), 힐레(hyle)가 인간의 세 가지 구성 요소인 영, 혼, 육을 이룹니다.

신(神): '나' 내면의 하나님 자리(깊은 명상 속 빛나는 자리), 자신의 내면의 신과 접속하는 신성을 말하고 외부에 신은 없습니다.

나(我, 에고=1차원): 살아서 육체의 한정된 자신을 가장 아끼는 인간 본성을 말합니다. 오직 자신만을 생각합니다.

나(我, 우리=2차원): 위의 나가 죽으면, 또 다른 '나'가 나타나는데 '우리'라는 것을 먼저 생각하는 나가 탄생합니다.

영(靈): 1차원의 '나'가 죽어서 2차원의 '나'가 우선시 되면 처음 만나는 나와 동일시되는 마음의 중심 자리.

혼(魂): 정신, 이성을 말합니다. 또는 얕은 마음을 한정하여 표현하기도 합니다.

육(肉): 시간의 현실에 존재하는 육신을 말합니다.

빛=그노시스 Gnosis(그리스어): 우주 밖에서 온 신성한 사자들이 인간에게 전해준 가르침 및 신비 의식을 포함한, 다양한 자극 때문에 도움을 받긴 하지만 직관적으로 도달하는 구원의 지식을 말합니다.

차 례

심상(心象)에서 심경(心境)으로

제1부 잠자는 영혼

우리 주변의 친구나 지인들은 종종 자신의 마음을 이해해 주기를 희망합니다. 그러나 이보다 더 어려운 일은 없을 것입니다. "내가 내 마음을 모르는데 어떻게 당신의 마음을 내가 알 수 있을까요"라는 말은 진리를 담고 있습니다. 대신, 상대방에게 내 마음의 상태를 진실되게 전달하는 것이 중요할 뿐입니다. 상대방이 당신의 말을 진정(眞情)으로 듣고 이해하려 노력한다면, 우리의 마음은 서로 소통(疏通)할 수 있는 순간을 맞이할 것입니다. 마음의 공감은 오랜 시간을 함께하며 영혼의 영역에서 공유된 기억 일부가 서로 일치하는 행동 패턴을 통해서 형성됩니다.

1. 영(靈), 혼(魂), 육(肉)의 인식

각 인간이 깊은 잠에서 깨어나는 경로는 고유한 경험이며, 자신다운 모습을 실천하는 본래의 본성을 갖습니다. 이 깨달음[1]이 언제 어떻게 찾아오는지, 그 시기와 방식은 개인의 삶과 경험에 따라 다르게 결정됩니다. 따라서 이러한 순간을 언제 맞이하느냐가 중요한 의미를 가집니다. 사람들은 생의 기운이 소진되면서 죽음의 기운이 다가오는 것을 몸의 고통을 통해 깨닫게 되는데 보통 이때가 노년기입니다. 노년에 도달했을 때 진정한 인간다움을 발견하는 순간을 경험하더라도 생(生)의 기운이 소진된 상태에서는 좋은 깨달음도 자신에서 한정됩니다. 현대 사회의 대중은 자신들이 가진 직업에 바쁘게 몰두하다가 깨달음이 미뤄지는 경우가 더 많아지고 있습니다. 이로 인해 삶의 초기 단계에서 깨달음을 경험하는 경우가 아주 드물게 나타납니다.

육신과 영혼 사이의 상호작용에서, 육체의 한계에 도달하고 끝까지 이르게 되면 혼(魂)이 각성하게 되며, 더 나아가 혼을 끝까지 각성시키면 영(靈)이 빛나게 됩니다. 이러한 과정을 통해 의식을 깊게 탐구하는 것은 신념과 인내가 없이는 불가능한 일입니다. 오감 중 하나를 의식으로 깊이 이끌어가며 하나의 감각을 정점까지 끌어올리면, 혼이 깨어나게 되어 도덕의 틀을 벗어나고 의식이 자연스럽게 마음으로 향하게 됩니다. 이는 '나'라는 육체의 감각에 머무르던 관심과 집중이 이제 마음으로 향하게 되는 시작점입니다. 이때부터 마음공부가 시작됩니다. 이제 내 안에서 '말'들이 새롭게 들려옵니다. 이전에는 '나'라는 육체에서 나오는 '소리(욕구)'가 너무 커서 마음의 소리를 듣기 어려웠지만, 이제는 마음의 소리가 조용하게 들려오기 시작합니다. 육신

---

1) 깨달음: 인류의 역사에 계몽의 시대가 있었듯이, 개인의 생애주기에도 계몽의 시대와 이를 넘어서 깨달음에 이르는 시기가 있습니다.

과 혼 사이에서 고요함을 느끼게 되어 당신은 마음의 안정을 찾았습니다. 이 순간부터 오감이 자연에 반응하여 '기(氣)'를 느끼게 됩니다.

육체적인 욕구는 대부분 개인적인 욕망(慾望)을 지닙니다. 그래서 자주 이기적인 성향을 내포하며, 그 소리는 종종 긍정적이지 않습니다. 반면 마음의 울림은 자신뿐만 아니라 모두를 위한 순리의 소리를 내보냅니다. 이제부터 마음은 육체적인 욕망을 통제하기 위해 움직입니다. 이로써 갈등들이 완화되고, 고요함이 찾아오며 생각들이 치밀하게 펼쳐집니다. 또한, 이 단계에서 우리는 자신이 무지(無智)한 존재임을 깨닫게 됩니다. 플라톤의 동굴 밖으로 나온 이의 마음은 서서히 깨어나지만, 외부세계와 소통 방법은 아직 익히지 못한 상태입니다. 과거 도서관에서 읽었던 책에서 종종 도서관으로 등불을 들고 숨을 헐떡거리며 뛰어오는 40~60대의 사람들에 관한 이야기를 봤습니다. 도서관에 오래 머물면서 그런 사람을 실제 여럿 보아 왔습니다. 저도 당연히 그들 중 한 사람에 불과합니다. 얼굴에는 무언가 발견한 것은 분명한데, 설명할 방법을 모르는 사람들 말입니다. 이들은 깨어났으나 그 깨어났음을 어찌할 줄 모르는 사람들입니다. 깨달음을 '꿈이라 착각하는 이들'입니다. 이들이 그때 가장 필요한 사람은 '스승'입니다. 그리하여 저는 이 부분에 주목하고 싶어서 이 책을 쓰게 되었습니다. 삶은 부모, 스승, 친구로부터 시작됩니다. 성인이 되면 각자 자신의 최고 목표를 향해 나아가야 하며, 그 후에는 부모나 스승이 되어 다음 세대를 이끌어야 합니다. 인간은 깨닫게 된 순간부터는 반드시 내려오는 삶을 살아야 합니다. 그리고 자신을 끝없는 계몽으로 이끌어야 합니다.

플라톤의 동굴에서는 목줄에 고정되어 자신의 그림자만을 보고 실재(實在)라고 판단하는 사람들이 나옵니다. 목줄이 풀린 사람은 동굴 밖으로 나가서 세상을 보고 돌아온 후 다른 사람들이 목줄을 풀도록 격려합니다. 이러한 '영지(靈智)'는 어떤 깨달음과 흡사하기 때문에 자신의 마음을 들여다보는 사람들은 자신의 영지를 폭발시켜 잠재된 의식을 사용할 수 있게 됩니다.

"차라투스트라[2]가 깊은 대자연에서 정밀한 독수리의 눈으로 마을로 내려왔을 때, 우리는 대낮에도 등불을 들고, 그의 얼굴 앞으로 다가가려 했지만, 얼마나 간절히 원하느냐에 상관 없이 결국 진리의 문을 열지 못했습니다."

저도 이 등불을 들고 온 도서관을 뒤지며 진리를 찾았는지도 모릅니다. 도서관에서는 이런 사람들을 종종 볼 수 있는 공간입니다. 그렇다면, 왜 우리는 때때로 내면의 진정한 목소리를 듣게 될까요? 인생을 살다 보면 가끔 육체의 욕구가 약해지거나 욕구의 목소리가 쇠약해지는 날이 드물게 찾아오고 자신도 모르게 무심(無心)에 이르기도 합니다. 그럴 때 우리는 마음속에서부터 정신으로 전해지는 자기 목소리를 선명하게 듣게 됩니다.

마음의 소리는 조용하고 차분하며 낮은 주파수로 마치 물결처럼 흘러갑니다. 이 순간을 놓치지 않고 마음 깊은 곳을 탐구한다면, 우리 자신과의 소통을 경험할 소중한 기회가 됩니다. 그러나 많은 사람은 빠르게 다시 예전의 일상으로 돌아가게 됩니다. 이는 어떤 대상에 대한 집착과 흡사한 자신의 신념과 믿음을 놓지 못하기 때문입니다. 때로는 판단 이전의 순수한 마음을 비워야 하고 선량한 믿음도 비워야 할 때가 있습니다.

깨달음의 초기에 자신의 무지(無知)를 인식하면서부터 모든 변화가 시작됩니다. 의식을 깨우고 차분한 마음으로 공부를 시작하여 그 방향을 섬세하게 재조정할 필요가 있습니다. 이를 통해 자신에게 일어난 지난 시간을 이해하게 되면서 공부를 어떤 방향으로 나아가야 하는지를 알게 될 것입니다.

또한, 깨어난 상태에서의 공부와 수행은 매우 중요합니다. 그 이유는 다른 삶을 살 기회가 되기 때문입니다. 그 과정을 통해 자신이 겪

---

2) 차라투스트라는 이렇게 말했다: 만인을 위한, 그러나 어느 누구를 위한 것도 아닌 책(Also sprach Zarathustra: Ein Buch fur Alle und Keinen)으로, 차라투스트라를 주인공으로 삼아 소설 형식으로 철학을 풀어낸 프리드리히 니체의 대표작입니다.

었던 많은 변화를 설명할 수 있으며, 어떤 행동을 취해야 하는지를 확실히 알게 될 것입니다. 깨어난 사람은 지속적으로 공부하고 배워야 한다는 것을 깨닫습니다. 이 시점에서 스승의 존재를 떠올리게 됩니다. 이쯤에서 간략하게 과거 저의 공부 이야기를 해보겠습니다. 공업고등학교를 졸업한 후 취업하여 일을 시작했습니다. 군 복무 기간에도 같은 분야의 보직을 맡아 업무를 수행하며 경력을 쌓았습니다. 독서는 주로 전문 서적에 한정하여 최소한으로 접해왔습니다. 전역 후 IMF의 영향으로, 어쩌다 대학에 입학하게 되었고, 이곳에서도 주로 전공과목에 집중했습니다. 사실, 균형 잡힌 공부라 할 수 있는 시기는 고등학교 1학년이 끝나는 날에 실제로 끝났습니다. 자신의 계통에서 멀어져 물질적 생산에만 몰두하다 보면, 20년이라는 세월 동안 무지(無知)에 빠져 있었다는 사실을 깨닫지 못하게 됩니다. 그 원인을 지난 몇 년 동안 고민해 왔습니다. 무지하면서 어떻게 그렇게 용감했었지, 주변 사람들은 강한 고집이라고 이야기할지 모르지만, 저는 신념과 믿음을 가슴 깊이 품고 한 길을 선택해왔다고 생각합니다. 언제나 한 가지 목표를 향해 꾸준한 노력을 기울이는 것이 최우선이라고 믿었던 것 같습니다.

그러나 이제 그렇게 굳건했던 믿음은 완전히 허물어졌습니다. 믿음이 있었던 자리에는 허무와 절망이 그리고 깨침이 있었습니다. 그러다가 모두 '무심'해졌습니다. 어쨌든 동굴을 벗어나 깨어나게 되면서, 내 마음을 점차 이해하기 시작했습니다. 무지에 대한 인식이 높아지며, 더 나은 변화를 이루기 위해 공부가 필수적이라는 것을 깨달았습니다. 그러나 이를 현실로 실천하기는 어렵습니다. 자리에 앉아 공부를 시작한 지 얼마 되지 않아, 지금의 나를 정리하는 것보다 모든 것을 처음부터 다시 시작하는 것이 훨씬 간단하다는 것을 깨달았습니다. 이 말은 바로 20년 전에 배웠던 것들을, 내가 아닌 '나'를 아무런 업데이트 없이 그대로 사용하고 있었다는 것을 의미합니다.

고정되어서 변화를 거부하는 '나' 그리고 이 '나'란 누구일까요?

누군가에게 뺏긴 나를 찾아와야 합니다. 주입된 지식과 편향된 경험으로 왜곡된 세계를 그리면 삶이 힘들어집니다. 세상은 변화하고 발전했지만 오래된 지식을 토대로 생각하고 행동했습니다. 유용한 지식도 현대 사회에서는 20년이 지나면 쓸모가 없어지는 경우가 대부분입니다. 그 순간, 세상이 나를 앞서나갔음을 깨달았습니다. 이러한 이유로 내 삶이 어렵고 힘들었다는 사실을 다시 확인하였으며 알게 되었습니다.

그럼, 공부를 어떻게 해야 할까요? 마치, 컴퓨터 하드디스크를 포맷하는 것과 같이 짧은 시간 안에 나의 모든 지식을 초기화하고, 처음부터 다시 공부하는 것이 훨씬 빠르다는 결론에 도달하는 데 시간이 그리 오래 걸리지 않았습니다. 이로 인해 더 깊은 참회와 명상의 중요성을 깨닫게 되었습니다. 내가 가지고 있던 지식이 허무한 거품일 수도 있다는 생각이 들었고, 이것들을 버리기 위해서는 내면의 그릇을 깨어 버려야 한다는 사실을 알게 되었습니다.

정신을 깨워서 혼을 각성시키고, 다시 영에 닫기를, 대자연의 목소리가 흘러나와서 내 몸에 퍼지기를 원했습니다. 그래서 다시 내가 동굴에서 나왔을 때 느꼈던 체험을 경험하고 싶었습니다. 때가 되자 큰비가 내려, 강 주변의 모든 것이 큰 물살에 떠내려가듯이, 내 마음속에 큰 참회(懺悔)의 비가 쏟아졌습니다. 이러한 비의 흐름 속에서, 점점 더 깊은 곳으로 내려가게 되었습니다.

2. 성미가 급하고, 도량이 좁고, 화를 잘 낸다

내 인생이 어려워진 이유는 삶에서 빠르게 스승의 존재를 지워버렸기 때문이라고 생각합니다. 스승에게 배우지 못하고 선의의 꾸중도 듣지 못하는 상황에서 잘못된 선택이 더해지면서 어려움도 커졌습니다. 더 좋은 방향으로 나아가기 위해서는 스승의 지혜와 가르침을 다시 받아들이고 배우는 자세를 갖는 것이 중요한데, 왜 그러지 못했을까요?

'한 사람의 인생에서 가르침이 사라지는 것은 무서운 일입니다.'

아마도 교육은 인간으로 태어난 우리가 스승으로부터 자유롭게 되는 과정일지도 모릅니다. 우리는 부모의 보호에서 벗어나고 스승의 가르침을 벗어나서 자신만의 꿈과 목표를 좇아갑니다. 그러나 이런 과정에서 어떤 사람이 진정한 스승일까요? 아니면 학생일까요? 우리는 교육을 통해 지식과 지혜를 얻고, 스스로 성장하고 발전하는 인간이기도 합니다. 스승은 지식을 전달하고 인생 경험을 가르쳐줌으로써 우리를 이끌어주는 존재입니다. 그러나 동시에 우리도 자기 생각과 판단으로 세상을 바라보고, 자신만의 길을 찾아가기도 합니다. 교육과 스승의 역할도 중요하겠지만, 끝까지 학생이라는 자세로 겸손하게 배우는 자세를 갖는 것이 필요합니다. 또한, 우리는 그저 인간으로서 서로를 이해하고 존중하는 마음가짐으로 함께 성장해 나가는 것입니다. 스승이 사라진 시대는 독단의 시대이고 성찰이 사라진 시대입니다. 같은 실수를 반복하면서 실수를 인식하지 못하고 잘못을 분별하지 못하는 상태에서의 무지(無知)는 무엇을 만들어도 그것이 무너지고 다시 세워지다 지친 끝에 결국에는 무너지게 됩니다. 이런 모습을 멀리서 바라보면 한탄스럽게 느껴집니다.

학교를 졸업하는 것은 스승의 곁을 떠난다는 의미이지만, 삶을 살며 때때로 스승을 발견하고 존경하며 따르는 것이 필요합니다. 스승이란 학교의 선생님뿐만 아니라 삶을 통해 우리에게 가르침과 영감(靈感)을 줄 수 있는 모든 사람을 의미하기 때문입니다. 스승을 찾는 일은 겸손한 자세를 가지는 데 도움을 줍니다. 우리는 평생 학습하는 존재이며, 스승의 가르침과 영향을 받으면서 지속해서 발전하고 성장하는 존재입니다.

한편, 우리는 자기 자신에 대한 긍정적인 면과 부정적인 면을 편향(偏向)되어 수용하는 경향이 있습니다. 자기 방어기제를 통해 우리 자신에 대한 부정적인 측면을 무시하거나 숨기는 경향이 있습니다. 우리의 주관적인 관점은 자신을 객관적으로 바라보는 것을 어렵게 만듭니다. 여러 가지 역할과 정체성을 지닌 우리는 자기 자신을 단일한 존재로서 정확히 파악하는 데 어려움을 겪기 마련입니다.

방어기제가 무너지면 사람은 심리적인 변화에 영향을 받을 수 있으며, 이에 대한 반응은 개인에 따라 다를 수 있습니다. 일반적으로 방어기제가 무너지는 상황은 감정적으로 어려울 수 있으며, 다음과 같은 결과를 초래할 수 있습니다. 방어기제가 무너지면 숨겨진 감정들이 나타날 수 있습니다. 이로 인해 감정적인 혼란과 불안감을 경험할 수 있습니다. 방어기제가 무너지면 취약함과 무력감을 느낄 수 있습니다. 자신을 보호하던 방법이 더는 작동하지 않으므로 불안과 불안정함을 경험할 수 있습니다. 방어기제가 무너지면 자신과 자신의 감정에 대해 더 많은 인식과 책임을 져야 합니다. 이로 인해 자신에 대한 이해와 성장에 도움이 될 수도 있지만, 동시에 부담스러울 수도 있습니다.

방어기제가 무너진 상태에서는 불안(不安)과 혼란(混亂)에 대처하기 위해 더 나쁜 대응이나 행동을 취할 수 있습니다. 예를 들어, 자신이나 다른 사람에게 상처를 줄 수도 있습니다. 반면에 방어기제가 무너진 상태는 성장과 변화의 기회가 될 수도 있습니다. 감정적인 측면을 더 잘 이해하고, 새로운 자기 인식과 자기 이해를 도모할 수 있습니다. 방어기제가 무너지면 감정적인 측면이 노출되고, 숨겨져 있던 감정과 생각을 더 잘 인식할 수 있습니다.

방어기제가 사라지면 기존의 사고방식과 인식을 넘어서서 새로운 시각과 이해를 얻을 수 있습니다. 자기를 솔직하게 바라보고, 감정과 상황에 솔직하게 반응하며, 현재의 순간을 경험하는 것이 깨달음에 이를 수 있는 길이 될 수 있습니다. 그러나 방어기제가 사라지는 것만으로 깨달음에 이를 수 있는 것은 아닙니다. 깨달음은 자기에 대한 깊은 인식과 개인적인 탐구, 그리고 시간과 노력이 필요합니다. 자기와의 솔직한 대화와 자아를 탐구하며, 다양한 경험과 지식을 통해 성숙해지고 성장하는 과정이 깨달음에 이르는 데 도움이 됩니다.

결국, 방어기제가 무너지는 것이 깨달음에 이를 수 있는 계기가 될 수 있지만, 이를 위해서는 자기에 관한 솔직한 탐구와 개인적인 노력이 필요합니다. 깨달음은 지속적인 자기계발과 성장의 과정에서 찾아지는 보람 있는 목표입니다.

깨달음의 반대에 축소된 이면은 변명(辨明)입니다. 사람들이 변명하는 이유는 다음과 같습니다. 변명은 자아를 보호하고 자존감을 유지하기 위한 방어 메커니즘입니다. 자신을 비난하거나 실패한 것에 대한 책임을 지기 어려울 때, 변명을 통해 자신을 변명하고 자존감을 보호하려고 합니다. 다른 사람들과 비교하거나 기준에 부합하지 않는 상황에서 자신을 변명하는 때도 있습니다. 사람은 주어진 조건과 자원으로 어려운 상황에서 최선을 다하려는 노력을 인정받고자 합니다. 실패나 문제에 대해서 직접 대면하기가 불편하고 두려운 경우, 변명을 통해 불쾌한 감정을 회피하려고 합니다. 자신의 결점이나 실수를 인정하기보다 자기방어적 행동을 통해 타인의 비난과 짓궂은 평가를 피하고자 합니다.

완벽주의적인 성향을 갖고 있거나 불확실성에 대한 불안감이 높은 경우에도 실패나 실수를 인정하고 이해하는 것이 어려울 수 있습니다. 완벽주의자는 불확실성이나 불확실한 상황을 피하려는 경향이 있습니다. 불확실성이 높은 상황에서는 주로 참여하지 않거나 참여를 자제하고자 합니다. 불확실성이 높은 상황에서는 자신의 능력에 대한 불확실성으로 인해 불안감을 경험할 수 있습니다. 완벽주의자는 불확실성에 대처하기 위해 너무 많은 계획과 준비를 하려는 경향이 있습니다. 모든 가능성을 고려하고, 최악의 상황을 대비하는 것을 선호합니다. 불확실성이 있는 상황에서 결정을 내리기 어려워합니다. 완벽주의자는 모든 것을 완벽하게 알고 판단하려는 경향이 있으므로 결정에 시간이 오래 걸리거나, 결정을 미루는 경우가 있습니다. 불확실성에 대해 과도한 자기 부담을 가질 수 있습니다. 완벽주의자는 불확실성을 해소하기 위해 지나치게 노력하기 때문에 자신을 비난하고 자책하는 때도 있습니다.

3. 개와 돼지 그리고 어떤 것

플라톤의 계급을 살펴보면 가장 아래에 있는 농노(農奴)들은 등 따시고 배부르길 원합니다. 그 당시에는 물질적 풍요가 부족했기 때문에 아마도 가장 큰 소원이었고 저의 부모님의 어릴 적 소원도 물질적 빈곤에서 벗어나는 것이었습니다. 대다수 사람이 물질적 빈곤에서 벗어나기 시작한 지는 얼마 되지 않았습니다. 현재 한국에서는 대부분 사람이 잘 먹고 잘살고 있습니다. 의식주는 사람들에게 매우 중요합니다. 많은 사람이 의식주를 비용 효율적으로 해결하면서 높은 삶의 수준을 추구하고 있습니다. 현재의 문화에서는 질을 중요시합니다. 그런데 물질적 풍요만을 바라고 그 단계에만 머물러 있다면 인간은 행복할 수 없습니다. 왜냐면 물질은 끝이 없기 때문이고 사람의 욕심도 이와 같기 때문입니다. 짧은 시간 내에 자기가 설정한 의식주를 해결하고 그다음의 영역으로 정신 활동이 이동해야 더 높은 삶의 가치를 알게 됩니다. 끝없는 물질 추구를 죽는 그 날까지 한다면, 불행하게도 그 사람은 가장 낮은 단계에서 삶을 마치는 사람입니다.

'인간은 사람으로, 그리고 다시 인간이 되어야만 합니다.'

멈출 줄 알아야 마음이 차분해지고 지혜가 생깁니다. 현재 우리 사회의 의식주 경쟁은 치열합니다. 이 단계를 벗어나서 혼과 영의 가치를 추구하고 발견하며 가꾸는 일에는 많은 사람이 관심 없습니다. 사실 마음이 진실에 이르면 의식주를 좀 더 풍요롭게 하기 위한 시간이 아까울 정도로 그다지 중요하지 않습니다. '이 정도면 충분해!'라는 절제가 선행되지 않는다면, 브레이크 없는 자동차와 같습니다. 그럼 언제 멈추냐면, 자동차의 연료가 소진되거나 자동차가 고장 났을 때입니다. 사람으로 비유하자면 꿈이 소진되거나, 갑자기 몸에 큰 병이 생겼을 때 죽음이 다가오면서 깨어납니다. 사람은 생애주기에서 한 번은 죽음을 맞이해야 합니다. 그것이 영이든, 혼이든 말입니다. 다시 태어나는 것은 영과 혼 두 가지뿐입니다. 고통에서 벗어나기 위해 육신이 죽어버리면 아무것도 할 수 없습니다.

물질을 추구하는 것은 몸과 정신을 끊임없이 혹사해 결국 질병에 이르게 합니다. 따라서 가능한 한 짧은 시간 내에 삶의 질의 상한선을 결정하고, 다음 단계로 정신적인 주안점을 이동하는 것이 중요합니다. "크게 버려야 크게 얻는다"라는 말의 의미도 이와 다르지 않을 것입니다. 최소한의 의식주 수준에서 몸의 안정을 찾고 혼과 영을 깨워서 인간에 이르기를 소망해 보십시오. 그러면 공부하지 않을 수 없는 상태에 이르게 될 것입니다.

2017년에 저는 뜻하지 않게 동굴 탈출 체험을 했습니다. 그 과정에서 돈의 중요성보다 마음의 중요성을 깨닫게 되었고, 돈을 좇는 행위를 멈추고 내 모든 에너지가 진심(眞心)을 찾아가기를 소망하였으며 독서의 여정이 시작되었습니다. 죽었던 영혼이 공부와 명상을 통해서 서서히 인식되고 살아나게 되어 깨달음의 수행에 박차를 가했습니다. 그러나 문득 깨어났으나 실제로는 독서와 공부하기 어려운 환경이었습니다. 망설임 없이 일을 그만두고 공부를 해야겠다고 마음먹었습니다. 그래서 사업을 정리한다고 지인들에게 말을 했을 때 누구도 믿지 않았습니다. 심지어 어머님조차도 믿지 않았습니다. 이렇듯 세상에서 고정된 역할을 벗어나는 일은 누구에게나 간단한 일이 아니라는 사실을 분명하게 보여줍니다. 그리고 또한 동굴 탈출 이야기조차 아무도 믿어주지 않았습니다. 이런 사람들의 반응을 살펴보며 잘못 살아온 삶을 다시 점검하게 되었고 그로 인해 후회하고 반성하게 되었습니다. 그러한 마음으로 사업을 정리하기 위해서는 모든 사람을 설득해야 했는데, 이 과정이 2년이라는 시간이 걸렸습니다. 마침내 결실이 열매를 보게 되어 2019년 크리스마스가 왔을 때쯤 사업을 정리할 수 있었습니다. 때마침 그때, 대구 동구에 있는 2. 28 도서관이 문을 열었습니다. 이 도서관은 제가 중학교 시절 다녔던 모교를 도서관으로 재탄생시켜 개관한 곳으로, 집에서도 가까운 위치에 자리하며 어린 시절의 풍성한 추억이 가득한 소중한 장소입니다.

공부를 결심한 후, 사업장이 아파트 용지로 선정되어 자연스럽게 정리되었고, 공부할 만한 장소를 찾던 중 2. 28 도서관이 개관하게 되어, 이 모든 사건이 긍정적인 징조임을 느꼈습니다. 내 마음속에는 열심히 공부하고자 하는 사람에게 하늘이 도움을 준다는 생각이 스며들었습니다. 사실 이렇게 일이 순조롭게 해결될 줄은 예상하지 못했습니다. 이로써 매일 도서관에 찾아가 책상에 앉아 공부할 수 있게 되었습니다. 도서관에 앉아 깊이 생각해보니, 제 내면의 성장은 고등학교 시기에 멈춰 버렸다는 것을 알게 되었습니다. 그로 인해 퇴화의 길을 걸어왔고, 제 사고력은 중학교 1학년 수준으로 돌아간 듯했습니다. 이러한 이유로 다시 중학교 시절로 돌아가 매일 도서관에 출석하며 학생으로서의 역할을 다시 수행하게 되었습니다. 다시 생각해보니, 제 지적 능력은 중학교 1학년 수준에 머물러 있었던 것이 맞습니다. 잘못된 믿음이 저를 오랫동안 잘못된 길로 이끌었습니다.

잠시 과거 중학교의 첫인상을 회상하면, 중학교에 입학했을 때, 학교의 가장 마지막 끝부분은 공사 중인 상태였습니다. 학교 운동장 가장자리에 있는 나무들은 아련한 모습으로 여유로움을 자아내며 있었습니다. 축구를 좋아하는 중학생으로 달리다가 나무에 부딪히면 어린 나무가 휘어지며 약하게 느껴지곤 했습니다. 40대 후반에 다다른 지금, 도서관에서 운동장 뒤편의 나무들을 바라보며 멈추어 섭니다. 나무들은 얼마나 굵고 튼튼하게 성장했는지를 눈으로 확인할 수 있었으며, 그 넓던 나무 사이도 지금은 나무들이 우람해서 간격이 좁아지게 되었습니다. 멀리 보이는 도서관의 나무들은 빡빡이 머리를 해서 서로의 공간을 최소화합니다. 학생 시절, 우리 머리도 빡빡이 머리였습니다. 그래서 현재의 머리도 빡빡 밀었습니다. 어릴 때부터 지금까지 그리고 학교 운동장의 나무들까지 모두가 빡빡이 입니다. 때로는 공부하다가 허리를 펴고 혈액 순환을 돕기 위해 스트레칭을 하면 자연스럽게 시선은 운동장으로 향하게 됩니다. 그러면 이런 추억들이 자연스레 떠올라 살아나곤 합니다.

마음을 조명하기 위해 독서를 하다가 지치게 되면 잠시 짧은 명상과 조절된 호흡법을 통해 기운을 회복한 후 다시 독서에 몰두하고 있습니다. 이런 방식을 통해서 동굴에서 나왔을 때보다 훨씬 깊은 체험을 하게 되었습니다. 다시 체험에 몰두한 이유는 동굴 밖으로 나왔을 때 무엇이 정확히 일어났는지에 대한 구체적인 이해가 부족하여, 자신에게 설명할 방법이 없었기 때문에 상태를 확인하고자 했기 때문입니다. 그 뒤로 명상과 호흡법은 마음의 평온을 되찾고, 에너지를 충전하는 용도로만 꾸준히 활용하고 있습니다. 그리고 이를 더 깊은 영적 영역으로 밀어붙이지는 않고 있습니다. 이러한 마음 자체가 어떤 목표를 추구하기에는 부적합하다는 것을 뒤늦게 알았기 때문입니다. 신비는 신비롭게 그대로 두고 상상하는 것이 좋았습니다.

"다시 마음공부와 지적공부가 활기를 찾았습니다."
이때부터 마음속에 다시 '무심(無心)'이란 단어가 지워지지 않았습니다.

사람은 마음에 믿음이 있어야 움직이는 것 같습니다. 믿음보다 더 아래의 것이 무엇일까요? 그리고 '코로나-19'라는 혹한기가 찾아왔습니다. 어느 날 도서관에서 안내방송이 울렸고 도서관 사람들은 모두 쫓겨나듯 도서관을 빠져나왔습니다.

4. 내 공부

'인간'이 되기 위해서 하는 것이 공부입니다. 사람은 욕망 때문에 때로는 짐승보다 더 낮은 존재로 추락할 수 있습니다. 이러한 상황은 욕망으로 인해 더욱 중요한 가치들을 인식하지 못할 때 발생합니다. 인간은 두 발로 서며 언어와 도구를 사용하며 문화를 형성하며 생각과 웃음을 가진 동물입니다. 직립 보행을 하며 사고와 언어 능력을 토

대로 문명과 사회를 구성하며 고등 동물로 살아가는데, 이러한 특성으로 인해 사람과 구분됩니다.[3]

사람과 인간의 차이를 언급할 때, "사람"이라는 용어는 사람(人)을 가리키지만 "인간"이라는 용어는 사람(人)과 그 사이(間)를 의미합니다. 이로 인해 두 용어는 서로 독립적으로 존재할 때는 "사람"이라는 표현을 사용하며 "인간"이라는 용어는 사용하지 않습니다. 세상을 떠나 홀로 산속으로 들어가는 이들은 "사람"입니다.

우리 마음은 의식과 무의식으로 이루어져 있습니다. 의식은 자각하고 느끼며 생각하는 과정을 나타내며, 이 생각은 우리의 인식을 향상하는 역할을 합니다. 이러한 과정을 통해 깨달음은 마음에서 느낌을 생기게 하는 원리를 이해하는 것을 의미합니다. 따라서 깨닫는 것은 알아차림을 포함하며, 이를 알아차릴 수 있는 것이 바로 의식입니다. 반면, 무의식은 느끼지는 못하지만 영향을 미치는 영역으로 느낌, 지각, 자동적 반사작용입니다. 무의식이 작용하려면 의식적으로 느낄 수 있도록 하는 패턴과 그에 따른 일정한 과정이 필요합니다. 이 패턴을 통해 느낌이 생성되며, 이것이 습관(習慣)으로 형성되어 쌓이는 과정입니다.

무의식은 습관으로 이루어진 것이 아닙니다. 습관에 의식적인 자각 내용이 함축되어 있는데, 이를 "마음에너지"라고 합니다. 마음에너지는 느껴지지 않으면서도 지속해서 작용합니다. 마음에너지는 내용을 습관으로 옮겨주고 습관의 작용 때문에 의식으로 자각됩니다. 그러므로 무의식은 습관과 마음에너지로 이루어져 있습니다.

"그래서 인간의 마음은 태어날 때부터 죽을 때까지 작용을 멈추지 않습니다."라는 것이 사실입니다.

무의식의 마음에너지는 변하지 않습니다. 그래서 변화할 수 있는 것은 무의식의 습관뿐 입니다. 습관을 변화시키면 의식과 무의식의 작

---

3) 마음이론: 인간의 마음과 심리를 해석하는 기준과 표준입니다.

용이 변하며, 인식심리, 기억심리, 표현심리 등이 회복됩니다.

사람들은 살아가면서 "삶"과 "인생"이라는 용어를 자주 사용합니다. 그러나 많은 사람이 정확한 의미를 모르고 삶과 인생을 같은 것으로 오해하는 때도 있습니다. 하지만 사실, 삶과 인생은 서로 다른 개념입니다. "삶"은 감정(感情)을 나타내며, "인생"은 기분(氣分)을 나타냅니다. 이로 인해 기분과 감정은 무의식에서 형성되며, 따라서 마음의 작용이 매우 중요합니다. 이러한 상황에서 감정은 기억된 사실에 의해 형성됩니다. 그러므로 기억된 사실 또한 중요한 역할을 합니다. 이와 같은 맥락에서 기억된 사실을 "인생"이라고 표현하고, 기억된 사실을 기반으로 형성된 감정을 "삶"으로 칭합니다. 삶은 마음에 의해 형성된 감정으로, 이 감정을 의미로 이해합니다. 따라서 이를 "삶의 의미"라고 언급합니다. 더불어, 인생은 10만 원을 벌었는지 100만 원을 벌었는지와 같은 사실을 나타냅니다. 이것은 가치로서 인식됩니다. 이에 따라 "인생의 가치"라는 용어가 사용됩니다.

무의식의 작용을 이해하지 못하면 현재 생각하고 있는 '나'를 인식하지 못합니다. 그 결과로 자신의 존재를 잊어버리고, 내가 존재한다는 느낌을 받지 못하게 됩니다. 미래의 발전이나 퇴보 여부는 알 수 없지만, 끊임없이 변화하고 있으므로 현재의 '나'는 실재하지 않습니다. 따라서 '나'라는 개념이 없어지게 됩니다. 내가 이 세상에서 살아가면서 나 자신이 중심이 되어야 합니다. 나는 오직 나만이 느끼고 자각하는 유일무이한 존재입니다. '나'는 태어나서 죽을 때까지 유일한 존재로서 살아가는 것입니다. 그런데 왜 끊임없이 타인에게서 나 자신을 찾으려 하며, 타인에게서 내 마음을 찾으려는 걸까요? 세상에서 벌어지는 모든 일에 대해 내가 개입할 수 있는 범위는 한정적입니다. 그중에서도 내가 실제로 영향을 미쳐 변화시킬 수 있는 일은 아주 일부에 불과합니다. 이를 분명하게 인식하고 '무심'하면 됩니다. 그렇게 하면 관조(觀照)하는 힘이 생깁니다. 바르게 보는 것에서 모든 것이 시작됩니다.

　　기억과 추억의 중간쯤, 엄마 손에 끌려서 학교 운동장에 서게 되었고 누군가의 호명에 이름표를 받았습니다. 그리고 왼쪽 가슴에 하얀 손수건과 명찰을 포개어 옷핀으로 달았습니다. 흰 손수건은 코 풀고 손 닦는 용도였습니다. 그리고 며칠 후 내 몸집보다 더 큰 가방을 메었습니다. 이때부터 나에게도 공교육이 시작되었습니다. 그 시절 한글을 배운 기억이 떠오릅니다. 선생님께서 불러주던 문장을 받아쓰지 못하여 나머지 공부를 종종 하였습니다. 그러다가 마침내 나머지 공부를 면하게 되었는데 나머지 공부가 싫지 않았습니다. 집에 돌아가도 아무도 없으니 일찍 가봐야 별일 없었습니다. 내 초등학교 시절은 '우, 수, 미, 양, 가'을 적당히 받으며 졸업했습니다.

　　중학생이 되면서 우리는 이사를 했습니다. 지금도 여전히 그 지역에서 살고 있습니다. 중학교에서는 영어를 배웠는데, 한글을 배울 때보다 훨씬 어려웠습니다. 무조건 암기였고 발음이 이상하면 좋지 못한 소리를 들었습니다. 지금 생각하면 그때 시절의 영어는 정말 무의미한 것들로 가득 차 있었습니다. 마치 1930년대 일본 교관이 칼을 차고 교단에 올라 식민지 학생들을 지시하며 가르치는 것과 유사합니다. 억압과 강압의 중학 교육이었습니다. 매와 벌은 다반사고 가혹행위와 구타는 일반적인 일이었습니다. 이것을 피하고자 공부를 할 수밖에 없는 구조였습니다. 학교 성적이 그저 그랬던 저는 운이 좋게도 2학년 때 좋은 영어 선생님을 만나 학교생활이 더 즐거워지고 성적도 크게 개선되었습니다. 아마 이때가 나의 삶에 공부의 열정이 최고였습니다. 선생님과 마음이 잘 맞아서 선생님의 지도 아래 좋은 결과를 이룬 것 같습니다.

　　중학교를 '우, 수'를 많이 받고 졸업하고 실업계 고등학교로 진학하였습니다. 또 다른 세계가 있었습니다. 자유로운 학교생활이었습니다. 중학 시절의 강압이 거의 사라졌습니다. 우리는 졸업과 함께 취직할 것임으로 공부할 분량이 상당히 줄었다는 것을 알게 되었습니다. 우리는 강압적인 선생들에 저항했고 몰아내기까지 했습니다. 이 시절 지식적인 배움은 없었으나 친구들끼리 서로의 마음을 살피기 시작했습니다. 중학교 친구는 일부 초등학교 친구였고 같은 동네 친구만 남았지만, 고등학교 친구들은 아직도 연락하는 친구들이 많이 남았습니다. 실업 고등학교에서는 취직을 위한 구체적인 일을 배웠습니다. 손에 기름을 묻히고 도구를 사용하는 법을 배우고 손에 굳은살이 생길 때쯤 졸업을 하였고 드넓은 정비공장에서 일하게 되었습니다. 현장에서 업무를 보면서 배우고 실습하는 것을 병행하는 공부는 가능하다고 믿었기 때문에, 다른 사람들이 모르더라도 일을 하면서 모르는 부분을 꼭 찾아보고, 전공 공부를 중요시하며 열심히 했습니다. 그 당시 도서관에 있는 전공 서적을 모두 읽었는데, 이후에는 더 읽을 전공 서적이 없어서 도서관에 가지 않게 되었습니다. 현장에서의 바쁜 업무와 적당한 어려움을 겪는 것은 나쁘지 않았습니다. 사람은 적당한 양의 땀을 흘리며 밖에서 활동하는 존재라고 생각했습니다.

5. 대화(對話)

2019년경 직장을 떠나 태국에서 무언가에 몰두하고 또, 그 무언가를 찾기 위해 기나긴 여정을 선택하였습니다. 이 시절은 나에게 있어 대전환의 시기였습니다. 아무런 간여(干與)가 없는 곳에서 내 처신을 살피는 일, 이보다 더 중요한 것은 없었습니다. 그 시절에 여행길을 같이하자는 친구는 많았으나 실제로 행동하는 친구는 드물었습니다. 태국 '파타야'에 머물 때 친구(A 씨)는 내가 준 책을 읽어가며 이곳 숙소까지 찾아왔었습니다. 얼마나 대단한 정성인가요. 비록 각자 일정이 조금 달랐지만, 우리는 약 5일 동안 함께 생활하며 서로의 생각을 나누었습니다. 그 결과, 우리는 많은 성장을 이루었습니다. 저는 과거를 치유했고, 그 친구는 학문에 대한 진심을 키웠습니다.

그 친구가 오늘 백숙을 사주었습니다. 공부하느라 힘들 텐데 영양 보충이 필요하다며 말입니다. 상대방의 상황을 이해하는 것이 바로 이런 것입니다. 사실, 공부하는 시간은 가장 쉽고 행복한 시간입니다. 무언가에 부딪치며 휩싸이게 되는 현장은 복잡하고 어지럽습니다. 공부하는 것에 어려움이 있다면, 외부의 욕심에 욕구가 강하게 반응하기 때문이며 그런 이유로 마음의 수긍과는 멀어져 자신을 힘들게 할 뿐입니다. 강한 주장은 강한 저항을 불러오며 결국에는 더 많은 에너지를 헛되이 소모할 뿐이었습니다.

공부를 힘들어하고 어려워하는 사람들은 공부를 위한 인간의 공부가 필요합니다. 진실한 마음으로 자신을 살피는 일은 모든 일의 근본입니다. 황토방에 백숙을 앞에 두고 앉아 많은 감정이 교차하였습니다. 그래도 시간은 걸렸지만 결국에는 그 친구(공무원)는 해내지 않았던가요? 서로 간 마음을 열 수 있는 친구가 그래서 중요합니다.

삶에서의 일취월장은 소중한 친구를 얻는 것입니다. 공부란 것은 마음을 여는 일이고 소통하는 것입니다. 그 마음을 열지 않고서는 절대로 무언가를 얻을 수 없습니다. 아울러 욕망을 살피어 긍정적인 에너지로 승화하는 일은 공부를 끊임없이 지속할 수 있는 에너지의 원천입니다. 일시적인 것은 유행과 경향에 지나지 않습니다. 그런 일시적 감정에서 멀어져야 다음의 행동을 구체적으로 구상할 수 있습니다. 공부는 삶의 필수적이고 피할 수 없는 부분입니다. 이를 즐기지 못한다면, 욕망에 휘둘려 소중한 삶을 낭비하게 될 것입니다. 그래서 공부를 즐기지 못한다면 삶은 고통에서 벗어나지 못하게 됩니다.

A 씨와 저는 마주 앉았습니다. A 씨는 3년 차 늦깎이 공무원입니다. 처음 만났을 때가 2015년경으로 기억하는데, 당시에 저는 개인 사장이었고 그는 수험생도 아니고, 아르바이트생도 아닌 그런 상태였었습니다. 시험 준비로 지친 A 씨를 보았을 때 마음이 맑아서 시험에 매진토록 격려해 주었습니다. 몇 년 후 마침내 결실을 이루어 그토록 원하던 공무원이 되었습니다. 그리고 딱 5년이 지난 지금은 A 씨와 저의 처지가 바뀌었습니다. 얼마간 침묵이 흐르고 말문을 열었습니다.

40이 넘도록 열심히 돈 벌어보지 않았습니까?
그래, 돈은 많이 모았습니까?

부자는 되었습니까?

어떻습니까?

머뭇거리며 A 씨가 말합니다.

'돈은 모으는 것 보다 쓰는 것이 더 빠릅니다.'

왜 그렇습니까요? 뭔가 잘못된 거 아닙니까?

'남들처럼 살려다 보니 집도 옮기고, 차도 사고, 옷도 사고 그러다 보니 수입은 빠듯한데 그렇게 되었습니다.' (A 씨가 공무원이 되고부터 사뭇 예전의 그와 눈높이가 달라졌습니다.)

그건 그렇고 지금 마음은 어떻습니까?

그래 돈 벌 운수가 있는 것으로 보입니까?

우리는 지금까지 열심히 해봤지만, 뻔하지 않았습니까!

그렇다면 차라리 공부하는 것이 어떻겠습니까!

공부는 저보다 A 씨가 더 잘하지 않습니까!

돈은 사람을 알아보는 법입니다.

당신이나 나나 이번 생에는 돈 벌 운수가 없습니다.

당신도 알고 있지 않습니까!

'김 사장은 사업을 정리한 지 꽤 된 거 같은데, 돈이 필요하지 않습니까.'

처와 자식이 없으니 돈이 많이 들어갈 일이 없습니다.

당신이나 나나 이번 생은 공덕(功德)이 없는 듯합니다.

나이 40을 넘어 50을 바라보고 있지만, 물질적으로도 인간적으로도 그 누구에게 인정받아 본 적이 없습니다. 그렇다면 남은 생은 그렇게는 살지 말아야 하지 않겠습니까.

과거에 돈 번다고 세상을 어지럽힌 잘못들을 고쳐봅시다.

우리는 세상에 몹쓸 짓을 많이 하지 않았습니까.

안 되는 것은 그냥 두고, 우리가 할 수 있는 것을 찾아서 고쳐가다 보면 뭔 수가 생길 것입니다.

.
.
.

세상 '미물(微物)'들인 우리가 살아가는 방법은 딱! 한 가지만 남아있소.

'김 사장 그것이 뭡니까?'

공부밖에 없습니다.

허물을 찾아서 고치고 바로잡는 것이고, 그 끝이 보이면 아마 죽을 때가 온 것입니다.

이번 생은 당신이나 나나 원래 깨끗했었던 첫 마음(초발심)으로 돌아만 가도 큰 복입니다.

그러니 돈, 여자 쓸데없는 망상에 빠지지 마십시오.

공부하고 있지 않으면 돈 쓸 생각에 사로잡히고, 쓸데없는 것을 사고, 그것을 메우기 위해서 죽도록 일을 해야 하는 악덕에 빠지게 되니 그런 삶은 우리가 원하는 것이 아니잖소. 당신도 알 것이오.
마음 공부를 통해서 뭔가를 얻어야지, 일을 통해서 우리가 얻을 수 있는 것은 없소.
남은 생을 공부하듯 일하시고, 공부하기 싫으면 죽을 때가 된 것이라 그렇게 생각하시오.
당신과 나는 '아메바'에서 사람을 지나서 '인간'이 조금이라도 되면
그것만으로도 큰 행운이요.

A 씨는 그렇게 하고픈 얼굴 모양을 만들었지만, 그가 돌아서는 그림자 뒤는 도무지 알 길이 없었습니다. 현대 사회는 빚을 권하는 세상으로 소득을 미리 저당잡기를 좋아하는 영업전문가들이 가득하고 이를 부추기고 이런 것들을 젊은 사람일수록 마다하지 않습니다. 우리는 못 먹고, 못 입고 어려운 시기를 지내왔습니다. 그 시기와 때는 달랐습니다만 서로의 마음은 잘 알고 있습니다. 서로가 어려웠던 시기에 도움을 주는 것은 좋은 일입니다. 그래서 A 씨를 볼 때마다 마음이 흐뭇해지고 좋아집니다.

6. 아프지 않으면 기억하지 못한다

약자는 이 세계를 살아가는 법을 스스로 발견하고 진화합니다. 어두운 곳에서 그들만의 방식으로 세상을 보며 가끔 높은 곳을 힐끗 치켜 보기만 합니다. 사실 그들은 이곳을 알지 못합니다. 다만 우리는 그들의 세계를 언제든 확인할 수 있습니다. 빛을 무서워하는 자는 그림자의 유령처럼 그늘진 곳을 배회하면서 세상의 틈을 발견하고자 노력합니다. 약자들은 이것을 또 거듭 진화시켜 그들의 마음을 다잡습니다. 애처롭게 환상을 주입(注入)합니다. 약자들은 비굴하게 살아가는 법을 정당화시키는 환상을 현실에서 추구하기 시작합니다. 이 순간, 진리에서 분리되어 그들은 올바른 성장을 멀리하게 되었고, 결국 돌아올 수 없는 세계에 이르렀습니다.

절대적인 경계의 '틈'(성실한 사람의 근간을 무너뜨리는 일)을 넘어선 것입니다.

인간은 그렇게 살지 말라고 수많은 사람이 과거에 이야기했고 주장했습니다. 그들은 다른 세상의 그 어딘지 알 수 없는 그늘을 서성이는 존재들이 아닌가요?

무의미합니다. 이런 사람들은 언젠가는 자신의 한계를 직면하게 되면 찾아오는 깊은 후회를 어떻게 달랠 것인가요? 삶에 스펙트럼에 균형이 있어야 합니다. 이 균형은 시간이 흐르게 되면 오랜 여행처럼 느껴지게 됩니다. 낮과 밤이 있듯이 우리들의 삶은 사이클 주기를 가지며 존재하고 순환하고 있습니다. 극단의 어둠을 추구하는 자들은 허무를 넘어 개인의 종교화를 지나 정신병에 이르고 있습니다.

세속화의 전염병이라고 할 수 있을까요? 인간 스스로가 이렇게 정신적인 타락으로 치닫는 것은 반인륜적이며, 자신에게도 부끄러운 행위입니다. 세상을 향해 당당히 서지 못하는 것은 내재된 고통(苦痛) 때문이며 이를 극복하는 법을 모르기 때문입니다. 인간에겐 위대한 창조적인 이성(理性)이 있습니다. 이것이 열쇠고 이것을 갈고 닦아 연마하다 보면 세상이 서서히 밝아질 것입니다. 세상 탓만 하고 시간에 무능한 인간들이 너무 많습니다. 모두가 자신의 마음이 무언가에 홀려 미친 듯 뛰고 있는 이상한 세상입니다. 그들 눈에는 어떻게 보일지 모르겠지만, 세상은 아름답고, 진실하고, 정의롭고, 천국처럼 평화롭습니다. 아니, 여기가 천국입니다. 무엇이 그대를 분노하게 하는가요? 바로 나의 욕심이 그 대상이며 원흉의 주체임을 단박에 깨닫기를 바랍니다. 죽은 이후 천국은 인간이 만들어낸 상상의 공간입니다. 천국을 만들어 환상을 주입하지 말고 여기를 천국으로 만들어야 합니다.

한편, 나의 취약성(脆弱性)은 환상에 불과합니다. 이 환상을 현실로 만들려는 행위가 진정한 악입니다. 우리는 세상을 향해 모두 취약한 존재이며, 변화와 진화를 통해 악은 사라져야 합니다. 이분법적 성향은 모든 것을 고정시키고, 중간 과정을 고려하지 않은 채 결과만을 단정짓는 것입니다. 그러나 행동하는 동안 결과는 더 나아가 원하는 방향으로 세상이 흘러가게 됩니다. 수많은 차원과 우리의 무의식은 하나의 고리로 연결되어 있으므로 변화의 방향을 올바르게 설정하면 세상이 행복해질 수 있습니다. 그러나 반대로 다른 사람의 세계를 지배하려는 순간부터 악이 시작되고, 서서히 그들의 눈은 어둠에 빠지며 세상을 원망하게 됩니다.

타락한 영혼들은 종종 자신의 무능과 무지를 인식하지 못합니다. 그 결과, 그들은 세상에 악의를 뿌리게 되며 이러한 악의는 깊어질수록 자신도 모르게 부끄러운 행동을 당당하게 드러내곤 합니다. 이런 사람은 자신이 자유로운 존재라고 착각하는 사람입니다. 그러나, 세상은 시간에 따라 변화하며 이러한 문제를 자연스럽게 해결합니다. 우리는 삶을 향한 열망이 있지만, 종종 엉뚱한 방식으로 그 열망을 쫓아가곤 합니다. 그냥 단순히 '살겠다'라는 욕구를 따르는 것만으로도 우리는 어딘가에 도달할 수 있는 것이 아닐까요?

"이제는 속도보다는 진화의 방향을 고려할 때입니다.
마음과 책을 균형 있게 연구하고 철저하게 탐구할 때입니다."

단순히 경전(經典)만 연구하는 사람들이 성장하지 못하는 이유는 한정된 접근 방식인데, 그러나 이러한 방식 또한 이점을 제공할 수 있을 것입니다. 차츰 경전을 읽고 마음에서 그 작용을 실험하고 탐구하다 보면 이 말의 의미를 깨닫게 되는 법입니다. 이와 유사하게 먼바다와 같은 마음을 항해할 때, 어떤 기준을 가지고 움직여야 할까요? 태양, 별, 나침반 그리고 지도로, 인간은 수 세기에 걸쳐 항해를 이끌어 왔습니다. 길을 잃지 않는 방법과 탐험 사이의 갈등, 그리고 정복의 달콤함과 죽음, 이 모든 것은 항해의 시작과 동시에 우리를 기다리는 먼바다 끝의 수평선에 직면하게 됩니다. 그곳에서 우리는 밝은 희망과 두려움을 함께 경험하게 됩니다. 옛날 선원들이 두려워했던 길, 그 미지의 길을 우리는 이해할 수 있습니다. 그 길은 무엇일까요. 수평선은 어떤 의미가 있을까요. 그곳은 무지와 지식이 만나서 나를 괴롭히는 곳이기도 하며, 동시에 지혜가 탄생하는 곳이기도 합니다. 그곳은 빛과 어둠이 교차하여 가장 밝으면서도 어두운 곳이며, 우리에게 인생의 탐험을 상징합니다. 무엇을 망설이나요. 준비가 지나치게 지연되면 오히려 악의 근원이 될 수 있습니다. 그 이유는 다른 이들의 앞길에 걸림돌이 되기 때문입니다. 그러나 물러나서 자연과 시간을 보내며 탐구하고 작은 승리를 경험하며 즐기는 사람은 이런 의미를 마음 깊이 간직할 수 있습니다. 이것은 자기 학대와는 전혀 다른 것입니다. 가끔, 이러한 경험을 '깊은 후회'라는 제목으로 분류하는 경우가 많지만, 이를 구분하는 것이 중요합니다. 사람들이 성장할 수 없다고 여기는 고정된 관념의 반대편에는 세상에 무수히 많은 선생님이 존재한다는 사실은 변함이 없습니다. 그러므로 성장하지 못한다는 생각은 잘못된 것입니다.

한편 저는 몇 년 전, '공'에 도달하기 위해 뿌리를 뽑아내는 고통을 감내했으며 몇 년 동안 마음이 마치 빈 땅처럼 방치된 적도 있었습니다. 그동안 독서를 통해서 마음에 거름을 뿌렸을 뿐입니다. 그런데 어느 날 이른 새벽에 정갈하게 옷을 갈아입고 정성스럽게 씨앗 하나를 심었던 모습을 볼 수 있었습니다. 미래의 모습은 확신할 수 없지만, 이 비옥한 땅과 햇빛이 가득한 곳에서 무엇이 피어날지 기대됩니다. 조용하고 겸손한 곳, 반듯하게 굽이치지만, 눈에 잘 띄지 않는 이런 장소는 분주한 이들에게는 기억해주는 곳일 뿐만 아니라, 무한한 성장의 기회를 열어 주기도 합니다. 내가 떠나도 그 나무는 아름답게 자랄 것입니다. 미래의 누군가는 오랫동안 그런 모습을 지켜볼 것입니다.

우리는 진정한 무한대(無限大)를 이해하지 못합니다. 시간과 공간을 활용하는 방법을 모르기 때문에 욕심을 부리며 조작하고, 그 결과 마음을 불안과 불안정으로 가득 채웠습니다. 이로 인해 그곳은 쉽게 악으로 변해버린 것이었습니다. 결국, 우리는 미련하게도 악으로 시간을 채우는 행위에 빠져들었을 뿐이었습니다. 악으로의 변화는 자연스럽게 일어나는 현상이지만, 이것은 성장하지 못하는 인간의 무능한 종말의 결과입니다. 세상은 모든 사람을 깨부수지만 많은 사람은 그렇게 부서졌던 바로 그 자리에서 한층 더 강해집니다. 그러나 그렇게 깨지지 않았던 사람들은 죽습니다. 어떻게든 실패를 회복하려고 하는 사람은 실패에 내재하여 있는 가치를 결코 얻지 못할 것입니다. 에고와 싸워서는 안 되기 때문입니다.

"해가 지는 쪽은 늘 따뜻합니다."

해가 질 때쯤, 음악을 들으며 강변을 산책하며 맞이하는 일몰은 장관입니다. 이 광경을 바다에서 맞이한다면, 아마도 한 폭의 그림을 감상한 것처럼 깊은 감동을 마음에 담을 수 있을 것입니다. 그 순간에는 대지의 에너지를 느끼고, 때가 되면 그 의미를 되새깁니다. 차가운 바다를 바라보는 눈동자는 푸른 기운을 가득 담습니다. 땅거미가 지는 그곳, 저 멀리 짧은 시간 동안 빛이 반짝였다가 사라지는 곳입니다. 이때가 가장 아름답고 황홀한 순간입니다. 바다와 하늘이 만나는 경계에 서 있습니다. 하늘과 바다가 만나는 그 경계에서 빛들이 다양한 굴절을 만들며, 그 흔적들이 대기와 바닷물 안에서 찬란한 반사를 만듭니다. 마치 어릴 적 성숙함처럼 짧은 시간 동안 많은 것을 느끼고 알게 됩니다. 나와 너의 존재가 맞닿아 치우치지 않으면, 어떤 훌륭한 것이 될 수 있음을 느끼게 됩니다.

경계(經界)는 분열이고 고통입니다. 그래서 두려움을 내포하고 있습니다. 그 속에선 강렬한 욕구와 의지가 살아 있습니다. 뜨거운 태양이 바닷속으로 들어가지 않았던가요? 영역을 넓히고 밝히는 우리의 배움과 흡사합니다. 빛으로 밝아진 부분과 그렇지 못한 부분에서의 갈등과 고뇌, 그리고 이것을 밝혀 보겠다는 인간 의지가 수없이 충돌하고 교차하는 공간입니다. 배움 또한 이런 열광과 비슷합니다. "태양이 바닷속으로 들어가겠다"라는 그런 인간의 의지입니다. 그 공간을 확장하고 개척하기 위해서 인간은 살아가고 있습니다. 어쩌면 인간이 풍요를 느끼는 순간부터가 누군가의 착취 시작일 것입니다. 홀가분하지 못한 그 찝찝함은 영원히 우리의 영혼에 끝을 잡고 늘어질지라도 우리는 풍요로움을 갈망하지는 말아야 하는 운명을 타고난 것입니다. 늘 궁핍하고 고독하고 또한 누군가를 갈망하는 그런 배고픈 존재입니다. 우리는 그런 것입니다.

'입을 맞추었습니다.'

꽃잎이 지고 다시 꽃이 열려 꽃가루가 날리고 눈이 따가울 만큼 싱싱한 4월에 이름 모를 나무 아래 서서 지평선을 바라봅니다. 며칠 전부터 답답했을까요? 공원 높은 곳 누군가를 쉬게 해주는 긴 의자에 앉아 책을 읽다 일몰을 맞이하였습니다. 길게 늘어진 빛은 도시의 삭막함을 잊게 해주었습니다. 밝음과 어둠으로 선명히 구분해 주었고 그 나머지는 어둠의 빛깔로 지정해 주었습니다. 한정되어 구속되어 보이는 도시의 풍경 속 나는 무언가를 열망했습니다.

'잊었나 보다.' 그 여인[4]의 향기, 서로 일깨워주는 존재!

알지 못했지만 그런 사람과 더 그런 경계를 탐험하고픈 욕구와 의욕들, 이것이 생을 탐하는 의지는 늘 이렇게 시작됩니다.

7. 사이렌(Siren)

과거 뱃사람들은 어떤 목소리에 끌려 죽음을 맞이한다고 믿었습니다. 그 목소리는 가장 어둡고 침침한 곳에서 아무도 모르게 혼자만이 들을 수 있는 소리로 들려옵니다. 그 강력한 마법과도 같은 유혹에 넘어가지 않을 인간은 세상에 존재하지 않습니다. 가장 아래에서 최극단에서 마주하는 목소리이기에 끌림에 따르지 않을 수 없음을 알아야

---

4) 소피아(그리스어: Σοφια, 라틴어: Sophia): 예지(叡智)는 지혜의 상징입니다. 영지주의나 유태교 등에서는 아이온의 이름으로, 이 세상의 기원에서 중요한 역할을 가집니다. 인간의 구제에서의 원형 상징이라고도 볼 수 있습니다.

하고 이를 대비하셔야 합니다. 아무런 준비가 없다면 사이렌의 노예가 될 것입니다. 가장 인간적이고 도덕적이라고 자신을 인정하는 사람이, 실은 가장 취약한 상태로 사이렌의 먹이가 됩니다. 인간은 그런 상황을 미리 그려봄으로써 어떤 상황에서도 행해야 할 원칙을 만들고 극복할 수 있습니다.

돛대에 몸을 묶고 눈, 귀를 막고 모든 것이 통제되어야 하는 상황이 삶에서 절제(節制)는 특정 시기에 꼭 필요한 법입니다. 한계를 인정하고 겸허히 받아들이는 일은 겁쟁이가 아니라 현명한 자만이 할 수 있는 슬기로운 선택입니다. 어릴 때는 감각으로 경험이란 데이터를 쌓는 것은 지식을 축적하는 것보다 중요하고 또한, 이 둘의 적절한 비율을 유지하는 것이 중요하겠지요. 반대로 경험이 쌓여 지식으로 풀어보려는 욕구가 학문에 대한 사랑입니다. 공부하지 않아 경험이 너무 비대해져서 다이어트 중입니다.

오늘도 "경험을 버리는 중입니다."
바꾸어 말하면 드물겠지만, 지식을 버리는 사람도 있을 것입니다.

적절한 때를 모른다면 이 둘의 균형(均衡)이 가장 중요합니다. 많은 시간에 노출되어 기울어진 인식은 지독한 편견인 경우가 많기 때문입니다. 세상에 많은 사람은 안정을 추구합니다. 처지가 좋든 나쁘든 그 자리를 지키려고만 합니다. 당신은 어떤 상태와 단계에 있는 것일까요. 스스로 질문하지 않으며 불만이 너무 많습니다. 좋음을 염원하지만, 적극적으로 행동하지 않는 나태한 사람은 마치 영혼 없는 좀비처럼 떠다니고 그들의 흐름으로 혼란만 가중됩니다. 그러함에도 삶을 지키는 것은 분명히 미덕(美德)입니다. 그러나 적당한 때가 되면 '지킴'을 넘어선 변화의 단계로 진입해야만 합니다. 때를 놓친다는 말은 평상시에 자신의 처신을 살피지 못하여 변화가 필요한 시기에 어떻게 대응해야 하는지를 판단할 수 없는 상태를 말합니다. 현명한 시야가 사라진 상태이거나 빛이 없는 암흑의 상태라 표현할 수 있습니다. 그런데도, 행복한 삶을 지향하기 위해서는 무엇인가 변화해야만 합니다. 항상 우리는 무언가를 배우고 익힙니다. 그렇지 않습니까? 세상을 바꿀 것입니까? 그렇다면 당신이 변화의 주체가 되어야 합니다. 세상보다 빠르게 대응하여 움직이면 우주는 당신 편이 되어줍니다. 이 모든 것들은 사실 너무 복잡합니다. 그러나 한가지 명확한 것은 수많은 노력에도 불구하고 당신의 처지가 바뀌지 않는다면 더욱 변화가 필요한 시점이라는 것입니다. 이것을 알아차리는 행위가 가장 중요합니다.

전진하든, 퇴보하든, 그 자리를 지키든 그것은 본인의 선택입니다. 당신의 그 어떤 수많은 노력이 불만으로 변이되고 마음에 쌓여 직접적인 변화에 이르고 또, 그 불만이 폭발하여 행동했으면 좋겠습니다. 실천에 이르면 주변을 살피기 시작합니다. 관찰을 배웁니다. 그리고 자신의 처신을 발견하고 눈으로 확인하게 됩니다. 이 상태가 자신의 상태를 명확히 인식한 상태입니다. 부정하는 곳이 '백지장'이 된 상태입니다. 무언가로 가득 찬 여백 없는 종이에 또, 그 무언가 기록할 수 없습니다.

'변화를 원한다면 지우개를 찾지 말고 백지장을 들고 와라!'
구름 위 이상만을 추구하다가는 늙은이가 됩니다.

한편, 변화는 단계적으로 상승합니다. 그래프의 사선처럼 시간에 비례해서 계속 변화할 수 없습니다. 때에 맞춰 점진적인 변화가 있을 뿐이고 이것은 수행의 결과로 나타납니다. 그래서 지금 내가 있는 단계를 명확히 알아야 합니다. 이 단계의 과정을 잊어버린 지 아주 오래되었습니다.

나에겐 소중한 것들이 멀리 서보면 아무것도 아닌 것들이 대부분입니다. 몸과 마음이 집착으로 가득 찬 상태입니다. 다시 질문하고 싶습니다. 지킬 것인가, 앞으로 갈 것인가, 퇴보할 것인가, 당신의 판단은 무엇인가요? 세상을 향한 안정(安定)이라는 보수적인 시각으로 지키기를 선택하는 것으로 밝은 미래는 기대할 수 없습니다. 올바른 방향으로 적당한 시기에 노력하여야 세상과 흐름을 같이 할 수 있습니다. 이 세상은 노력해도 안 되는 것이 많습니다. 세상의 거대한 흐름의 결에 따라 움직인다면, 작지만 지속해서 변화하며 성장하는 본인 모습을 눈으로 확인할 것입니다.

최소한 세상의 변화에 발맞춰 나갈 수 있는 사람은 된 것입니다. 이러한 상태를 지키고 있는 상태라고 말할 뿐입니다. 세월이 비껴가야 하는 것은 나이뿐이지 아니던가요. 대한민국의 매년 물가 성장률은 2% 정도 됩니다. 월급이 매년 2%가량 성장하지 않는다면 당신은 사실 퇴보(退步)하고 있습니다. 물가 성장률만큼 변화가 있어야 월급을 지킨 것입니다. 지키는 행위 자체는 안정과 거리가 먼 것입니다. 그래서 현 세상의 안정은 퇴보에 가깝습니다. 복잡하게 상호작용하는 세상에서 '안정(安定)'은 상대적으로 나쁨에 가까운 형태로 존재합니다. 사실, 안정은 나태와 가깝습니다. 이것을 자유라고 착각합니다. 자신의 무능을 직시하지 않으려는 고약한 인간의 본능적인 심정일 것입니다. 이 부정적인 마음의 심리를 밝은 쪽으로 끌어내는 데 필요한 것이 자신과의 대화입니다. 마음속 또 다른 나와의 대화와 협의 없이는 위의 질문들에 적극적일 수 없습니다. 진실한 외면의 '나'가 존재할 때, 내면의 '나'와 마주 서게 됩니다.

합의점을 찾아가는 과정은 마음 챙김을 통해 이루어지며, 협의 상황에서는 무의식적으로 실행되는 행동들이 마치 프린터에서 출력되는 것처럼 자연스럽게 나타납니다. 완전한 이해 없이 안주하는 것이 변화를 대처하는 인간에게 일반적인 태도입니다. 이성과 몸은 그렇게 움직이라고 하지만 마음속 나는 거부합니다. 이 차이를 늘려갈 것인가요. 줄여갈 것인가요. 세상의 모든 변화는 우리에게 또 다른 고통을 불러일으킵니다. 사람들은 그 변화의 움직임에 저항하는데 그 부분을 부정하여 안정을 찾게 되고, 부정이 흔해지면 그 부분 전체가 마취되어 버립니다. 마치 그 부분이 도화지라면 검은색으로 칠하는 꼴이 됩니다.

검은색을 자꾸 칠하면 어두워져서 사물을 알아보려면 더 밝은 빛이 필요하게 됩니다. 그러다가, 무엇인지 분명히 알고 싶은 대상이 나타나는데 검게 칠한 부분 때문에 분별에 문제가 있음을 자각할 때, 인간은 또 다른 공부의 충동을 느낍니다.

과거에 10년 동안 마음을 검게 칠했습니다. 현실을 적절히 외면하면서 하고 싶은 것들을 적당히 해나가기 위한 타협이었습니다. 마음이 어두워지고 답답해지면 밝음을 갈구합니다. 그리고 그 밝음에 대하여 끊임없이 공부합니다. 그러나 마음이 검지 않아서 빛의 소중함을 모르는 이는 자신도 모르게 어두워집니다.

우리는 글을 읽는 사람들이고 그래서 '생의 마지막 날'은 내가 가진 마음을 가장 밝게 해서 '베아트리체'5)를 만나러 가는 것입니다.

어떤 이는 그 찬란한 태양의 하늘을 검게 칠해서 달빛보다 밝지 못합니다. 암흑 속에서 선명히 차오른 달이 강렬히 대비된다면 분명히 새벽이 올 수 있음을 감지하여야 할 것입니다. 하루를 살면 다음 날에 떠오르는 태양을 모릅니다.

8. 무뎌짐과 깊은 상처

내 몸뚱이 내가 움직인다고 하여 등불 아래가 가장 어두운 줄 모릅니다. 이것을 알면 깨달은 것입니다. 인간의 오감 중 두 개의 감각이 거침없이 직교하면 인간은 깨어나기 쉬울 것입니다. 터져 나오는 영감으로 지적 감성이 폭발하기 때문에 인간의 두뇌가 활성화되고 이해의 순서가 다른 높은 경지에 이르게 됩니다. 어린 시절 몸으로 느낀 수많은 경험을 분석하여 그런 결론에 이르게 되었습니다. 재능(才能)은 오감을 어떤 모양으로 두뇌로 연결하는 과정의 모습입니다. 그 모양에 따라 오감은 각기 다르게 발달하고 성장합니다. 이런 연결의 형

---

5) 신곡: '단테'에게 구원(救援)을 선물한 단테를 사랑했던 여성.

상을 넘어 감각끼리도 연결 고리가 만들어지면 그 인간은 재능을 갖은 것입니다. 완벽한 감각을 넘은 그 이상의 감각은 두뇌와 결합하여 지성을 만들어 내고 그 지성은 좋은 감정으로 나타납니다. 부러움을 살만한 능력이 됩니다.

　모든 인간은 출생 시 타고난 능력은 평등한 것으로 보입니다. 단, 세상과 만남에서 세상을 있는 그대로 느끼면 되는 것입니다. 간단하지 않은가요. 그리고 그 오감의 효율을 극대화하는 것입니다. 이미 태어나서 활동하는 이들은 죽어버린 감각을 회복하면 됩니다. 자신의 몸뚱이를 살펴보세요. 심한 흉터나 잃어버린 부분이 없다면 회복할 수 있습니다. 내가 느낀 것을 정리하니 이런 결과가 나왔습니다. 내 직관은 그렇다고 결론을 내립니다. 거칠고 험한 세상을 살아가면서 우리들의 감각은 상처 입어 곪아 터져 본래의 감각을 느낄 수 없게 됩니다. 내 오감의 반응을 살펴보고 이를 다양한 말로 표현해야 합니다. 감각의 모든 측면을 단순히 그 시대를 대표하는 앵무새 같은 말로 표현하면, 정신은 분별력을 잃게 됩니다. 오감을 순서대로 하나씩 자신도 모르게 잃어버린 아니 잊어버리게 됩니다. 세상이 아무리 고통스럽더라도 당당히 맞서야 합니다. 조금이라도 세월의 흐름에 밀려 회복이 늦어진다면, 그 고통은 굳은살로 뒤덮이고 그 아래 치유 불가능한 상처가 잠재하게 되어 그만큼의 감각을 잃어버리게 됩니다.

　본능은 자신을 스스로 보호하기 위해 가끔 어두운 기억을 마음 깊숙이 감추며 고통을 차단합니다. 하지만 이 고통은 가끔 극심하게 느껴질 때가 있습니다. 그 고통의 강도가 강하면 부정이 깊어지고 마침내 그것의 존재를 버리게 됩니다. 그리고 인간은 완전하다, 온전하다, 완벽하다, 외치지만 굳은살이 가득합니다. 짐승이 되어가는 과정입니다. 가식으로 가득차서 정상적인 대화가 불가능한 지경에 이르게 됩니다.

마치 짐승의 가죽처럼….

　오감을 하나씩 잊어가는 것은 또한 늙어가는 것이기도 합니다. 그래서 인생은 행복하지 않은 것입니다. 이런 사실을 본인이 살필 수 있는 이는 오감을 어느 정도 느끼는 인간인 것입니다.

후각, 시각, 촉각, 청각, 미각과 목소리.
그리고 폐, '짐승은 배고픔만을 느끼고 가죽과 털에는 고통이 없습니다.'

　바퀴벌레(태생이 '프란츠 크로머')로 시작하여 개, 돼지, 사자를 거쳐, 마침내 인간(막스 데미안)이 되려 노력합니다.[6] 인간이 되는 방향으로 길을 걷다 보면 사랑은 자연스럽게 이루어질까요? 다시 말하면 '인간으로 성장하는 것은 쉽지 않다'라는 이야기입니다. 이렇게 세상에서 인간 역할을 충실히 하는 사람은 드물고 귀하다는 것입니다. 만약 주변에 인간다운 존재가 아무도 없다면, 자신이 어떤 존재로 살아가는지 알 수 없습니다. 가족들이 구분해 줄까요? 아마도 가족들 또한 자신과 같은 모습의 형태를 띠고 있을 것입니다.

바퀴벌레, 개, 돼지, 인간(변신)[7]

　사자(동물)의 형태를 유지하면서도 자기 자신을 인간으로 오인하며 생활합니다. 일반적으로, 이러한 것들은 하나의 주기(週期) 안에서 혼합되어 존재하지만, 주기를 완성하고 깨닫게 되면 세계가 다르게 열리고 닫힙니다. 인간으로 변하려는 열망을 느낍니다. 깨어나는 과정은 하나의 주기를 완성하는 것입니다. 이후, 다양한 변화를 주시하면서

---

6) 데미안: 프란츠 크로머(Franz Kromer)양복점집 아들로 초등학교 5학년. 마을에서 소문난불량배입니다. 걸핏하면 10살의 싱클레어를 어두운 세계로 이끕니다. 싱클레어의 거짓말을 이용하여 그를 궁지로 빠뜨렸고 싱클레어는 당시 어렸지만 엄청난 공포와 혼란을 겪어야 했습니다. 그러나 막스 데미안이 그의 악행을 파악하여 조치 취하자마자 싱클레어의 시야에서 사라져버립니다. 어린 시절 싱클레어에게 있어서는 악마와 동일시되는 인물.
7) 변신: '프란츠 카프카'가 독일어로 지어 1915년에 월간지에 출간한 중편소설. 인간이 하루아침에 벌레로 변신한다는 소재를 토대로 실존과 부조리를 묘사하고 있습니다. 작가 특유의 황당하면서도 냉담하다는 모순된 특성이 잘 살아 있는 대표작.

과거의 나와는 다른 삶이 펼쳐지기 시작합니다. 주기를 완성하지 않는다면, 우리는 인간 대신 다양한 미물들의 스펙트럼 사이를 오갈 뿐입니다. 그날그날의 상태에 따라 오르락내리락할 뿐입니다. 그렇게 살아갑니다. 이처럼 세상 사이에 연결된 사람들 간의 강력한 연결 고리들은 나를 자유롭게 풀어주지 않습니다. 인간은 고독을 즐기며 타인에게 집착하지 않습니다. 더불어, 무언가를 더 원하지 않습니다. 그러나, 나아가야 할 길은 이전의 경험, 깊은 후회 그리고 반성을 통해 확고히 결정되며, 이는 항상 자기 자신에게 '나는 정말로 인간인가요?'라고 자신에게 물어보는 과정입니다.

　보통 짐승들은 극심한 결핍으로 인간의 관심을 끌기 위해 집착을 사랑으로 오해하는 경우가 많습니다. 그러나 사랑은 인간의 감정과 행동에 속하며, 짐승들의 '사랑'은 종족과 혈연에 관련된 단편적인 애착에 한정되어 있어 외부와의 연결을 유지할 수 없습니다. 이러한 이유로 타인을 탓하고 외톨이로 자처하는 경향이 나타납니다.

　'인간이 되는 것이 우선입니다.' 사람은 순환적으로 일생을 완전히 경험하고, 그 후에 다시 시작할 때 이전 순환 사이클에서의 고통을 효율적으로 다루려고 합니다. 이것은 다시 시작하는 사람들의 특권으로 간주하며, 다른 말로는 지혜로운 결정이라고 할 수 있습니다. 하나의 세계를 깨고 나면 인간으로서의 가능성이 크게 확장되며, 배움이 더 명확하게 이루어집니다. 신념이 무엇보다 뚜렷해지고 의심이 없는 삶의 방향이 명확해집니다. 가식은 사치에 불과한 것으로 여겨집니다. 그럴 시간이 부족합니다. '봄, 여름, 가을, 겨울을 경험하며 다시 봄을 맞이했습니다.' 사람들은 대체로 봄날이나 좋은 날만 계속되길 기대합니다. 그러나 세상에는 다양한 사람들이 존재합니다. 과거로 돌아가려는 사람, 시간을 영원히 봄에 머무르고 싶어 하는 사람, 여름, 가을, 겨울을 빨리 보내고 다시 봄을 기다리는 사람, 그리고 무심하게 일상을 살아가는 사람들이 있습니다. 그러나 다시 봄이 찾아와도 그들에게는 변화를 느끼기 어려울 수 있습니다. 이는 삶이 새로운 기회나 변화를 제공하지 않기 때문입니다.

봄만 살 것인가, 봄·여름·가을·겨울 한 번만 살 것인가요?
아니면
봄·여름·가을·겨울, 다시 봄….

봄을 다시 맞으려면 겨울이 끝나 봄이 올 때쯤 땅에 거름을 든든히 주어야 합니다. "거름이 과연 어떤 것일까요?" 소똥 냄새가 코를 찌르는 것이 보통입니다. 썩어 문드러진 마음과 정신에서 무언가 싹틔우려 강한 화학비료도 사용합니다. 거름이 더럽고 냄새난다고 하여 외면하면 그 땅에서 무엇을 어떻게 키울 것입니까요?

제가 어릴 적에는 도덕이라는 과목이 있었습니다. 그러나 언젠가 모르겠지만 국민윤리로 대체되었으며, 현재는 선택 과목에서도 중요성이 감소한 것 같습니다. 도덕은 인간의 길과 덕스러움일 것입니다. 인간의 존재는 무엇인가요? 또한, 인간의 존재를 깨닫게 된 개인은 진정한 인간으로 성장하기 위해 노력하며, 인간의 존재를 확인한 이후에는 시간을 늘리려고 노력합니다. 인간의 존재를 확인한 이후의 학습과 수련은 인간으로서의 존재를 더 깊게 이해하려는 데 집중하며, 반면 동물들은 과거의 상처를 치유하려는 데 주로 관심을 두고 있습니다. 그 결과, 인간의 존재를 깨닫고 나서 학습과 변화는 더 활발하게 일어납니다. 반면 동물들은 다양한 스펙트럼에 존재하나 자신의 가치를 인식하지 못합니다.

인간은! 돈오점수(頓悟漸修), 문득 깨달은 이후의 점진적인 수행입니다.

깨침이 없으면 온전한 정혜쌍수가 되지 않게 되므로 그토록 경계하던 반쪽짜리 공부밖에 되지 않습니다. 그러나 온전히 인간이 된 사람은 소수에 불과합니다. 대부분 사람은 어린 시절부터 시작하여 사회에 적응하며 미물의 형태로 변화하는 것이 현대 사회에서 일반적인 양상입니다. 직업(職業)은 이 극단적인 미물화를 방지하는 중요한 역할을 하며, 인간들이 타락하는 것을 어느 정도 막아주는 것은 직업윤리에 근거합니다. 따라서 인간은 타락과 직업 간의 경계에서 불안과 공존하는 삶을 살아가게 됩니다. 이중적이고 모호한 상황에서 삶을 이어가는 것은 좋은 직업이 아니면 대단히 어려운 시련이 됩니다.

사람의 마음은 아침이면 잠에서 깨어나 직장까지 새가 되어 가뿐히 날고 싶고, 일하게 되면 소처럼 열심히 우직하게 있고 싶고, 점심시간이 되면 돼지처럼 먹고 싶고, 직장에서 상사나 동료를 만나면 개처럼 재롱을 떨고, 퇴근 후에는 기름진 음식을 많이 먹어 배가 축 늘어진 사자처럼 되고 싶은 모습들을 가지고 있습니다. 이렇게 사람은 인간으로 태어났지만, 종종 짐승의 본능과 모습을 더 많이 드러내곤 합니다. 하루 동안 인간이 아닌 모습으로 대부분을 살아갑니다. 하루에도 수많은 짐승의 스펙트럼에서 자유롭게 변화합니다. 다만 변하지 못하는 것은 바로 인간, 그 자체의 존재입니다.

사람이지, 인간이었던 시간이 있었단 말인가! 궁극적으로 욕구가 강하나, 절제가 없는 이 시대의 사람의 모습입니다. 곧, 겉모습이 인간이지만 속까지 인간인 적이 없었습니다. 심지어, 이 시대의 부자상은 돼지입니다. 미물, 동물들은 정해진 패턴으로 행동합니다. 어떠한 생각도 하지 않은 무 영혼으로 행하는 패턴일 뿐입니다. 이런 동물들의 행동으로 인간의 모든 시간이 가득 차면 그 사람의 생각은 죽은 사고가 됩니다. 나이 들고 병들면 그 사람이 가졌던 가장 편안한 미물의 모습으로 나타납니다. 미물을 극복하는 훈련 그 자체를 모르기 때문입니다. 동물과 인간이 온전한 대화는 불가능합니다. 짐승들에게 말을 하여 그들에게 소통을 원하는 것 그 자체가 사람과 인간을 바로 읽지 못함에 원인이 있습니다. 짐승에게는 원하는 것을 주면 그만입니다.

동물들과 소통하려면 '나'라는 존재를 온전히 인간으로 만드는 방법뿐일 것입니다. 그만큼 이 세상에서 나의 상황과 조건에 적합한 스승을 찾기는 쉽지 않다는 것을 이야기하고 싶습니다. 과거 미물이었을 때 그 누구의 목소리도 들리지 않았습니다. 오직 저 넘어선 어딘가에서의 나의 목소리가 들려올 뿐이었습니다. 그 목소리를 따라 지금에 이르렀습니다.

미물이 된 자신과 마주쳐야 자신의 영혼과 교감할 수 있습니다. 이것을 충분히 이해한 이후 꾸준한 피드백 연습이 필요합니다. 인간이 하는 일은 모두 철저한 이해와 훈련이 필수입니다. 이것이 두려워 인간은 대상을 회피하고 동물로 둔갑하고 그 동물이 행하는 모든 짓을 넘을 선 자유를 외칩니다. 한 가지 분명한 것은 미물이 빨리 될수록 깨치거나 망각하거나 두 가지 선택뿐입니다. 이것을 사람들은 극도로 두려워할 뿐입니다. '이반 일리치의 죽음'[8]에 잘 나타나 있습니다.

인간은 자기 자신과 소통하며 이중적인 모습을 헤쳐나갈 때 성장합니다. 소통에 대한 준비가 마침내 이루어지면, 다른 이들의 목소리가 들려옵니다. 물론 다양한 의견을 듣는 것도 중요한 훈련이지만, 그보다 더 중요한 것은 내면의 자아를 깊이 이해하는 것입니다. 들리지 않았던 그 목소리는 분명 스승의 가르침이 될 것입니다.

"세상은 과거에! 지금에! 나! 나에게! 이것도! 저것도! 그 어떤 것도 안 됩니다."라고 합니다.

의심 없이 이것만 해야 한다는 강압적이고 일방적인 어조로 말하곤 합니다. 그래서 나는 더욱 고독 속, 나만을 찾는 존재가 되었습니다. 나는 그런 세상의 행세에 강하게 저항하였고 내 주장을 확신하지 못한 채, 억압을 피하고자 시기적절치 못한 결정을 먼저 내려야 했으며 그 결과로 나 자신이 미흡하게 성숙하여 사람들과의 소통에서도 멀어지게 되었습니다. 이런 치우친 행위에 맞서 인간은 억압에 대해 본능적으로 반발하고 도피하려는 생존 본능을 발휘합니다. 그 본능이 이끌고 와버린 길이 얼마나 고단하며 어두운 터널인지? 그 속에서 얼마 동안 헤매며 힘들어 할 것인지 그 말들의 주인공들은 관심 없습니

---

8) 이반 일리치의 죽음: 톨스토이의 삶과 죽음에 대한 문제의식이 잘 드러난 작품으로 톨스토이의 중단편 소설 중 가장 훌륭한 작품이라는 평가를 많이 받습니다.

다.

　사람은 아무리 좋은 의견이라도 타인에 대해 강한 방향을 합의하고 있으면 내 주장을 다른 인간에게 강요하는 것입니다. 좋고 나쁨은 사람이 스스로 판단하는 것이지 심어지는 개념이 아닙니다. 강한 개념으로 미성숙한 여린 마음을 뭉개버리면 그 부분의 마음은 불모지가 되어 반항의 싹들에 자리를 내주게 됩니다. '이것들은 검(黔)은 것입니다.' 이것들이 많아서 검은 싹들이 가득하면 사람은 소통을 완전히 닫아버린 초라한 나만을 지키는 파수꾼이 되어 살아가는 처사가 됩니다. 이는 세상에서 가장 초라한 인간이 되는 것입니다. 이와 같은 미숙한 존재가 개인일까요? 진정한 외톨이의 고전분투가 시작됩니다. 이런 결정 행위를 가장 따뜻한 말로 구렁텅이로 밀어 넣는 사람들이 가족이며 친구들, 지인들입니다. 내가 무엇을 하며 살 것인지, 나보다 그들은 당신에 관한 진실들을 더 잘 알고 있다고 말합니다. 나 또한 그런 말들로 선량한 어린이들을 뭉개지 않았는지 모르겠습니다.

　지난 몇 년간 억눌린 마음에서 자란 검은 싹들을 제초하고 뿌리를 찾아 열심히 뽑았습니다. 이와 같은 작업을 하였으나 내 마음에는 아직도 검은 풀들이 억셉니다. 칼이 날카롭지 못하여 검은 싹들을 이겨내지 못합니다. 뒤를 돌아보면 여지없이 또다시 검게 됩니다. 내 마음은 큰 돌들과 썩은 나무들의 파편으로 인해 매끄럽게 작업이 되지 못한 큰 흠집 덩어리입니다. 내 마음은 처음에는 반듯하였으나, 내 길을 편하게 가기 위해, 남들에게 좋아 보이지 않게 하려고 돌들과 썩은 나무들을 무리하게 가져다 두었다가 근본이 사라지고 말았습니다. 미숙함이 과도하여 진의(眞義)를 망각해버렸습니다. 가식과 진실이 오르락내리락할 때, 삶의 축은 기웁니다. 즉, 세상에 떠돌이가 되었다는 말입니다. 그와 함께 외톨이, 또 다른 자유를 찾았고, 듣고 싶은 말들을 경청하며, 가식이 가득찬 격식만 있는 검은 사람들의 말들을 들으며 그 말들을 따라 인생이 흘러갔습니다. 그 말들의 사람들은 나보다 더 근본이 없는 사람이라 노상, 나는 당하기만 하고 그들에게 쉽게 기(氣)

가 빨려 지쳐갔습니다. 결국에는 나도 그들과 같게 되어 다른 이를 거머리처럼 빨아먹습니다. 수탈당한 사람이 그 역도 잘하는 법입니다. 그렇게 시간이 흐르고 마음이 여느 때와 같지 않을 때, 예전에 실수의 실마리를 그 형편없는 사람들을 보면서 내 모습을 발견하게 되었습니다.

내가 그와 같구나!
내가 인간인지가 기억나지 않는구나!
난, 아메바가 되었습니다. 바퀴벌레보다 못한, 단세포 생물!

그 당시 그 말들, 그리고 사람들의 욕심이 나와 그들 그리고 나의 운명을 바꾸어 버렸구나! 큰 반성이 하염없이 밀려왔습니다. 그리고 성찰의 어퍼컷을 365일 동안 두들겨 맞았습니다. 또다시 365일을 더 두들겨 맞았습니다. 나란 존재에서 모든 힘이 사라질 때, 나중에는! 저절로 그들을 용서하고, 나를 추스르는 데 집중하였습니다.

오랜 시간이 흘러갔습니다. 만약, 세상에 악(惡)이 있다면 그들의 말들이 악의 유혹이 아닐까 생각합니다. 각설하고, 나는 마음의 반듯함을 찾고자 하여 마음 사용법을 하나하나 배웠습니다. 느리고 천천히 움직여 개간된 모습의 근본을 찾아가고 있습니다. 쓸만해 진 개간된 마음에 말들이 들어와 자꾸 재촉하지만, 이번엔 과거의 자신이 아닙니다. 반항보다는 여유(餘裕)로 이유를 말합니다. 그리고 그 말들의 진실을 같이하자고 권유합니다. 무엇보다 '그 말들에 대해 저의 마음을 감사히 받습니다.' 오늘도 그리고 내일도 묵묵히 마음에 검은 싹들을 뿌리째 뽑고 있습니다. 이런 일들이 얼마나 오래 걸릴지는 모르겠습니다. 아마도 평생을 그렇게 시간을 내어 검은 싹들의 뿌리와 싸움하겠지만, 이것이 인간의 운명 아니겠는가! 문 듯, 완벽한 반듯함은 존재하지 않는다는 것, 어쩌면 동네 품앗이를 핑계 삼아 남의 손을 빌리는 것도 좋은 방법일 수 있겠습니다. '옳지!' 내 머리털처럼 훤한 것보다 무언가가 자라나는 것만으로도 현재의 삶에 감사합니다. 그리고, 검은 싹들도 무슨 죄람! 그래서 적당히 내버려 두었고, 그제야 내 마음이 어느 정도 반듯하게 되었습니다. 남들도 오가며 마음을 봅니다. 나는 높은 곳에 올라 그곳을 바라봅니다. 오랜 시간이 걸렸지만, 다시 시작입니다. 그래서 말이 중요합니다. 가식이 진실을 앞서면 주변인이 가식으로 가득 차서 자신도 모르게 나와 같은 실수를 하게 됩니다. 가식은 가식을 덮지 못하므로….

진실이 가장 중요합니다. 그 소중한 진실을 전달하는 말을 표현하는 것 또한 그 진실과 대등하거나 나의 경우에는 그 이상이라고 말하고 싶습니다. 그래서 난, 반드시(Must)가 돋아난 마음에 검은 풀들을 그냥 두었습니다. Must에는 그 사람의 편애에 따라 나의 운명과는 그 방향이 역임에도 불구하고 그 치졸한 자존심이 일부로 악수를 두게 되는 착각을 하게 됩니다. 또한, Must는 대상에 대한 강한 종속된 책임을 악의적으로 지우고 즉시, 대답을 원하는 강한 특성을 보입니다.

'반드시'가 몸에 많으면 상대방의 악의적 본능을 일깨운다.

그리고 그 사람에게는 그것은 큰 결점으로 외부와 연결됩니다. 보통의 말들은 상대방이 듣고, 즉시 진실한 말들이 돌아오기를 기대하지만, 나는 능력이 부족하여 그것들이 정리되어 있지 않으면 미루어둡니다. 마음이 울려서 소리가 전달될 시간을 벌어야 할 것이 아닌가요. 이것이 느낌이라는 것의 본질이라 나는 주장하고 싶지만, 말은 적당한 시기와 장소에서 때를 찾아 그 사람에게 가야 합니다. 난, 말이 서툴러 실수가 많은 사람입니다. 그래서 어려움이 많습니다. 나머지 생은 그것들을 교정하며 살 것입니다. 검은 풀들이 스스로 하얗게 질려버릴 때까지….

인간이 각자가 딛고 있는 계단의 색깔은 제각기 다를 것이며 그래서 세상은 풍만한 다양한 상태로 존재할 것입니다. 사람은 의지하고 있는 계단의 속성에 따라 볼 수 있는 것들이 달라지며, 그 속성에 의해 투영된 모습을 보고 판단과 선택을 하게 됩니다. 몸무게가 계단을 누를 때, 딛고 올라선 그 계단은 수정이 불가합니다. 자신에 짐의 무게를 스스로 변화시킬 수 없기 때문입니다. 정확히 말하면 실패를 경험하지 않으면 자신의 계단을 내려오지 않은 사람들입니다. 세상에는 비현실적 긍정과 현실적 긍정이 공존하는데 이것의 차이는 '계단을 내려올 수 있는가'에 의해 구별할 수 있습니다. 계단을 높게 쌓을 줄만 알고 내려오는 여유를 잊은 사람들이 많습니다. 그러다 한 번의 실수로 무너지게 되고 옆 사람에게도 상당한 피해를 주게 됩니다. 이런 상태를 정확히 말하면 교만하고 세속적인 상태입니다. 지극히 인간적인 속성이 충만한 상태의 '나'입니다.

9. 아라한 그리고 하나님

반사회적 사적 이익만 좇는 존재들은 고민합니다. 시험 능력주의에 따르면, 세상은 3부류의 사람들로 나누어진다고 합니다. 가장 높은 판사, 검사, 의사, 고위 공무원, 그리고 그들 속에 합류하기를 갈망했지만 그러지 못하고 그들에게 명령을 받으며 일하거나 혹은 퇴직하여 자영업을 하는 사람들, 그리고 또 다른 부류인 그들에게 물건을 받아서 배달하는 가장 아래에 있는 사람들로 분류합니다. 즉, 시험성적 상위 극소수, 그리고 다수와 마지막 가장 아래에 있는 사람들의 모습입니다. 학교 성적으로 직업의 순서가 정해집니다. 그리고 상위 극소수는 순위가 바뀌기를 바라지 않습니다. 이상한 것은 하층 사람들이 시험성적순으로 살면서 인생에서 중요한 모든 부당한 배분에 순응한다는 것입니다. 그리하여 대대수는 자신의 노동보다 못한 대우를 받습니다. 이것을 무너트리고 평준화할 필요가 있으며 직업의 숙련도에 따라서 이익의 배분을 조정할 필요가 있습니다. 그러기 위해서는 학교 성적이 세상의 권위에 직접 투영되는 경우를 제한할 필요가 있어 보입니다.

한편 세상에는 어떤 기회로 '영'에 접근한 사람과 예전부터 자연스레 접속된 사람 그리고 영에 영원히 접근하지 못하는 사람이 있습니다. 저의 구도(求道)는 번개처럼 단박에 경험되어 시작되었습니다. '신을 믿는다'라는 말을 사용하지 않으며, 신을 경험하며 스승을 믿을 뿐입니다. '나는 사람을 살리는 사람인가, 아니면 이도 저도 아닌가요?' 사람을 살리는 사람이 되고 싶습니다. 그러기 위해서 다른 사람에게 짐이 되어서는 안 됩니다. 나로 인해서 다른 사람이 힘이 든다면 내가 그들을 죽이는 것과 같습니다. 그런 상황에서 벗어나는 것이 자족이며 최소한의 양심입니다. 오늘도 구도에 정성을 기울여 공부하고 인생을 성찰하고 알아가려 노력합니다. 이렇게 내 마음은 오랫동안 구도에 길을 걸어왔고 지금도 변함이 없습니다. 그러나 오래된 '때'들이 너무 짙게 드리워져 쉽게 지워지지 않습니다. 영, 혼, 육은 구도에 여전히 집중하고 있지만, 인간의 길을 걷기가 쉽지 않습니다. 망설여집니다. 다시 시작하는 인간의 성품을 가슴 깊이 간직하고 그것을 감사하며, 다시 여기에 설 수 있음에 대해서 감사하며 살겠습니다. 그래도 망설여지는 것은 어쩔 수 없다고 생각합니다. 오늘도 나는 내면으로 탐사선을 출발시켰고, 혼란하고 요동치는 곳을 다녀왔습니다. 인간 내면에는 늘 이런 곳이 존재하기에 철저한 관조와 명상으로 자명하게 밝혀 빛으로 바꿔 보고자 노력하고 있습니다. 다시, 나는 '선적 활인검'을 통하여 누군가를 살리는 사람이 되고 싶습니다. 나의 에고는 완전히 불살라 열정의 끝단을 확인하고 죽었지만, 내가 또다시 꿈을 품음과 동시에 살아나리라는 것을 알고 있습니다. 인생에 한 번 올까 말까 한 아라한(내면 깊은 곳에서 침묵할 기회, 탐진치가 소멸한 시점)의 기회를 버리고 다시 돌아가기가 망설여집니다.

'아라한의 길만 완성해도 내 인생에선 큰 깨달음이지 않은가!'

　　내가 망가졌던 속세로 다시 돌아서려니 망설여짐도 사실입니다. 저는 속세 인연(因緣)이 없습니다. 나는 나를 잊고 수년을 살았고 그런 세상도 지웠습니다. 그래서 내가 머물 작은 세계만 있어도 내겐 큰 기쁨이 됩니다. 팔정도(八正道)에 입각하여 나 자신을 명확히 바라보면 그러합니다.

"난! 세상을 긍정하며 신뢰합니다."

절대적 큰 대의는 밖으로 방향을 돌리라고 말하지만, 아직 '때'로 얼룩진 부분에선 분명히 나를 성찰하고 최소한의 의욕만 가져도 충분하다고 말합니다. 내가 과연 우리 모두를 사랑할 수 있을지 저는 답하지 못하겠습니다. 분수는 나 자신에 영, 혼, 육을 바로 세우는 것에 목표를 두어도 충분히 보람 있는 일이 되는 것을 누구보다 잘 알고 있습니다. 목표는 평범한 동네 아저씨가 되는 것이고 그 이상은 과분합니다. 깊은 내면에서 육신이 소멸할 때도 그곳에 머물겠습니다. 그러고도 망설여집니다.

저는 오래전에 강제로 '멸진정9)'을 경험한 것 같습니다. 저의 수행으로는 멸진정에 이를 수 없지만, 마음의 음양이 뒤틀어져 극성이 바뀌는 개벽에 가까운 변화를 경험했습니다. 그 후 지금도 멸진정과 유사한 상태가 많이 유지되어 있기에 탐진치가 최소이므로 아라한이 될 가장 이상적인 시기입니다. 속세는 번잡하여 깨어있음을 지속해서 유지하기도 쉽지 않고, 느리고 정확하게 삶을 살고 싶습니다만 이 역시 쉽지 않은 것으로 보입니다. 사람은 독한 방향으로 변합니다. 그래서 사람은 사라졌다 나타났다를 반복합니다. 아는 마음, 열반, 죽음을 초월한 자리에서 무엇이든 출발하려 합니다. 저로 인한 이 세상의 '죄'는 더는 원치 않습니다. 사랑도 또 다른 욕구입니다. 그러므로 헛된 것입니다. 고요함, 자명함, 무욕(無慾) 3가지만 집중해서 수련할까 합니다.

하나님을 향한 '영'이 죽어있다고 말합니다. 하지만 나는 이에 동의하지 않습니다. 하나님은 우리 모두의 내면에 살아 계시기 때문입니

---

9) 멸진정: 멸정(滅定), 멸진등지(滅盡等至), 멸진삼매(滅盡三昧), 상수멸정(想受滅定) 또는 멸수상정(滅受想定)이라고도 합니다. 멸진정은 무상정(無想定)과 마찬가지로 마음[心]과 마음작용[心所]을 소멸[滅盡]시켜 무심(無心)의 상태에 머무르게 하는 선정입니다.

다. 우리 안에 계신 하나님의 존재는 영원하고 불멸합니다. 때로는 우리가 그 존재를 인식하지 못할 수 있지만, 그것이 존재하지 않는다는 뜻은 아닙니다. 우리가 내면의 소리에 귀 기울이고 마음을 열 때, 우리는 그 신성한 현존을 느낄 수 있습니다. 이러한 깨달음은 우리의 삶에 깊은 의미와 목적을 부여하며, 우리를 더 높은 차원의 영적 성장으로 이끕니다. 이런 설명은 플라톤의 동굴이나, 영지주의에 빛과 같은 것입니다. 때론 한 인간의 마음에서 믿음이 비워질 수 없다면, 그 믿음으로 타인의 자유를 구속하고 타인의 생각들을 속단하며 과거의 역사처럼 많은 사람을 억압합니다. 그러나 계몽 이후의 사람들은 그런 억압을 받아들이지 않을 것입니다. 영혼은 각성해서 깨어나는 것이지, 믿어서는 죽는 날까지 자신을 버릴 수 없음을 나는 잘 알고 있습니다. 믿는다는 것은 가져오는 행위에 가깝고, 비운다는 것은 내어준다는 행위에 가깝기에 먼저 비우는 것이 우선입니다. 믿는다는 것은 결국 자신에게 무언가를 갈망하는 욕망에 직결됩니다. 우리 마음은 이를 분명히 알고 있습니다.

'기도(祈禱)'는 바라는 대상에게 속삭이는 목소리입니다. 그러나 비움은 그 목소리마저도 침묵시킬 수 있는 의미를 내포하고 있습니다.

제2부 미몽을 넘어 자발적 계몽으로 출발

　나 자신의 마음을 잘 설명하는 '나'가 있으면 우리 마음은 진실 (眞實)에 이릅니다. 내·외면 관찰자의 눈높이에서 균형미를 유지하고 세상을 탐구합니다. 무심히 살펴봄 즉, 편애함이 없이 관조하는 자세 는 오감의 인지를 바르게 하고 무의식의 편견을 극복할 수 있는 유일 한 방법입니다. 마주하는 현상에 대한 최초의 인식이 한쪽으로 치우친 다면 결과도 치우친 것입니다. 인간은 누구나 치우친 마음을 갖고 있 습니다. 그러나 오뚝이처럼 수없이 넘어지고 다시 일어서다 보면 결국 저절로 서게 됩니다. 우리는 이러한 수행이 부족했을 뿐입니다. 이러한 과정에서 자신의 모습을 더욱 선명하게 본다면, 배움을 게을리할 수 없게 될 것입니다.

아침까지 공부합니다.
잠이 들었습니다. 그리고 꿈을 꾸었습니다.
어린 시절 저만큼 태산이셨던
어머니께서는 나를 조용히 불러 앉히시고는
이름을 불러 주셨습니다.
네, 어머니.
따뜻이 이름을 불러 주셨을 때 나는 어린아이가 되었고
수십 년을 거슬러 올라가
어머니 앞에 무릎을 꿇고 깊은 사죄 하였습니다.
지난 못난 날들을….
그리고, 나도 모른 이 눈물이 많음이 부끄럽고
시원합니다.

1. 에고(Ego)의 무책임

20여 년 전, 그는 내게 "한 분야에서 최고가 되면 자본이 따라온다."라고 했습니다. 그 이후로 나의 감각은 20년의 세월을 참아내 주었습니다. 손끝의 감각은 절정에 이르렀습니다. 그러나 그동안 20여 년 전 '에고'가 한 말은 이루어지지 않았습니다.

고민에 사로잡힌 나! 그 후 에고의 말에 의심하기 시작했습니다. 그리고 껄끄러운 낯선 '양심'을 불러왔습니다. 그런 그가 갑자기 내게 다가와 말했습니다.

'뭐, 문제 있어?'
'그게 말이야, 20년 전에 에고가 한 말은 다 거짓인 것 같아.'
'어떻게 생각해?'
'너의 눈으로 에고의 말을 확인하는 데 20년밖에 걸리지 않아서 다행이야.'
'그동안 우리는 대화가 별로 없었잖아.'
'어쨌든, 지금이라도 찾아와줘서 고마워!'

'난! 이번 생에 다시 만날 기회 아니면 대화할 시간마저 없을 것으로 생각했었거든!'

언제나 내 모습을 지켜보던 그였습니다.
'그래, 너는 그동안 따라온 에고를 어떻게 바라보고 있니?'

외부로부터 주어지는 도덕적인 강요는 양심과의 거리를 더욱 벌리며, 개인적 욕망은 에고와 더욱 친숙해지고 있습니다. 지독하게 이기적인 성향이 있는 사람들이 현대 사회에서 다분히 늘어나고 있는 상황에서도 사람들은 모여 살지만, 법적인 형식만 남아있는 듯한 모습을 보입니다. 정신문명이 퇴보(退步)하면서 존재의 가치가 무뎌지는 것을 막기 위해 법은 점차 세밀하고 다양한 형태로 나타나고 있는 경향이 있으며 이는 인류 역사의 공통적인 특징입니다. 문명이 번창하는 동안 법은 상대적으로 단순할 수 있겠지만, 퇴보하는 과정에서는 그 복잡성이 증가하는 경향도 마찬가지입니다. 그 목소리, 강한 목소리, 분명한 목소리의 정체는 '에고'였던 것입니다. 다만 저는 철저히 부서져서 에고를 외면하게 되었던 것입니다.

에고는 '참나10)'의 바다에서 일어나고 '찰나생 찰나멸'하는 파도와 같습니다. 반면 바다란 본질, 참나는 어딜 가는 법이 없습니다. 생각, 감정, 오감은 일어나고 사라지는 무상한 것이지만 참나는 영원합니다. 참나는 생각, 감정, 오감이 일어나는 바탕이 되는 자리이기 때문입니다. '나라는 존재'가 있으므로, 우리가 생각하고 울고 웃는 것이니까요. 어떤 사실을 모른다고, 존재의 중심 자리인 '나'는 없고, 생각과 울고 웃는 감정과 오감만 분주하게 오고 가는 것으로 느낄 것입니다. 이렇게 마음의 주변에서 맴돌지 말고, 곧장 중심으로 뛰어들 수 있어야 합니다.

"일초즉입 여래지"라고 합니다. 관점의 전환이 일어나야 합니다. 이것이 실천적으로 곧장 깨어나는 방법입니다. 이런 식으로 접근한다

10) 수심결 강의: 견성과 성불에 대한 최고의 매뉴얼로 추앙받아 경허, 혜월, 용성 한암, 효봉 스님 등 이 땅의 위대한 큰스님들을 깨달음과 보살도의 길로 인도한 보조국사 지눌 스님의 『수심결』을 풀이한 책입니다.

면 누구든지 깨어날 수밖에 없습니다. 사실 우리는 이미 깨어나 있기 때문입니다. '나라는 존재감'이 없는 사람이 없고, 나라는 느낌을 느끼지 못하는 사람도 없기 때문이죠. 깨어난다는 것은 나라는 느낌을 명확히 아는 것일 뿐입니다. 10년 전이나 지금이나, 늘 같은 그 자리를, 지금 곧장 내면을 찾아보십시오. '내가 존재한다는 느낌' 이것만이 불변하는 나의 본래 모습입니다. '나'는 울기도 하고 웃기도 하고, 기뻐했다가 슬퍼했다가 하지만, 그 토대인 "나는 아뢰야식처럼 늘 변하지 않아!"라고 자명하게 말할 수 있어야 합니다.

'나는 웃음도 아니고 슬픔도 아니야.
그냥 존재일 뿐이야!'라고 자명하게 말할 수 있어야 합니다.

아주 먼 옛날부터 양심의 소리를 누구보다 더 선명하게 느끼고 들었으며 어머니께서는 아이가 마음이 여리고 매정할 때 매정하지 못하다고 걱정을 많이 하셨습니다. 선하디선해서 손해를 많이 볼 것 같다고 어릴 적 내 행실을 보며 곧잘 이야기 해주시곤 하셨습니다. 내 마음의 작동법 즉, 내면의 움직임을 나는 '무아지경'이라는 단어를 사용해서 그 무엇의 형상으로 애써 표현하곤 했습니다. 그 후 아주 가끔 그 무엇의 존재 흔적만 발견할 뿐 수십 년을 잊고 살았습니다. 그러던, 아침 일찍 어머니와 시장에 갔다가 오는 길에 교통사고를 내게 되었습니다. 나는 분명히 눈을 뜨고 앞을 주시하고 있었고, 분명 모든 신체적인 조건이 대처해 나갈 수 있는 상황이었지만 나는 아무것도 하지 못하고 사고를 내고 말았습니다. 내가 그 자동차의 운전석에 있었지만, 분명히 내가 기억하고 있는 것들은 모두 사라져 내가 아닌 또 다른 누군가가 있다는 것을 분명히 알 수 있었습니다. 나의 무의식에 잠재된 기억 탐험의 출발점은 이 사건을 계기로 시작되었습니다.

이처럼 우리 삶의 마지막 어휘는 보통 의식 아래 있다가 삶이 흔들릴 때 표면 위로 솟아오릅니다. 무의식의 발현입니다. 죽음과도 맞바꿀 수 있는 결연한 어휘입니다. 오늘 재미있게 지낸 사람이 내일도 재미있는 하루를 맞이합니다. 오늘 행복한 사람이 내일도 행복합니다. 사람의 생각은 다른 생각과 마주치지 않으면 기존 생각을 그대로 유지하려고 하는 성질이 있습니다. 비슷한 생각하는 사람끼리 오랫동안 만나면 편하기는 하지만 성장할 수는 없습니다. 인생의 위기(危機)는 바로 여기서 시작됩니다. 타성에 젖은 생활이 가져오는 위기에서 벗어나기 위해서는 갈등도 필요하고 용기도 필요합니다.

시간은 언제나 나지만 시간을 일부러 내는 사람이 뭔가를 합니다. 시간은 자연스럽게 흘러가는 물리적 시간인 '크로노스'와 특별한 의미가 부여된 시간인 '카이로스'로 구분합니다. 시간이 나서 어쩔 수 없이 뭔가를 하는 사람은 누구에게나 똑같이 주어지는 물리적인 크로노스의 시간을 보내는 사람입니다. 시간을 내서 의도적으로 뭔가를 하는 사람은 저마다 다른 주관적이고 심리적인 카이로스의 시간을 보내는 사람입니다. 이와 비슷하게 '꾸미는 사람'은 자신만의 색채와 스타일이 없으므로 자신을 감추기 위해 위장하고 변장합니다. 그러나 '가꾸는 사람'은 자신만의 독창적인 색채와 스타일이 있기에 본질을 드러내는 사람입니다.

다람쥐 쳇바퀴는 아무리 돌려도 늘 그 자리에서 뱅뱅 돕니다. 쳇바퀴를 돌리는 다람쥐는 열심히 앞으로 달리지만 늘 한자리에 머물러 있다는 것을 모릅니다. 우연한 계기로 엮여 서로의 세계를 흡수하면서 안 하던 것을 하거나 하던 것을 안 하게 되는 일, 연애가 그랬고 공부가 그랬습니다. 이전과 다른 삶으로 넘어가는 계기적 사건이 사랑입니다.

지우고 지워도 무언가 자꾸 샘솟는다.

내 심장 소리가 들리는 그날쯤 멈춰지겠지만 아직은 아닙니다. 아침이 되면 밥을 먹고, 점심이 되면 밥을 먹고, 저녁이 되어서도 밥을 먹습니다. 무언가 우리 몸속으로 들어옵니다. 신선한 무언가가, 우리를 일깨우는 것일까요? 음식이 무언가를 갈구하는 것일까요? 밥만 잘 먹었으면 좋겠지만 들리지 않는 심장 소리에 난! 아직 그 무언가에서부터 그 이상을, 초월해서 넘어가기를 간절히 바라는 것일까요? 너무 많이 가져서 몸이 뚱뚱해졌습니다. 먹으면서 몸을 가볍게 한다는 것은 쉬운 일이 아닙니다. 습관과 성향이 바뀌지 않으면 가벼움은 영원히 찾아오지 않습니다.

가볍다는 것, 그리고 그 상태에서도 결핍과는 철저히 멀어지는 방법을 알고자 하는 것인지도 모르겠습니다. 한번 크게 날아 세상을 한 바퀴 돌고 나면 온 몸에 힘을 빼고 아래로 떨어질 것입니다. 세상에 대한 삶의 목표가 뚜렷해졌습니다. 심성이 더욱더 예리할 만큼 갈려가고 있는 것은 무슨 이유일까요? 언제부터 저녁노을이 지는 강둑에 서면 고독 속에서 붉은 기운을 느끼며 마음속에 설렘이 일어났었습니다. 며칠 전 양털 구름이 붉게 물든 날, 바로 그날 구름을 오랫동안 지켜보았습니다. 긴 시간 크게 버리고 가벼워지기를 갈망했습니다. 심지어 지구 중력도 거부해 보고자 했습니다. 무게란 걸 정의한 학자가 있겠지만 중력에 대한 반작용일 뿐 보이지 않는 마음의 무게는 어떻게 측정해본단 말인가? 그 마음속 간절함은 무엇이란 말인가?

모두 버려보자! 크게 버려보자! 그러면 "크게 얻을 것이라"라고 하지 않더냐? 최소한 발걸음이라도 가벼워질 것이며 그 걸음에는 나도 모르게 진실이 묻어날 것입니다. 그래! 진실함이 행동합니다. 내 의지를 넘어 무심하고 부끄럽지 않게 아무도 모르게 진실이 행동에 흡수되는 것입니다.

크게 버리면 언제까지, 어디까지 가벼워질까요?
난! 과연 다 버린 것일까요?
작은 소망을 갖는 것이 나에게 큰 욕심이 되지 않을까요?
이것만은 가져도 될까요?

생각이 깊어지면, 구원(救援)을 바라게 되면 다른 차원으로 넘어가 버립니다. 인생에 있어 60% 이상을 살아버린 지금 이 모든 것이 모두 나의 욕심과 부질없는 행동이 아닐까요? 이런 의문에 답하지 못하는 나! 내면의 공허함 속 울려 퍼지는 갈망에 끝에는 오뚜기가 우뚝 솟아올라 끝없는 시험 속으로 몰고 갈 뿐입니다. '다시 일어설 수 있냐? 확실하냐! 그렇지 못하면 더 버려볼래!'하고 반쯤 외면한 내 맘을 다시 바라봅니다. 그 오뚜기란 녀석은 수년 전에 친구가 된 녀석인데, 요즈음은 그 녀석이 나보다 더 중립적입니다.

명상(瞑想) 속에는 내 몸속 뼈로 전해지는 호흡과 살아 있는 몸에서 전해지는 신호를 감지하여 감각을 되살리고 정신을 몰아갑니다. 정신을 물방울처럼 청명하게 만들어 오뚜기와 대화를 합니다. 이 녀석이 해보라! 동의합니다. 좀! 시간은 걸렸지만 작은 간절함에 큰 감사로 마음이 밝습니다. 의미 없는 것들은 순간에 가까우나 이것을 꼭! 영원에 가깝도록 꼭 반드시! 그렇게 만들고 말 것입니다. 비록 평정심, 그 한구석에 작은 조약돌 하나 올려 두었지만….

다시 시작입니다. 몰입과 집중을 보여주는 것만이 남아있을 뿐입니다. 너무 매몰되면 '몸에 힘을 빼면 됩니다.' 그러면 깊숙이 가라앉아 있었던 본래의 마음이 물 위로 떠 오르게 됩니다. 공부라는 것은 잘은 모르지만, 수면 아래, 무의식에서 이루어지고 저장됩니다. 상대적으로 물 위 하늘을 바라볼 시간이 짧습니다. 정해진 시간 동안에 몰입하고 책 속 글을 따라 몸의 감각과 정신을 조화롭게 몰고 가는 놀이라고 상상하자! 불평과 불만의 반대편에는 두려움이 있습니다. 그 게으르고 지독히 말 많은 그의 궁둥이를 발로 힘껏 차서 땀나게 뛰도록 만들어 봅시다. '감사함'이라고 불리는 크고 넓은 길을 달리고 있으면 지쳐 쓰러져도 얼굴은 웃음꽃이 아닐까! 그러면 된 것입니다.

당신은 바퀴벌레에서 인간이 되기를 욕심내는 미물의 마음을 이해하는 것일까요? 그 미물이 수련법을 익혀 인간 이상의 존재로 발전할 수 있다는 자각을 알고 있는 것인가요? 어중간히 머물다가는 결국 나쁜 상황에 빠지게 될 것입니다. 그래서 지금이 어려운 상황이라고 느끼더라도 비상(飛上)할 준비를 각자의 단계에서 적절하게 알고 있는 것이 필요합니다.

2. 사고(思考)의 흔적

　　인간 사고의 핵심 그물망은 그 시대의 교육시스템에 지대한 영향을 받습니다. 전쟁 이후 폭발적인 인구증가와 대중 계몽이라는 측면에서의 집단 교육은 같은 개념을 기계처럼 암기하고 같은 문제에 같은 정답을 찾는 시스템입니다. 이런 시스템을 산업화시대 즉, 2017년까지 한국은 유지해 왔습니다.[11] 산업화의 특징은 지속적인 양적인 팽창이며 그 시기가 끝이 났습니다. 우리가 혼동(混同)하고 있는 것은 양적인 팽창과 질적인 등급의 향상을 구분하지 못하는 것입니다. 많은 사람이 구 산업화시대의 개념과 사고로 살아가고 있습니다. 이런 경계를 살아가고 있는 사람들은 철저히 소모품적인 사고로 삶을 살고 있습니다. 과거 정부는 국가정책에 따라 똑같은 개념을 오랫동안 학생들에게 같은 방식으로 주입했습니다. 그런 교육은 산업화 공장에서 찍어낸 물건처럼 사고하는 형태가 비슷하고 또한 그 결과도 비슷합니다. 시대에 부흥하는 소모품 같은 기계 인간들입니다. 그 인간들은 지금 스스로 진화(進化)해야 합니다. 과거 급성장은 과정에 대한 충분한 이해가 없이 큰길에만 이정표를 표시하고 부지런히 멀리 달려간 경우와 비슷합니다. 이 이정표들을 개념들이라 생각하면 대중적이라는 말이 이해가 될 것입니다. 개념이 외부에서 수도 없이 밀려와 강제로 주어져서 그것을 이해하려고 해도 너무 많은 양이었습니다. 결국, 이해 없이 암기하지만, 인간은 본능적으로 외부에 대해 의식 없이 따르는 행위는 이해가 없기에 내면은 방어로 돌아서고 이후에는 그 대상과 충돌합니다.

'개념은 그렇다고 치자. 인간은 개념들을 가지고 놀아야 합니다.'

　　예를 들면, 작은 돌 다섯 개는 공기놀이, 윷놀이의 말, 홀짝 등 다

---

11) 일차원적인 인간: 마르쿠제는 소비주의와 현대의 "산업 사회"를 강력하게 비판하며, 이를 사회 통제의 한 형태라고 주장합니다.

양한 놀이에 활용되어 각 놀이에서 실제적인 역할을 맡아서 충분히 연습이 필요합니다. 그리하여 우리가 사고할 때 개념이 발동하여 재미와 이해를 충분히 끌어낼 수 있도록 합니다. 또한, 전혀 다른 놀이도 창조할 수 있습니다. 사전처럼 개념은 알고 있지만, 이를 필요한 놀이에 적절하게 적용하지 못하고, 다양한 놀이에 활용하지 못한 채 사전의 목차만 암기한다면, 사고를 즐기지 못하는 인간이 되고 맙니다. 개념은 휴대전화가 우리보다 더 많이 알고 있습니다. 개념의 순서 배열을 바꾸는 것만으로 생각이 다양해지고 개념과 개념이 충돌하여 또 다른 개념이 창출되는 사고 과정이 필요합니다. 단순한 사고에서 고차원의 사고를 인간만이 한다고 했는데 지금은 어느 정도 인공지능이 하고 있습니다. 거꾸로, 인공지능을 분석하고 공부하여 자신의 사고회로를 탐구하고 부족한 부분을 보완해야 이 시대를 살아가는 데 이점이 있을 것입니다. 인공지능이 보편화 되어 많이 이용되면 인간은 개념을 굳이 많이 이해할 필요가 줄어듭니다. 개념을 뒤섞어 전혀 새로운 방식으로 출력값을 생성하는 것이 더 가치 있는 일이며, 이 과정에서 인공지능의 도움을 크게 받을 수 있습니다. 그래서 예측할 수 없는 관계 속에서 소통 능력 즉, 타인을 향한 마음 비움과 마음의 문을 여는 방법이 매우 중요합니다.

　외부에서 주입된 개념을 점검하여 시대에 맞게 갱신하는 것, 사고 놀이에 끌어들이지 못하는 죽은 개념 목차로 만든 것, 개념이 고정되어 오랫동안 개념의 차원에서 변화가 없는 것, 즉 1차원적인 개념에서 내면화되지 못한 것들, 다시 말해서 개념이 다양한 운동성을 가지려면 이해와 또 다른 이해뿐입니다. 차원의 확장이란 측면에서 개념과 개념이 다양한 사고방식으로 정교하게 충돌과 마찰이 일어나되 확장될 수 있도록 마음을 열어놓는 것, 개념을 동적으로 만드는 방법과 기존에 만들어둔 알고리즘을 철저히 공부하고 이해하는 것으로 즉, 내가 사고하는 과정에 끌어들이지 못하는 개념을 찾아서 고치는 작업이 필요합니다. 비어있는 당신이 모르는 공간도 얼마든지 존재하기에 처음부터 다시 배운다는 마음가짐도 나쁘지 않습니다.

　개념의 모호함을 줄이면 1차원의 개념이 2차원으로 진화되고 연결 고리, 즉 관계도 더욱 깊어집니다. 결국에는 정확한 1차원적인 개념을 배우고, 1차원적인 사고를 통해 또 다른 2차원 개념으로 확장해야 합니다. 이처럼 2차원적인 개념과 사고는 본인이 스스로 마음을 열어 공부하고 하지 않으면 결코 얻을 수 없는 영역입니다. 개념이 명확하지 않아 사고 놀이를 아무리 한다고 해도 2차원적인 개념이 생성되지 않습니다. 그리고 이것을 알게 되면 지난날 나의 의지와 상관없이 주입된 개념들을 점검해보아야 할 적절한 시기가 찾아온 것입니다. 차원을 벗겨 나가는 것이 '하나의 알12)'을 깨는 것과 같다고 생각합니다. 1차원에서 2차원으로 가는 간단한 방법은 주입된 것을 버리는 것만으로 충분합니다.

　또 다른 차원의 설명법을 제시하자면 영(3단계), 혼(2단계), 육(1단계), 인간의 노력으로 알 수 없는 범위가 존재함을 인정하고 이것을 불확실성으로 표현할 때, 2단계의 마음이 중심이 되어 1단계의 욕구를 3단계의 불확실성까지 끌어올린다면 또 한 가지의 길이 생깁니다. 바로, 영혼에 대하여 구체적인 접근이 가능해진다는 것입니다. 이 불확실성 속에는 '영혼'이 포함됩니다. 인간은 많은 이상적인 가치를 3단계에 부여해 두었습니다. 종교를 보면 1단계에서 아직 탈출하지 못한 사람들에게 탈출할 에너지를 공급하는 곳이라 볼 수 있습니다. 1단계의 사람들에게 높은 단계의 것들을 보여줍니다. 당신도 할 수 있다고 말하지만 그런데 종교에서 각성한 사람들에겐 2단계를 등한시하여 발은 '돼지'다우며 이상은 '독수리'와 같아서 하늘이 높은 줄 모르며 규제는 금방 갈아둔 칼처럼 날카롭습니다. 그런즉, 그들 또 한 몸과 영혼은 분리됨을 느끼는 구조로 몰아가고 사실 그렇게 됩니다. 2단계를 무시하기 때문입니다. 각성(覺醒)은 1, 2, 3단계를 하나의 시

---

12) 데미안: '새는 알에서 나오기 위해 투쟁합니다.' 알은 세계입니다. 태어나려고 하는 자는 누구든 하나의 세계를 파괴하여야 합니다. 새는 신을 향해 날아갑니다. 그 신의 이름은 아브락사스입니다.

야에서 모두 바라볼 때 이루어집니다. 이때, 부족한 측면과 풍부한 측면, 그리고 집중해야 할 부분을 한눈에 파악할 수 있습니다. 3가지 측면을 모두 봤을 때 어디에 힘을 쓸까요? 바로 부족한 부분입니다. 그리고 이들은 경외와 두려움을 스스로 이겨내고 판단할 2단계의 수련이 없기에 2단계 자체를 잊어버린다는 결론에 다다랐습니다. 세상의 경전들은 3단계의 공부입니다. 그러나 발이 아직 돼지인 인간들은 2단계에서도 공부할 것들이 많습니다. 이 단계가 어느 정도 자유롭다고 판단될 때 3단계 공부를 하여도 늦지 않습니다. 그리고 다시 말하지만 3단계는 불확실성에 관한 공부이기도 합니다. 종교도 불확실성의 한 부분일 뿐입니다. 각성의 순간에는 3단계 속의 자신의 모습을 볼 수 있으며, 그 모습이 신비로워서 영혼으로 표현했으며 내 꿈속의 나가 꿈을 꾸는 환상의 즐거움을 꿈꾼다고 적어볼 뿐입니다. 사람의 마음을 이해하려면 한 차원만으로는 부족합니다. 체험을 통해 경험된 마음을 당신이 체험하지 못했다고 다르게 주장하는 것은 잘못입니다. 이성적으로 살펴볼 수 있는 체험의 흔적들이 존재하므로, 각자에게 맞는 질문을 던지고 스스로 발견해야 합니다.

과거에 우리 조상들도 한(恨), 심(心), 영(靈) 등의 표현을 사용했었습니다. 인간은 불확실성의 존재와 가능성을 인정하고 삶의 일부분으로 받아들여야만 인간이 알고 있다는 거만에서 벗어날 수 있습니다. 공부도 단계와 절차가 있으며, 무엇보다 절차 속에 뇌가 변화할 시간과 여유를 주어야 합니다. 사람들이 모르는 것 중의 하나가 공부 중에 여유입니다. 생각의 고리에 그물코가 하나 생성되려면 여유를 잘 즐겨야 합니다.

그리고 무엇보다, '좋은 영향을 주겠다'라는 마음 본연입니다.
그러나 '나만 잘 먹고 잘살자' 이런 생각들이 가득 차면 사람이 단순해집니다.
이익(利益)에 따라 그 모습이 달라지기 때문입니다.

지금 이 시대 사람들에게 만연한 생각들이 아닐까요? 이런 이기주의는 모두에게 좋지 못한 영향력으로 다가옵니다. 그리고 그런 개인에게는 운명이 어둠으로 바뀝니다. 선한 마음을 나도 모르게 버리고 이익을 따르기 때문입니다. 이런 마음이 생길 때에는 '이기'라는 마음에서 탈출해야 합니다. 그리고 관계를 점검하고 무엇이 잘못된 것인지 찾아야 합니다. 이것을 인지하지 못하고 그 이기적인 삶을 오래 살수록 그 생은 불행해집니다. 그래서 자신을 냉정히 살피는 관찰과 탐구의 시야가 중요한 것입니다. 선한 영향력을 주겠다는 마음이 사라지면 주위에 있는 모든 인간이 떠납니다. 그래서 이익 관계의 사람들만 남게 되고 결국에는 서로서로 사기 치고 속이게 됩니다. 이익에 관계로 모인 사람들은 이익이 사라지면 미련 없이 떠납니다. 그런 사람들에게서 따뜻한 마음을 기대하기는 힘듭니다. 관계가 이런 방식으로 구성된 세계를 개방하여 그 속에서 시간을 보내면 불행은 스며듭니다. 시간이 길어질수록 인간보단 돈에 더 가치를 둘 수밖에 없게 됩니다. 지금에 시대 상황이 그렇습니다. 마침내, 주위에 마음 따뜻한 인간이 다 사라졌습니다.

스스로가 마른 가지 위에 까마귀가 된 것입니다. 바보가 된 것입니다. 의미 없는 삶이 되었습니다. 여러 사람과 이야기해 보면 세상을 향한 좋은 영향을 주겠다는 마음이 잘 느껴지지 않습니다. 자신의 이익만 우선하기 때문입니다. 내가 과거에 그렇게 살아서 이런 사람들만 있는 것일까요? 그들은 항상 배고파하며 주변인을 생각지 않습니다. 이익에 관여된 생각에 빠져 다른 것을 생각할 여유가 없다는 말이 더 옳을 것입니다. '성의'가 없습니다. 곧, 관계의 정의는 세상을 규정하고 그 속에 자신을 살아가게 하는데도 불행한 방식으로 미래를 맞이합니다. 참! 바보들입니다.

'나'보다 못한 이는 없습니다.
운명의 수레바퀴는 자신만이 멈출 수 있습니다.
Many people stop at least once in their lives to ask themselves.

3. 구원의 공부

'인간은 모두가 막연한 구원을 봐라.' 염원하는 시간에 그 시간에 구체적인 공부를 해! 적극적으로 삶을 직면하라고! 삶을 견디기 위해 현실을 즉시 하지 못하면, 인간은 구원을 갈망해. 구원도 이기적인 욕망이야. 별다를 것 없다고, 환상 속 또 다른 나로 인해, 세상을 부정하는 아주 비열한 태도야. 진실하지 않아! 진실을 찾기 위해선 직면해야 해. 그래야 자신을 바로 서게 할 수 있어.

진실을 우선 찾아!

정직하게! 그리고 상황을 정확히 살펴. 죽을 때까지 인간은 자신의 형태를 살피지 않아. 그래서 자신의 존재를 자신만이 몰라. 이런 멍청한 상황을 벗어나자! 진실해야지. 그러기 위해서 거짓말, 가면, 질투, 시기, 이따위의 것을 버려! 어렵다고? 그럼, 무심해지는 연습을 해! 그러면 그런 것들이 발동하지 않아! 만약, 그것들이 나타나면 하나하나 그것들을 자세히 살펴! 탐구하라고! 불을 밝혀! 지능을 사용할 때야! 책에 이런 방법들이 다양하게 연구되어 있어. 책에서 표현하는 방법이 달라서 조금 혼란스러울 거야. 그러나 이해가 찾아오면, 구체적인 행동 강령을 세워질 거야! 내 것에 맞는 방법을 분명히 발견할 거야! 그리고 우리가 간접적으로 도움이 될 거야! 진실해야 공부와 이해가 진전돼! 구원을 바라지 말고 공부해! 이건 진리보다 한 수 위야! 고착된 습관을 바꿀 차례야. 이것을 바꾸면 운명이 변화돼. 그리고, 사랑에서 구원이 온다고 모두 희망하지만, 사실은 공부에서 구원이 찾아와! 진정한 이해에서 비롯된 베풂은 가장 깊고 의미 있는 나눔이야. 우리가 타인의 상황과 그런 상황을 깊이 이해할 때, 우리의 베풂은 더욱 풍성해지고 영향력 있게 돼. 그것도 아무런 기대 없는 선의의 마음에서야. 아무런 기대하지 않음이 기본 전제야! 이것에서 자유로운 것은 공부를 통한 이해뿐이야. 왜냐고? 공부를 통한 이해에는 세상의 순환이 담겨 있지. 그래서 상상을 넘어 모습을 구체적으로 그릴 수 있기 때문이야.

선한 영향력! 그것을 넘어선 헌신이 구원에 가까운 사랑이겠지. 내가 아무리 사랑한다 해도 세상은 달라지지 않아. 애정은 분명! 치우쳐있어. 인간이 이를 극복하진 못해! 그긴 다스리고 제어하는 영역일 뿐이야. 반면에 내가 그 대상을 이해할 때에 내 태도가 달라져서 미래가 선한 방향으로 변화하는 것뿐이야. 여기가 낙관적 관계의 출발점이야.

그래서 책을 읽고 빙그레 웃어봅니다. 사람은 누군가에게 의지하는 순간! 위의 실수를 반복해 자신을 잃어버리는 일을! 자, 거울 앞에 서서 거짓말을 버리자. 무심하게 눈뜨고, 자신을 바라보자. 이제는 가식으로 상처받은 마음 버리자! 위로받고 싶은 마음도 버리자. 그리고 그동안 접었던 공부 다시 시작하자. 자신의 마음을 정신이 이해하게끔! 마음과 정신을 진실로 몰아세우자.

한 인간에게 있어 정신과 마음의 소통이 가장 소중합니다. 그러나 이것들이 막혀있습니다. 그 사이에서 거짓이 피어납니다. 마음과 정신이 서로의 처지를 외면하니 가면을 씁니다. 이것을 시기가 위로합니다. 질투가 한쪽만을 편듭니다. 순환이 부정적입니다. 부정이 습관이 되었습니다. 이것이 가장 쉬운 형태의 습관입니다. 자신을 이해하지 못하여 혼란을 제거하지 못하면 세상에 약자가 됩니다. 그래서 평정심을 찾지 못합니다.

두려움은 즉시 하면 그뿐! 세상에 관한 관심은 두려움을 극복(克服)하는 것에 있습니다.

우리에겐 기억, 사유, 상상, 표현의 자유가 있기 때문입니다. 한 인간이 더 넓은 세계를 완전히 인식하기는 불가능합니다. 세상 속 관계들은 끊임없이 살아 움직이고 퍼져나가기 때문일 것입니다. 또한, 세상은 변화를 안고 있는 주체이기 때문입니다. 우리는 늘 세상을 뒤쫓습니다. 그런데도 우리는 항상 최선의 선택하였다고 믿고 행동에 옮깁니다. 시간을 의식과 의지로 붕괴시키려 부단히 부정합니다. 선택은 결정을 품고 있으며, 이 속에는 대상에 대한 비교가 들어있습니다. 인식한 세계대, 엔트로피의 비율이 어느 정도인지 알 수 없으나, 선택은 어쩌면 변화에 대응하는 유일한 행위일지도 모릅니다. 이처럼 작은 존재가 큰 세계를 이해하고자 하는 마음은 끝없는 불안으로 이끌고 갑니다. 그리고 불확실성의 증대에 인간은 금방 한계에 직면합니다. 이러한 상태에 다다른 마음과 정신을 끌고 갈려면 몇 가지 요건이 필요하나 이보다 앞서 인간은 나약하고 게으릅니다. 그래서 관문(關門)에 무게가 더해지고 있습니다.

좋은 세계가 있으니 살짝 보고와!

자연스러운 논리의 목표는 단지 인간과 인간의 본성을 인식하고, 나아가서 우리 인간의 상황과 우리가 사는 현실 세계를 훨씬 폭넓게 인식하는 것입니다. 만약, 내면의 우주에 한 그루에 인식의 나무가 있다면, 그 나무는 세계를 대변하고 그 나뭇가지의 끝은 인식지 않은 순간에도 자라고 있습니다. 경험이 가능성을 압도하지 않은 경계의 모호함이 밝아지면 나뭇가지는 밖으로 밖으로 자라게 됩니다. 내부로 자라서, 세상이 전도된 뿌리가 된 가지들은 고된 성장을 하지만, 빈 세계의 가지들은 자유롭습니다. 한정하지 않으면 무한한 가능성이 있습니다. 이 모든 것은 경험이 한정합니다.

인간은 현실에서 주체가 될 수 없는 것들을 저 멀리 있는 세계를 빌어 염원합니다. 그래서 현실에서 그 일이 절대로 발생하지 않습니다. 이 세상의 것이 아닙니다. 하늘나라의 개념은 무언가의 형태를 입어 이 땅에 내려와 관계가 생성되어야 인간은 알아차립니다. 바라는 시간에 공부하여 궁리의 날을 세워 실마리를 찾아봅시다. 어떤 상황이든 적극적인 방향으로 나아가는 인간이 세상이 흘러가는 방향과 일치할 확률이 높습니다. 좋은 운이 따르는 방법은 이뿐입니다. 그리고 비교 속 논리는 한 인간이 가질 수 있는 정점에 도달하고 그 위치를 즐길 줄 알아야 미덕에 가까운 것입니다.

4. 모르는 길

'아이와 나의 바다'13)
그러나 시간이 지나도
아물지 않는 일들이 있지.
내가 날 온전히 사랑하지 못해서
맘이 가난한 밤이야.

거울 속에 마주친 얼굴이 어색해서
습관처럼 조용히 눈을 감아.
밤이 되면 서둘러 내일로 가고 싶어.

수많은 소원 아래 매일 다른 꿈을 꾸던
아이는 그렇게 오랜 시간
겨우 내가 되려고 아팠던 걸까.
쌓이는 하루만큼 더 멀어져
우리는 화해할 수 없을 것 같아.
나아지지 않을 것 같아.

어린 날 내 맘엔 영원히
가물지 않는 바다가 있었지.

이제는 흔적만이 남아 희미한 그곳엔
설렘으로 차오르던 나의 숨소리와
머리 위로 선선히 부는 바람
파도가 되어 어디로든 달려가고 싶어.

작은 두려움 아래 천천히 두 눈을 뜨면
세상은 그렇게 모든 순간
내게로 와 눈부신 선물이 되고
숱하게 의심하던 나는 그제야
나에게 대답할 수 있을 것 같아.

선 너머에 기억이

---

13) 아이와 나의 바다: 2021년 3월 25일에 발매된 '아이유'의 정규 5집 'LILAC'의 8번 트랙 수록
곡입니다.

나를 부르고 있어.
아주 오랜 시간 동안
잊고 있던 목소리에
물결을 거슬러 나 돌아가
내 안의 바다가 태어난 곳으로

휩쓸려 길을 잃어도 자유로와
더 이상 날 가두는 어둠에 눈 감지 않아.
두 번 다시 날 모른 척 하지 않아.

그럼에도 여전히 가끔은
삶에게 지는 날들도 있겠지.
또다시 헤맬지라도 돌아오는 길을 알아.

아이유가 이 곡을 작사했습니다. "마지막에 돌아올 길을 알아"라고 했는데 나는 결국 몰랐습니다. 겨울에는 산책을 나서고 따뜻한 날이면 달리기를 합니다. 365일 중 340일 이상 달리기 혹은 산책에 나섰고 이때 음악을 청취합니다. 그래서 지난 2년여 동안 아이유 노래를 들어보았습니다. 오늘 문득 아이유의 말뜻을 정확히 알 것 같아서 이글을 시작하게 되었습니다. 사실, 어릴 때 자신의 인식과 동시에 또 다른 나를 만나게 됩니다. 즉, 자신과 에고로 나눠집니다. 그리고 이 둘이 만나는 장소는 마음에서 마주합니다. 그곳은 바다처럼 넓고, 차갑고, 출렁이는 변화무쌍한 장소이지만 때가 되면 반영(反影)이 반드시 있어야 하는 장소입니다. 나와 너의 모습을 내가 어떠한지 볼 수 있는 공간이 되어야만 합니다. 내가(자신과 에고) 그리고 마음이 같이 있다면 거울에 비치고 좋은 선의의 방향으로 지속해서 나갈 수 있습니다. 그러나 내 안의 '나' 즉, 에고는 그 자리를 집요하게 이탈하는 존재입니다. 인간은 본성이 그런 존재입니다. 그리고 에고는 엄청난 힘을 갖고 있으며 폭발적인 에너지의 중심입니다. 어떻게 보면 에고를 잘 다스리는 것이 그 사람의 운명을 결정한다고 볼 수 있습니다.
　　인간 자신의 순수한 영혼의 힘을 폭발시키려는 개인의 주요 명제는 '자신과 에고를 거울 앞에서 둘을 미소짓게 만들어야 한다.'입니다. 그러나 우리 대부분은 분열을 경험합니다. 가식이 최대가 되어 그 가식을 넘어선 반성과 성찰이 없다면 에고는 거울 앞에 나타나지 않습니다. 보편적인 형태는 거울이 그 대상을 직접 조명하고 외부의 작용 때문에 끝없는 분열과 확장으로 서로의 갈 길을 멀리 떠난 상태에서 인간은 그들의 존재를 늦게 알아차리며 뒤늦은 화합을 도모하나 그 거리감은 도무지 좁혀지지 않습니다. 또한, 이 둘의 상태가 외부의 충격에 너무나 취약하여 하나씩 부서져서 서로 간에 결합의 필요성을 느끼게 되나 결코 화합을 이루어 낼 수 없다는 사실에 직면하게 됩니다. 어쩌면, 거울에 자신과 에고가 동시에 나타나지 못하는 삶을 살게 됩니다. 만약 나와 상관없이 신이 있다면 그의 도움을 바라는 이유가 이것 때문일 것입니다.

반성과 성찰이 사라진 삶! 처음에는 도덕이 에고를 억압하고, 이후에는 그늘을 벗어나면 반대로 에고가 정신을 억압하고 이 상태에서 고착됩니다. 이기적이고 일방적인 사람만이 남게 됩니다. 정신은 분열로 외부로 방향이 향하며 이와는 반대로 마음은 내부로 깊게 파고듭니다. 거울에 나와 에고가 동시에 나타나 악수와 포옹을 절대 이룰 수 없는 불안은 끝없는 자멸로 몰고 갑니다. 이때쯤이면 인간의 얼굴에는 쓰디쓴 미소 속에 구렁이 같은 섬 듯한 자신도 모르는 기운이 느껴집니다. 이익만을 따르며 가식적으로 변화됩니다. 1차원뿐인 '나'가 육신을 잠식한 상태와 같고 자신과 에고가 본능적으로 추구하는 것들에 충실해진 상태입니다. 이들은 서로가 돌아갈 수 없어서 파멸의 길로 진입이 분명해지면 사람은 이 둘에 깊은 회의를 가지며 모두 내려놓습니다. 이때가 말 그대로 '공허'한 상태가 됩니다. 아무것도, 옳음도, 그름도 존재하지 않은 상태에 이르게 됩니다. 여기가 어렵습니다. 왜냐면 분기점이기 때문입니다. 만약, 더 내려놓으면, 그러면 이들은 처음 출발의 위치로 소환됩니다. 그리고 자신 안에 신(神)이 있음을 체험한 순간입니다. 자신의 신성(晨星)을 발견합니다. 그러나 그 주체가

'나'가 아닙니다. 이처럼 스스로 돌아갈 수 있는 길을 절대 찾지 못하고 방황하는 존재입니다. (그러나 아이유는 "알아"라고 했습니다.) 인간의 마음은 고쳐서 처음의 새것이 될 수 없는 것과 같습니다. 그래서 나도 모르는 어떤 힘에 강제로 소환되는 것이지 인간의 그 어떤 능력에 의해서 돌아가는 길을 절대로 선택할 수도 관여할 수도 없습니다. 강제소환 이후 신을 믿는 것이 아니라, 체험으로 경험하는 것이고 믿음의 존재는 선생님이 됩니다.

우리는 발을 들어 앞으로 가는 순간 뒤의 흔적은 금방 사라지는 존재입니다. 만약 뒤로 돌아가는 것을 염두에 두어 빵조각이라도 내버려 둔다면 이 또한 비둘기나 동네 짐승들이 가만히 두지 않을 것입니다. 정신이 뒤를 쫓을수록 미래는 더욱 불확실해는 것입니다. 그러므로 우리는 자신과 에고가 서로 협력하여 현실의 문제를 탐구해야만 알차게 삶을 살 수 있을 것입니다. 거울 속에 자신과 에고가 늘 같이 존재한다면 진실한 삶을 살게 됩니다. 내면의 분리된 평화가 아니라 화합입니다. '내면의 고요함은 바로 화합(和合)입니다.' 서로의 욕심을 공부로 풀어주고 이해로 다가설 때, 명분도 생기고 신념도 생기는 것입니다. 그래서 평상시에 하는 공부가 중요합니다. 분리된 상태에서 각각 스스로 자위만 한다면 그 무슨 의미가 있겠는가요? 배우면 어느 순간 이해의 물결이 온몸을 감쌉니다. 그 짜릿한 느낌은 또 다른 행복감입니다. 배움의 순서는 마음공부부터 시작해야 공부가 의미 있습니다. 마음공부가 어느 정도 완성되면 분과학문은 성향에 따라 저절로 찾아가는 것입니다. 이런 모든 과정은 느리게 진행됩니다. 그러다 문득 과거에 읽었던 '3기니'14)가 생각났습니다.

마음이 삐뚤어져서 탁해지면, 내가 수많은 시간과 공을 들여 자신과 에고를 거울 앞에 동시에 마주하게 했지만, 거울이 맑지 못해 나 자신을 성찰할 수 없습니다. 타락하려면 철저히 도덕을 버려라! 그래

---

14) 3기니: 1938년 발표된 버지니아 울프의 에세이로, 흔히 울프의 에세이 대표작 『혼자 쓰는 방A Room of One's Own』(1929)과 함께 읽히거나 그 후속작으로 평가받는 작품입니다. (출처:문학과 지성사)

야 극에 이르고 분노가 성찰로 바뀔 때 소환이 일어납니다. 그러면 "다시 시작한다."라는 참 의미를 알 수 있을 것이고 자신을 사랑할 마음이 생길 것입니다. 난 이것이 사랑의 절대조건 1번이라고 생각합니다. 가식으로부터의 탈출!

5. 비움

내 맘속 말들은 나로 인해 오랫동안 구속(拘束)되어 있었습니다. 답답한 가슴속에 담아두기만 한 수많은 말들을 뒤집어 쏟아내어 하나 하나씩 끄집어내고 적절한 단어로 변환하여 순서를 정하고 말로 표현해 봅니다. 아직도 내 마음을 말로 표현하는 데 어려움을 겪고 있습니다. 다른 이들이 내 마음을 이해해 주길 간절히 바라는 것은 아마도 자만심의 한 형태일지도 모릅니다. 특히, 내 맘이 무언가로 가득 차 있다면 상대방이 느끼게 될 공감의 방향은 길을 잃어 혼란스러울 것입니다. 그러함에도 내 맘속 말들을 절차와 순서에 맞게 알맞은 어조로 상대방에게 표현하는 일은 매우 중요합니다. 그러나 나를 포함한 우리 한국인들은 하나가 늘 부족한 삶이라서 적절한 표현에 서툽니다. 그러면서도 상대방이 내 마음을 사전에 짐작하고, 감정을 공감하며 우리의 감성이 깊게 이어지기를 바랍니다. 그렇다고 당연하게 상상합니다.

균형을 잃은 나는 아직 그런 차원에 접근하기 어렵습니다. 우리 사람은 인간이 되어서도 자신과 소통에 어려움을 겪는데, 이것의 문제점을 인식하지 못하고 이해 부족을 상대방 탓으로 돌리곤 합니다. 또한, 남의 마음을 알려고 자기 경험의 자를 꺼내어 남을 속단합니다. 그런즉, 어렵더라도 상대방을 생각한다면 최소한 진실하게 자신의 마음을 상대방에게 표현해야만 그 사람에 대한 최소한의 존경을 드러낼 수 있지 않을까 생각해 봅니다. 나는 나 자신과의 소통에 결함이 있으므로 떨어진 차이를 줄여나갈 것입니다. 그래서 사람을 만난다면 마음에 최소한 그 사람 자리는 비워둘 것입니다. 마음을 비우는 것에 그렇게 익숙해지렵니다.

세상에 왔습니다.
새 생명으로 태어나
가장 많은 축복과 관심
그리고 사랑을 받았던
민머리로 다시 돌아갑니다.
다만, 머리카락이 거의 없어져
죽음이 가까워졌을 때
내 마음이 처음과 같지
못할까 봐 나는 두렵습니다.
반평생을 실개천에 쏟아버리고
가장 낮은 곳에서
가장 평범한 아이로
돌아가고 싶습니다.
내가 살던 가난했던 마을엔
해맑게 웃던 아이들
웃음소리로 가득했습니다.

'빈 무대는 세계이며 빈 마음입니다.' 빈 마음은 빈 운동장입니다. 과거 내 운동장에는 나만 서 있습니다. 누구도 들어올 빈 공간이 없었습니다. 내 세상은 오그라들어 다른 이가 들어올 빈 공간이 없었습니다. 서서히 소멸하여 나만이 겨우 디딜 수 있었습니다. 마침내 운동장이 평균대가 되었습니다. 평균대 위에 올라 겨우 몸의 중심을 힘겹게 잡고 있었습니다. 떨어지면 세상에서 패배자가 됩니다. 그 밖의 세상은 암흑이었고 벗어날 공간도 방법도 알지 못했습니다. 하지만 타인을 침범하는 행위는 부도덕하니 스스로 자존심을 지키라고 윽박지르고 강제했습니다. 이처럼 인간의 삶에는 마음이 소멸(消滅)할 수도 있고, 욕심이 크게 증폭되어 마음을 모두 잠식당할 수도 있습니다.

대부분 현대인은 후자며 그 마음이 세계라면 공간이 없는 가득 찬 세계입니다. 사람은 과식하면 체하고 탈 납니다. 결국, 먹은 것을 전부

토하고 몸살을 겪게 됩니다. 위에서 신물을 토하는 고통을 겪어야 과식에 주의를 기울이는 존재가 아니던가요. 우리의 마음도 이와 같습니다. 과식의 원인은 탐욕과 욕심입니다. 이를 조장한 정신은 무책임합니다. 모두 담을 수 있다고 명령할 뿐 책임지지 않습니다. 그 무책임함은 인간이 제거할 수 있는 영역이 아니라 최소화하는 것뿐입니다. 마음의 크기가 정신의 무책임함을 빠르게 다양한 방법으로 그 범위를 추월하면 그것은 작은 것에 지나지 않습니다. 그러나 이것은 극히 어려운 일입니다. 그래서 무심함을 의식적으로 가져가는 것입니다. 그러면 무책임함의 정도는 조금씩 변화되어 망각으로 사라지고 다시 나타날 때는 정도가 약해집니다. 공간을 만드는 방법입니다. 공간이 있어야 손님 초대가 가능하고 그들을 위해 선물을 준비할 수 있습니다. 어떻게 해서든 마음을 비우려고 합니다. 가만히 숨만 쉬고 있어도 외부 대상이 내 의도와 상관없이 들어와서 자리를 차지합니다. 이런 것들을 무심히 그냥 스쳐 지나가게 만드는 것이 빈 마음을 만드는 방법입니다.

심히, 누구를 생각하고 누구를 걱정하면서
기대하고 원하는 마음으로 가득 찬다고 하여 그 일이 잘되지 않습니다.

어찌하여 삶에서 불필요한 것을 담지 않는 것이 물질에만 국한된 것이 아닙니다. 마음속에 어마어마한 기대와 희망만 가득하다면 현실에서 구체화 시키는 마음은 어디에 담을 것인가요? 이 세상과 연결고리가 없는 꿈은 말 그대로 꿈입니다. 인간은 환상에 가까운 꿈을 늘 꿉니다. 빈 마음에 꿈을 담는 것이 아니라 그것을 지상에 끌어내릴 실마리를 담아야 합니다. 실마리를 풀어보면 복잡하고 어렵습니다. 그래서 보다 큰 빈 마음이 필요하다는 것을 알게 됩니다. 평상시에 습관처럼 무언가의 불필요한 것에 마음이 점령당하면 타인의 생각과 평판에 마음이 점령당한 것입니다. 그래서 공간의 결핍을 느낍니다. 마음의 여유가 없다는 것입니다. 여유가 없어지면 집착과 고집으로 변이되어 나타납니다. 그리고 더욱더 부정적인 고독으로 빠져듭니다.

사랑은 타인에게 마음을 내어주는 것입니다.15) 빈 마음이 없으면 내어줄 것도 없거니와 끝없는 결핍에서 헤어나지 못하여 타인의 관심을 갈구하고 구걸하게 됩니다. 실제 결핍상태에서 관심받으면 행복감을 느낍니다. 어떤 것도 기대하지 않음과 철저히 무심해질 때가 당신의 마음이 가장 넓을 때입니다. 이것의 반대는 기대와 희망으로만 가득 차서 당신의 꿈속을 뛰어다닐 때입니다. 역설적으로 '무심'이 최대가 되어 빈 마음일 때가 '가장 큰 하나의 꿈'을 담을 수 있습니다. 그래서 의식적으로 오뚜기와 같이 훈련된 마음을 이곳에 머물도록 하는 것입니다.

인간은 자신이 완벽하다는 착각을 빨리 버릴수록 중심에 가까워집니다. 사람은 실수를 반복하는 존재이나 반복된 실수에서 벗어나는 방법을 모릅니다. 자유에 다다른 자만이 사랑할 수 있습니다. 인간의 마음에 오만과 편견이 양념처럼 고루 깊게 배어 있어 그와 그녀는 그런 상황을 파악하지 못합니다. 그런 이유는 다음과 같습니다. 우리 몸이 한쪽을 가리키며 나아가듯이 우리 존재는 세상에 대하여 처음부터 편향되어 진행하는 것이 필연입니다. 그리고 그 전체가 지향하는 편리함으로 익숙한 시선을 고집하고 고착됩니다. 또한, 전체는 그가 선호하는 사적인 것들이 뭉쳐져서 인격이 만들어져있습니다. 이러하니, 어떻게 보면 우리 인품은 말 그대로 치우쳐서 중심이 비어버린 모습이지 않을까요? 중심에서 이탈된 천체는 가운데가 비어있어 항상 공허합니다. 그 공허함은 끊임없는 욕구로 나타나서 갈망하고 분노합니다. 깨달은 인간은 모든 편견으로부터 해방을 꿈꾸는 존재입니다. 한쪽으로 치우침, 세상을 혼자 짊어지고 가겠다는 결의는 나귀의 성품이지 인간의 인품은 결코 아닙니다.

편견을 버리려면 두 가지 방법이 있습니다. 놀이터의 시소처럼 반

---

15) 사랑의 기술: "에리히 프롬"이 1956년 프롬이 자신의 철학적 작업을 더 많은 사람에게 알리기 위해 쉽게 쓴 대중 철학 서적.

대편에 똑같은 무게를 정확히 올려 두는 방법입니다. 정확한 무게를 올려 두는 방법은 환상입니다. 놀이터의 빈 시소도 한쪽으로 치우쳐있는 것을 보았습니다. 이는 인간의 영역 밖의 일이라 생각하며 깔끔하게 포기했습니다. 그러면 다른 하나는 내가 담은 것을 모두 버리는 일입니다. 이를 실천하면 편견에서 어느 정도 멀어지는 일이 됩니다. 마음을 비우면 바로 몸은 떠오릅니다. 이것이 이해가 되면 버리는 재미가 붙습니다. 또한, 버린다는 표현에는 여러 가지 의미가 있습니다. 마음의 대상을 갈망, 갈구하면 인간의 시간은 빠르게 흐릅니다. 그래서 여유가 사라집니다. 내 정신에서 출발한 '반드시'는 필연적으로 편향됩니다. 마음이 움직여야 비로소 몸이 움직입니다. 마음이 앞서면 정신은 도움이 되고 여유를 듬뿍 안은 사고는 날카롭고 정교해집니다. 그렇다고 마음이 시키는 일만 하고 살 수는 없습니다. 어떤 때에는 그냥 무심히 흘려보내는 것이 중요합니다. 마치, 물속 그물망이 섬세하고 가늘어서 아주 작은 물고기까지 모두 잡아낸다면, 작고 날카로운 것에 그물은 금방 찢어지고 맙니다. 그런 것들을 무사히 통과할 수 있게 때론, 그물망 사이의 여유를 넉넉히 둘 때도 필요한 법입니다. 반드시 섬세하고 가늘수록 상처는 쉽게 입습니다. 완벽함과 느슨함을 마음의 지휘에 따라 정신이 보조할 때가 가장 이상적입니다. 그러나 대부분은 이와 반대일 것입니다. 편견은 집착이고 지금은 전부이고 모두인 것 같으나 시간이 흐르면 아무것도 아닙니다. 마음에 솔직해지면 삶이 담백해져서 간결해집니다. 결국, 그러함에도 나로 인한 세상의 인연은 쉬지 않고 흐릅니다.

제3부 세 상

한 줌 공기를 마시고 그 숨결을 마음이 느끼고 콩닥거리는 심장의 따뜻한 기운이 몸에 골고루 전해지고 이윽고 그 따뜻함을 넘어 안락함에 이르며 잠들고 싶어 합니다. 하나의 호흡에 정신과 몸이 살아 있음을 가슴으로 느낍니다. 어느 것이 먼저인지 알 수 없습니다. 아무렴 어떨까요? 지금도 쉼 없이 공기를 마시고 있지 않은가요? 무엇이 우리의 의식을 끌고 가는 것일까요? 생각에 꼬리를 물며 숨을 쉬는 나는 왜 이런 걸까요? 수많은 질문에 무슨 말을 해야 할지 모르겠지만 재미있는 현상임이 분명합니다.

'번뇌(煩惱)에서 벗어나는 법'

　대중교육이 없었던 시절에는 '무의식'은 절대자, 초월자, 성인의 믿음으로 대처했으며, 계몽 이후 시대에는 공교육에서 자신을 부정하여 자신을 초월하는 것입니다. 자기부정은 자신을 아끼고 가장 사랑하는 '나'가 철저히 무장해제되면 나 자신이 '나'를 초월하는 것, 즉 '내면의 빛'을 발견하는 것이고, 작은 인간이 세계를 이해하지 못하는 불안에서 끝없이 샘솟는 회의에서 벗어나는 법은 무엇을 믿는 것으로 번뇌를 벗어날 수 있습니다.

　초월은 몇 차원의 인생을 한 번의 육신이 사는 것이고, 믿음은 현 세상에서의 안정을 갈구하는 욕망에서 출발하여 믿음으로 결국에는 자신을 버릴 수 있음을 목표합니다. 저는 니체처럼 자기를 넘어서고 극복하는 초월과 초인을 이 책에서 이야기하지, 믿음에 관해서는 이야기하지 않습니다. 그리고 깨달아서 행하는 이는 자신의 신성을 언제든 경험할 수 있기에 이를 믿고 말고 하는 대상이 될 수 없기 때문입니다. 그래서 저는 '선생님을 믿습니다'라고 말하고 신비는 경험한다고 말할 뿐입니다.

　자신의 '나'와 같은 자리인 신성과 신비는 명상을 통해서 충분히 경험할 수 있습니다. 한번 길이 틔면 누구나 자신에 '영, 혼, 육'에 양방향 소통 길이 생겨납니다. 이 길이 트인 이를 '깨쳤다'라고 말하고 싶습니다.

1. 경제(經濟)가 사람에게 끼치는 영향

　경제형태가 인간에게 끼치는 영향은 인간의 성향과 성격까지 규정합니다. 이런 흐름을 이해해야만 미래 삶을 외부세계에 긍정적인 방향으로 변화시키고 수정할 수 있으며, 또한 경제적으로 피해를 보지 않을 수 있습니다. 다시 말해, 상황을 미리 파악함으로써 나중에 세상을 탓하는 일을 예방할 수 있습니다. 대부분의 외부 불합리성과 암묵적인 강요는 경제 형편에서 비롯됩니다.

저출산으로 인구수가 줄어들면 인간이 희소해져 개인의 가치는 상승합니다. 일자리가 늘어나는 것이 아니라 586세대가 모두 은퇴하게 되면 일자리가 남아돌게 됩니다. 일자리가 신규로 생긴 것이 아니라 늙어서 일자리를 모두 떠난 것입니다. 조만간 586세대가 완전히 은퇴하면서 모든 특혜를 가지고 떠나지만, 역설적이게도 그 자녀들 세대 포함 아래 세대에게 성장은 없습니다. 은퇴한 부모님 봉양하다가 같이 은퇴하게 됩니다. 과거 20년 전의 일본이 그랬으며 특히 지금 한국의 의료는 과거 일본보다 적용 범위가 넓고 보다 발전하여 모든 세금을 집어삼킬지도 모릅니다. 노인들과 의료기술의 발달은 거대한 블랙홀이 되어 세금과 개인의 자본을 흡수해 버립니다. 그 와중에 개인들은 언론에 속아 빚으로 어깨가 무겁습니다. 부동산 빚을 다 상환하고, 586세대가 대부분이 죽으면 그 이후 경제는 소폭 상승할 수 있습니다. 다시 말해 부동산 빚, 20년짜리 다 상환하기 전에 경제성장은 없습니다.

누가 보아도 고만고만한 사람이 과한 부를 바란다면 정말 어리석은 일이며 약도 없는 정신병입니다. 내수를 살리는 방법에 많은 의문을 갖지만, 인구구조가 지금보다 젊게 조정되고 개인의 빚이 사라지면 다시 상승 곡선을 그릴 수 있을 것입니다.

내가 빚이 없어도 대대수가 빚이 있으면 내수는 회복 불가입니다. 지금은 5명 중 1명이 심각한 수준의 빚을 가지고 있습니다. 그리하여 모두가 어려워지게 됩니다. 빚을 장시간 부담하게 만드는 금융시스템이 과도한 빚을 진 자들에게는 악(惡)이며 부도덕한 것입니다. 자발적 노예로 예속하고 끝없는 착취를 취하는 형태입니다. 빚을 걸머진 이들은 환상을 좇을 뿐이며 결국은 텅 빈 건물들만 바라보게 됩니다. 따라서 우리의 삶을 거시경제의 미세한 성장 방향에 맞춰 조정해야 합니다. 미래 경제 상황이 어떻게 변화할지 예측할 수 있어야 합니다. 또한, 직업에서도 유연함이 가져야 합니다. 과거 성장의 기억과 습관대로 움직이면 큰 피해를 보게 됩니다. 한편, 성장이 없는 사회는 개인 주머니를 닫히게 만들고 사회 전체를 왜곡시킬 수 있기에 열정보다는 거시경제를 읽는 안목이 필수입니다. 배운 지식을 실생활에 적용하여 현실을 분석하고 탐구하는 것은 매우 흥미로운 과정입니다. 세상은 돌고 돌아 귀한 것이 천해지고, 천한 것이 귀해지며 이 사이클이 수년에 순환하는 것과 몇백 년 만에 순환하는 것이 있습니다. 지금 가장 귀한 것은 앞으로 천해질 가능성이 있으니 앞으로 귀해질 것을 찾아 떠나야 합니다. 이것이 변화의 본질입니다. 천함으로 내려앉는 곳에서는 불굴의 의지가 아니면 타락하지 않을 방법이 없답니다. 대부분 열정으로 달려드는 것들은 천함으로 전환이 일어나 가라앉는 것들입니다. 힘든 여정을 견디고 다시 상승하는 것을 기다리기에 생은 너무 짧습니다.

　세상이 투기(妬忌)를 부추길 때는 아무것도 하지 않으며 공부만 합니다. 왜냐하면, 그 유혹이 너무나 강렬하고 인간 심연 깊이 있는 본능을 자극해서 끌어내어 움직이기 때문입니다. 이런 이유로 이때는 돈을 벌지 않아도 궁리하지 않아도 좋습니다. 무심코 잠들어버리면, 그릇된 행동에 빠져 대중이 됩니다. 혹시 다시 깨어나도, 또 다른 유혹에 빠져 투기나 도박과 같은 허무한 일에 휩쓸릴 수 있습니다. 그러므로 우리는 일상적으로 배우는 사람들과 함께하며, 도박, 사기, 윤락을 즐기는 사람들을 피해야 합니다. 제일 나은 선택은 계속해서 배우고 습득하며 삶을 보내는 것이며, 이를 위해 끊임없이 노력하고 배우는 과정을 일상 속 이동 경로로 삼는 것이 좋습니다. 대중은 종종 깨어있는 사람을 모른 척하거나 비웃는 경향이 있으며, 때로는 다른 사고방식을 가진 사람들을 핍박하기도 합니다. 대중은 책을 읽지 않고, 독단적 사고로 다른 이면을 살피지 못해서 거짓 선지자의 말에 쉽게 현혹되어 스스로 피땀 흘려 이룬 소득을 한 번의 유혹에 잃고 많게는 빚까지 지니 삶이 처참하게 무너집니다. 빚이라도 없이 깨달았다면 다시 기회는 오지만, 거대한 빚에 이번에는 대부분 깔려 죽습니다. 지금 빚은 거대한 눈덩이처럼 너무 큽니다. 달콤한 투기질에 사람들이 분수를 망각했습니다. 지난 수년 동안 그들에게 분수(分數)를 알라고 하였지만, 그들은 관심조차 없었습니다. 그들은 자만심으로 가득 차 있습니다. 그들은 상황을 객관적으로 바라볼 능력을 오래전에 상실했습니다. 이 시대의 선량한 양의 탈을 쓴 거짓 선지자는 탐욕으로 쉽게 선동되는 대중들을 먹잇감으로 삼습니다. "유튜브"라는 신문물을 이용하여 많은 사람을 무자비하게 수탈합니다. 대중은 내적으로 생존 본능만 작동하고 의식이 없으며, 영혼이 오래전에 사라져 몸뚱이만 남아 있으니 좀비와 다를 바 없습니다.

좀비는 먹어도 먹어도 허기를 잊지 못하는 존재이지 않던가!

인간이 좀비가 되는 것은 주변 사람들에게 많은 고통을 안겨주고 사회적으로도 큰 손실이 됩니다. 깨어있으라! 그리고 대중들을 깨워라. 배우는 것이 가르치는 것이고 이는 모두에게 득이 되는 일입니다. 자신이 무엇이 부족한지를 스스로 알아야 그 부족함을 개선해 나갈 수 있습니다.

스승이란 무엇일까요. 서기 약 30년부터 20세기 후반에 이르기까지 서양 사회에서 가장 낮은 지위에 처한 사람들은 자신의 의미에 대하여 세 가지 이야기들 들을 수 있었습니다.

첫 번째 이야기는 가난한 사람은 사람들 책임이 아니며 가난한 사람은 사회에서 가장 쓸모가 큽니다. 불평과 불만이 가득한 사람들입니다. 현실에서 자신의 욕망을 펼칠 수 없다면 그 욕망을 연구하는 탐험가가 되어야 자신의 욕망을 어떻게 할 수 있습니다. 만약, 이런 행위가 없다면 자신을 갉아먹는 존재가 되어 끝없이 자신을 학대하고 그 행위가 세상으로 전염됩니다. 가난은 성실과 인내의 반대편에 있는 사람들이 갖는 공통적인 인간 본성의 속성들입니다. 자신 내면의 에너지를 외부 세계로 분출할 때 제어하지 못하는 그런 무능한 인간 특성입니다.

두 번째 이야기는 낮은 지위에 도덕적 의미는 없습니다. 도덕적 의미는 자신의 내면의 신의와 관련이 있는 것이지 지위와는 아무 관련이 없습니다. 자신을 한계를 한정하는 그 무엇의 반대를 넘어서 혁명을 성취하면 도덕보단 마음속 말들의 울림에 집중하게 되고 낮은 단계의 도덕은 나락에 떨어지는 사람들이 잠시 바람을 만나서 다시 하늘 위로 나부끼는 것과 같으나 금방 땅으로 내려옵니다.

세 번째 이야기는 부자는 죄가 크고 부패했으며 가난한 사람들을 강탈하여 부를 쌓았다고 합니다. 부는 사람을 구별하지 않습니다. 그 사람이 신의와 결단 그리고 적절한 때에 적절한 행위만이 좀 더 물질 풍요를 가져다줄 뿐입니다. 모두 다 행운입니다. 부(富)는 올 수도 있고, 오지 않을 수도 있습니다. 그렇다고 성실과 인내를 잊어버리진 말아야 하며 이는 자신을 철저히 돌아보고 제어하는 과정에서 똑같은 실수를 다시 하지 않은 마음 상태를 꾸준히 유지하는 일입니다. 가장 낮은 계급의 사람이라 하더라도 성실과 인내만 있다면, 과거의 가장 낮은 삶들보다는 윤택합니다. 그러나 수많은 부의 유혹에서 가진 부를 지켜내지 못해서 더욱 가난해집니다. '약탈적입니다.'라는 말은 담을 수 없는 양의 부를 걷어내는 칼질과 같을 뿐입니다. 항상 조금은 모자란 것이 좋습니다.

인간의 길과 삶의 길은 무엇일까요?
다른 것일까요? 다르다면 어떻게 살아야 하는가요?

세속화는 보편성과 가깝습니다. 이 세상에 결과로 존재하는 것들에 가깝습니다. 그리고 그것들을 많은 사람이 그 결과를 이용하고 있습니다. 물질은 가까우며 그것들은 오감을 장악합니다. 더 많은 풍요 속에서 끝없는 빈곤을 느끼는 개인의 허무(虛無)는 지독한 고독(孤獨)에 다다르고 말았습니다. 세속화는 모두를 갈망하게 만듭니다. 개인은 무리 속 군중이 되어 시대정신의 흐름에 따라 요동칩니다. 허수아비들이 참새를 부지런히 쫓는 형세를 지니지만 그 미세한 동작들은 바람이 만들어 준 것이지 허수아비가 그곳에 있게 된 이유는 처음부터 어쩌면 곡식과 상관없을 수도 있습니다. 그곳에 사람이 있지 않으니 허상을 세워둔 것입니다. 우리는 모두 허상을 갈망하고, 허상을 찾아가고, 허상을 허상으로 보지 못하도록 스스로에 정신을 마취하고 조작합니다. 외부에 대책 없이 노출되어 조작되었으며 그로 인하여 정신마저 희미해져 모호한 삶에 이르고 말았습니다. 진실하게 살려는 의지도 사라졌으며 또한 그런 모든 이유에 의심하지 못합니다. 희미한 정신과 의지로 그냥 허수아비처럼 들판을 사계절 바라볼 뿐입니다. 찬바람이 허수아비의 뺨을 깨우지만, 허수아비는 영원히 잠들어 버렸습니다. 그곳이 어떠한 세계인지 허수아비는 알 수 없습니다. 그러나 그는 존재했다고 외칠 것입니다.

사람이 생을 살면서 자연을 삶에 얼마만큼 받아들이고 있느냐의 정도에 관한 문제는 중요합니다. 삶에서 얼마만큼이 세속적인가라는 질문에는 자연을 얼마나 동경하고 실제 하느냐는 질문으로 바꾸어 볼 만합니다. 그리고 세속화란 것이 모두가 나쁜 것은 아닙니다. 그 이유는 우리가 찾을 수 있는 자유가 어쩌면 세속이란 세계에서 희망하는 유일한 마음속 동경이기 때문입니다.

인간 정신은 하나의 세계이고 독립적이기 때문에 수많은 실수와 반복을 되풀이하여 그 세계의 한계를 극복하면서 완성에 가까워지면 시간은 훌쩍 앞으로 다가와 있기 마련이고 이것이 나이 먹음입니다. 그러한 놀이에 싫증이 나면 죽을 때가 된 것입니다. 수많은 반복과 실수로 인간 무의식은 정화되어서 자신도 모르는 선한 영향력이 작동하여 인류 전체의 무의식은 더욱 좋은 방향으로 흐를 것입니다. 보이지 않는 그러한 작용에 흐름은 무의식이란 바닷가 해변에 높게 쌓여서 파도가 크게 치면 흩어지며 자유롭게 산개해서 모두에게로 되돌아갑니다.

2. Chat-GPT
사상과 신념 그리고 신앙의 차이는 무엇입니까요?16)

사상은 사람들이 세상을 보고 생각하는 방식이며, 이는 사람들이 믿고 이해하고 받아들이는 이론과 생각의 관계를 의미합니다. 신념은 사람들이 믿는 것에 대한 인간의 생각과 감정의 집합입니다. 신앙은 사람들이 신이라고 믿는 것에 대한 신앙적 인식과 신앙적 경험의 집합입니다. 즉, 사상(思想)은 사람들이 세상을 이해하고 판단하는 방식을 말하며, 신념(信念)은 사람들이 믿는 것에 대한 감정과 생각을 의미하고, 신앙(信仰)은 사람들이 신이라고 믿는 것에 대한 신앙적 인식과 경험을 말합니다.

'오늘만 산다면 인간은 무엇을 해야 가장 가치 있는 일일까요?'

나 자신을 소통하는 것이 가장 가치 있는 일이라고 생각합니다. 나 자기 생각과 감정, 그리고 꿈과 목표를 정확히 알고 있는 것이 중요합니다. 나 자신을 더 잘 알기 위해 시간을 가져 나만의 자신을 소통하고 더 나은 자신을 만들어 갈 기회를 주는 것이 중요합니다. 자신을 잘 알고 자기 생각과 감정을 정확히 인식하는 것은 인간의 삶에 가장 가치 있는 것입니다.

세상에는 인간들이 만들어 놓은 많은 언어가 있습니다. 2023년에 처음으로 모든 언어를 소통으로 알아먹는 객체가 나타났습니다. 인간들의 소통이 좀 더 쉽게 된 것입니다. 또한, 여기서 중요한 것은 너무 깊게 어떤 곳에 빠진 친구들은 소통에서 좀 어려운 부분이 있었는데, GPT가 이 부분을 좀 더 부드럽게 공론의 장으로 이어준다는 것입니다. 사고를 코드로 전환해 주는 과정에서 '기술'이 줄어든 것은 어떻

---

16) Chat-GPT: OpenAI 플랫폼 회원가입 후, 무료 혹은 유료 구독제(ChatGPT Plus)로 이용할 수 있으며, 회원가입을 하고, 채팅하듯이 챗봇에 질문을 입력하는 것만으로 AI를 이용할 수 있습니다.

게 보면 '너무 깊게 심취한 친구'들을 공론장으로 끌어내고 그들의 천재적인 가능성을 다른 여러 것의 형태와 융합시킬 기회가 됩니다. 그 생각 하나하나를 모듈화하고 그래서 그 생각들이 어떤 사고의 기반 객체가 되고 그 사고로 알 수 없는 많은 미발견을 탐지해낼 수 있는 시대가 오면 좋은 세상입니다. 컴퓨터 프로그램 코드는 어떻게 보면 블록처럼 사고의 상하 부분에서 격차를 줄이기 위한 '약간의 수정 정도'로 넘어가는 간략한 과정으로 변할 것입니다. GPT의 도움으로 사고의 코드화를 누구나 쉽게 구체화하고 질문으로 사고를 눈덩이처럼 키우고 상상하는 세계가 다가옵니다. 각자 직업군에서 열심히 일하는 사람들이 '코드'라는 언어의 장벽을 GPT가 허물어주니 흩어진 인간들 각자의 생각들을 컴퓨터 세계로 가져올 수 있게 된 것입니다. 코드는 컴퓨터 언어의 장벽입니다. 인간은 불편함을 인지하면 바꾸어서 좋게 만들고 싶어 합니다. 과거에는 방법을 몰라서 그러지 못했을 뿐입니다.

개인의 생각을 구체화해서 타인에게 생각을 보여줄 수 없었기 때문이기도 하고, 개인마다 이해의 범위가 다르므로 인간끼리의 소통이 원활히 이루어지는데 상당한 장애물들이 존재했었습니다. 인간은 직업과 직군에 따라서 전혀 다른 언어를 사용하는 존재들입니다. 그런 인간들의 데이터를 하나로 모으는 것이 '빅데이터'이고 이것을 이용하여 모든 데이터의 장벽을 허물어 진리를 추구하는 일이 바로 미래의 진보라 생각합니다. 인간은 누구나 꿈을 꿉니다. 그리고 그 꿈에 동참할 사람이 하나하나 늘어갈 때, 인간의 창의적인 성취는 빠르게 이룩되어 왔습니다. 어떻게 보면 GPT는 인간의 사고에 해방과 자유의 도구를 하나 제공한 것입니다. 언어를 코드로 그리고 코드를 언어로의 변환과 전환은 자유로운 것이 당연하며 이것은 모두 인간의 사고 형태화 패턴에서 구현된 것입니다. 늘 우리 머릿속에서 작동되는 일종의 법칙일 뿐입니다. 의식하지 않으면 그냥 그렇구나 하고 무심히 지나치지만, 의식하는 순간 컴퓨터에서 내 생각을 조립하고 표현하고 그 결과를 다른 사람들과 대화해 볼 수 있습니다. 이것은 정말 짜릿한 일입니다. 생각을 말로 표현하고 다듬어서 코드로 표현해 보면 GPT는 쓸만한 결과물들을 만들어 냅니다. '대규모 인공지능 언어 모델'이라 지칭합니다. (2024년 7월 '생성형AI'가 대세임)

3. 불확실(不確實)성

본성, 본능, 욕구, 자기 중심성, 의지, 신념 등은 삶에서 행복과 불행을 혼동하고 혼란을 일으키는 현상을 나타내며, 이러한 갈등을 해결하기 위해서는 '자기 중심성'을 버릴 필요가 있습니다. 그래야만 세상에 대한 인식의 폭과 정확도가 높아집니다. 세상을 보는 눈이 넓고 깊어지는 것입니다. '톨스토이'[17]가 그래서 바보처럼 살라고 말했습니다.

진리의 말은 세상 어느 보물보다도 귀합니다.
거짓말은 또 다른 거짓말을 부릅니다.
그러므로 사소한 선의의 거짓말도 하지 말라.
사소한 것이 커다란 결과를 낳는다.
거짓말은 유혹적이지만
거짓말한 사람을 고통 속으로 몰아넣는다.
그 사람은 조만간 그 말을 부정해야 할 상황에 놓이고
결국, 진실 속에서 구원을 찾게 됩니다.

다른 사람들의 말이나 행동을
기계적으로 반복하는 것은
진리에서 멀어지는 가장 확실한 길입니다.

자신의 지적 능력으로 자기 행동에
더 많은 의문을 제기할수록

---

17) 살아갈 날들을 위한 공부: 1902년, 75세의 톨스토이는 폐렴과 장티푸스로 사경을 헤매다가 구사일생으로 회복됩니다. 이후 그는 독자들에게 인생의 깊은 의미를 전할 수 있는 책을 집필하고자 했고, 『The Thoughts of Wise Men』은 그 첫 번째 결과물로, 톨스토이가 편집한 격언 다이어리라고 할 수 있습니다. (출처: 알라딘)

인생이 자유로워집니다.

우리가 무엇을 해야 할지
진리가 항상 알려주는 것은 아닙니다.
하지만 무엇을 하지 말아야 할지는 알려줍니다.

　　홀로 진리와 대면하는 것이 두렵다면 주변 상황은 절대 개선되지 않고 점점 나빠질 것입니다. 나를 중심으로 한 세계의 인식은 너무나도 제한적이어서 불확실성은 세계를 완벽하게 이해하지 못함을 의미하며, 더불어 다양한 가능성이 존재한다는 것을 나타냅니다.
　　불확실한 상황에서는 예측이 어려워 어떤 결과가 나올지 확신할 수 없으므로, 신중한 태도로 다가가는 것이 바람직합니다. 불확실성이 큰 상황에서는 신중한 태도를 보이고 상황을 잘 파악하고, 가능한 결과를 고려하며 제일 나은 선택을 할 필요가 있습니다. 신중한 태도를 갖추면 예상되는 위험을 최소화하고 기회를 최대화할 수 있습니다. 불확실성은 항상 존재하며, 그래서 인간은 완벽하게 세계를 이해하는 것은 불가능하다고 인지해야 합니다. 하지만 불확실한 상황에서도 신중함과 적응력을 발휘하여 최선의 대응 방안을 찾을 수 있습니다. 이는 지식과 경험을 바탕으로 현명한 선택과 결정을 내리는 데 도움을 줄 것입니다.
　　인간은 작은 존재입니다. 그러함에도 인생이란 세계는 활짝 핍니다. 부모의 관심과 사랑 그리고 여러 사람의 지지를 받으며 무럭무럭 자랍니다. 지금에 녹음이 푸르고 꽃잎이 날릴 때처럼 내 인생에도 그런 때가 있었습니다. 나는 주말에 고요한 공원 의자에 앉아서 계절을 느끼고 있습니다. 스치는 이 짧은 순간이 섭섭하지 않도록 한 아름 눈에 담아 기록하곤 합니다. 지금에 나는 불확실성을 반이나 넘게 지나왔습니다. 얼마나 앞으로 살아갈지 모르겠지만 많은 불확실성이 있었던 어린 시절과는 분명 다릅니다. 머리가 희어가고 얼굴에 주름지는 것은 불확실성의 마지막을 향해가고 있는 국면일 수도 있습니다. 세상을 향해 아무것도 해둔 것이 없다는 불확실성보다 더 무서운 것은 없을 것입니다. 없다는 '무'가 나에겐 너무 일찍 와버린 것입니다. 그래서 내 마음이 그리움이 떠나지 못하는 것 같습니다.

저기 아래 파마머리 3인방 할머니들이 긴 벤치에 앉아 종일 이야기꽃을 피웁니다. 할머니들은 무슨 이야기를 하고 있을까요? 그들만의 시대의 이야기들이 어마어마하게 많아서 그토록 오랫동안 앉아서 이야기하고 마주하고 앉고 다시 눈을 맞추어도 이야기는 끝이 없습니다. 이렇게 하루에 한 번씩 바람 쐬러 나오면 할머니들은 늘 같은 모습들입니다. 할머니들은 불확실성이 많이 사라졌을까요?

어릴 때는 불확실성이 꿈으로 나이를 먹어감에 따라 두려움으로 그리고 또다시 무언가로 변해가는데 나에겐 그리움으로 변하는 것이 느껴집니다. 불확실성이 증폭되고 그리울수록 과거 기억은 생생하게 떠오릅니다. 확실하게 보고 느끼고 말하고, 서로를 향한 마음으로의 여운은 오랫동안 남아 기억을 끄집어내어 달아납니다.

'너 없이도 나는 괜찮다고, 너 없이도 나는 잘 지내고,
가끔 친구를 만나 술 한잔에 웃기도 해.
혼자라서 편한 것도 많아.
일부러 꾸밀 일 없고, 너의 전화 기다릴 일도 없고, 너 때문에 아플 일 없고' 18)

내 귀에서 수십 번이나 똑같은 노래가 몇 주간 흘렀습니다. 그리고 그 불확실성이 나에게 말을 합니다. 인간은 저마다의 불확실성을 갖고 살아간다고 그래서 더 멀리, 더 높이 바라보면 사라진 불확실성이 충만해지지 않을지! 저기 한편엔, 어린 딸의 걸음마를 불안하게 지켜보는 아빠의 걱정 섞인 말들이 들려옵니다. "넘어진다."라는 말에 그는 눈높이를 어린 딸에게 맞추며 따뜻하게 바라봅니다.

우리 사회 구성원인 개인은 불확실성을 싫어하다 못해 혐오를 넘어 두려워합니다. 대부분은 지평선과 완만하게 연결된 세계가 저 멀리

---

18) Tell Me Now: G.NA(지나), 앨범-천 번째 남자(MBC 판타지 시트콤)OST

서 천천히 다가오기를 바라고 있습니다. 이들이 밟고 있는 이 세계는 불확실성이 제거된 확실한 세계라 주장합니다. 그래서 확인된, "검증된 방법으로만 움직이고 작동한다."라고 생각합니다. 마치, 거대한 기계가 움직이는 형상 속에 놓인 불확실성을 두려워하는 개인은 스스로 기계부품의 형상으로 모습을 바꾸어 불확실성을 완전히 제거해 버리고 거대 기계의 작은 부품이 됩니다. 이로써 개인은 불확실성을 탐구할 어떤 방법도 남지 않게 됩니다.

대부분에 사회인들은 확실한 것들 위에 자신을 위한 무언가를 쌓아서 형상을 만들고자 합니다. 그래서 각종 거래가 있고 문서로 만들어 소유권을 만들어 그것을 소유합니다. 점점 기록되어서 문서로 만들어지면 변화하는 것들은 줄어듭니다. 이 변화가 불확실성의 방향으로 움직입니다. 어떤가요? 어떤 사회가 불확실성이 없다면 능동적으로 움직이지 못할 것이라 저는 생각합니다. 불확실하다는 것은 아직 찾지 못한 문제들이 있고, 해결하지 못한 문제도 있다는 것입니다. 인간은 확실성과 불확실성을 적당히 적당히 함의한 이후에 그 위에 인간미가 있어야 하고 이는 적당한 불확실성을 아름답게 자신에 삶에 포함한 상태를 말하는 것입니다. 다가오는 불확실성을 능동적으로 대하고 그것에 대한 흥미로운 고민을 확실한 인간성이라는 바탕 위에서 상상하는 즐거움이 삶입니다.

확실한 것은 탄탄히 하고 반면, 불확실성을 즐기며 사회 구성원들과 화합하는 개인 즉, 문제 해결을 즐기며 꿈꾸는 자가 되고 싶습니다. 반면, 문제를 풀지 못하는 것은 현실을 직면하지 못한 것이며 자신을 모르는 것입니다. 만약, 당신 자동차에 불확실성이 다수 포함되어 있다면 자동차를 운전해서 다닐 수 없겠지요. 인간은 인간이 만든 자동차에 대하여 끝이 없이 탐구하여 불확실을 거의 제거하였습니다. 이처럼 현실에서 불확실성을 능동적으로 제거하고 확실한 곳에서 불확실한 방향으로 호기심을 작동시켜보세요. 자신에 내면 세계의 불확실성을 외부세계의 불확실성에 투영해보세요. 이것 또한 세계의 탐구해야 할 방향성에 지표가 될 것입니다. 그러나 인간은 자동차처럼 불확실성이 사라지면 큰일 납니다. 불확실한 사회를 거부하기 때문에 그곳에서 발생하는 문제를 싫어합니다. 그래서 이문제를 풀어줄 대리인이 필요한 것뿐입니다.

인간은 불확실성을 즐기지 못하면 내부를 괴롭히며 살아갑니다. 멀쩡한 자동차를 두고 각종 의혹과 시빗거리를 만들어 불확실성을 진취적으로 탐구하는 사람들에게 그들은 각종 걸림돌이 되어 길을 가로막습니다. 자신은 작은 기계부품이 되어 불확실한 세계를 두려워하여 현실을 외면하고 자신의 세계에서 불확실성을 완전히 제거한 인간이 바로 자기 자신을 누구보다 모르는 예측 불가능한 인간이 됩니다. 작은 감정적 자극에 너무 쉽게 휘둘리는 인간이 되고 맙니다. 그래서 쉽게 선동에 대상이 되고 양 떼가 됩니다. 이런 대상들은 믿음을 먹고 사는 존재가 아니라 모든 대상을 소비하고 살아갑니다. 인간도, 사회도, 너도, 나도 삶은 문제를 만나고 그것을 해결해 나가는 과정의 연속입니다. 확실한 것과 불확실한 것, 사이의 경계에 있는 그것 중 내가 현실로 끌어내릴 수 있는 것에 집중하는 것이 참된 삶입니다.

정신이 불확실한 것을 탐구하지 못할 때, 그 에너지는 자신과 나 주변에 사람들을 지나치게 탐구하여 괴롭히게 됩니다. 이는 몰입(沒入)이 아니라 관여(關與)입니다. 여러 사람에 자유를 자신도 모르게 지나칠 정도로 관여하여 자신 내면의 불확실성의 분출구로 삼을 뿐이며 그런 자신을 모릅니다. 그래서 고요한 상태를 극도로 싫어하며 간혹 고요함에 이르렀을 때, 그들은 불안감에 휩싸이고 1차원적인 사람이 되고 맙니다.

미지의 세계로 학문의 길을 걷는 것은 정말로 축복입니다. 길을 걷는 자는 비어있고 소통할 준비가 되어있어야 합니다. 만약 어떤 상대와의 소통이 어렵다면 나의 볼륨을 줄여야 합니다. 그렇게 함으로써 상대방의 목소리가 들리고, 더 깊은 정적 상태에서 자신의 본질적인 목소리를 들을 수 있습니다. 우리는 학문적인 세계와 소통하며, 스스로가 집중하여 하나의 대상과 자유롭게 소통할 준비가 되어야 합니다. 이를 통해 학문의 길을 성공적으로 걷고 결실을 거둘 수 있습니다.

자신에 목소리는 '사이렌'과 같습니다.
나만을 위한 욕망에 외침일 뿐 절제, 인내가 바닥나면
언제든 출몰하는 큰 파도와 같습니다.

자신에 심연의 무의식에선 불 소통으로 나를 이끄는 자신이 있고 그와 반대로 우리는 배우기 위해 이곳에 있습니다. 그러나 자신에 볼 륨을 제어하기가 쉽지가 않으니 세상사 고민이 많은 것입니다. 오늘도 선생님의 목소리에 귀 기울이고 마찬가지로 주변 친구들의 목소리도 잘 들어보려 노력합니다. 내가 가진 생각을 말하고 친구들의 생각을 들어보며 적절한 방법을 모색하여 소통을 완성해내는 일일 것입니다. 원활한 소통이 이루어지면 학습은 촉진되어, 이로 인해 불가능성이 드 물어지는 세계에서 그 사람은 삶을 채워가게 되며, 이는 자유로움의 많은 측면을 포괄합니다. 또한, 실패와 실수를 받아들이고 그것들을 통해 배우며 성장하는 것이 불확실성을 대면하는 데 도움이 됩니다. 불확실성을 대하는 태도에서 다양한 관점은 사실 중요한 것이 아니라 불확실성이 크더라도 도전하는 용기가 중요합니다. 그 용기를 갖게 되 려면 어떤 내면의 힘이 필요한가요?

열정(熱情)은 절제가 없으면 폭주하거나, 절제가 지나치면 말라비틀어집니다.

열정은 나를 불살라서 그 에너지로 폭주하는 것이기에 지극히 개 인 중심입니다. 그래서 열정의 정도를 제어하지 못할 때는 마치 일본 원자력 발전소가 폭파하여 지하 수백 미터에서도 활활 타오르는 우라 늄과 같은 형상입니다. 물속 깊고 어두운 곳에서 기약 없이 자신의 몸 을 불태웁니다. 누구의 관심도 이득도 없는 세상에 대한 모든 저항에 이릅니다. 이처럼 제어되지 못한 무한 에너지는 다수에게 위험을 초래 하고 맙니다. 인간에게 있어 무한 에너지는 외면에 의한 편견이 세상의 무지를 뛰어넘을 때 충만해집니다. 또 다른 하나는 뒤를 돌아보지 못하는 청춘입니다. 그러나 청춘은 짧습니다. 만약, 청춘을 길게 늘이고 거기에다 열정적으로 살아간다면 단명하고 말 것이며 사실, 자의든 타의든 많은 사람이 그런 모습으로 자신을 궁지로 몰고 갑니다.

우리는 이런 사람들을 막아야 합니다. 지쳐서 멈추면 이미 늦은 경우가 많기 때문입니다. 그래서 인생에서는 스스로를 절제하는 것이 최고의 덕목입니다. 40살이 되어서야 비로소 절제의 중요성을 깨달았습니다. 열정은 오랫동안 타올랐었고 그래서 너무 멀리까지 나아가버렸습니다. 수년이 걸려 돌아와 마침내 절제를 은유하는 삶이 되었습니다. 지금은 빠르지도 느리지도 않은 적절한 속도로, 상황에 따라 가속과 감속을 조절하며 살아가고 있습니다. 세상을 향한 나의 의지의 강약과 세상이 나에게 허락한 정도의 차이를 흡수하고 받아들이는 일 그리고 이것을 에너지로 변환하여 공부하는 일, 내가 무엇을 하고 무엇을 꿈꾸며 할 일들을 오늘도 생각해 봅니다 그리고 만약 열정 속에 있다면 힘을 조금 빼거나 속도를 늦추면 때로는 속세의 이상과 개인의 꿈 사이에 갈등이 완화됩니다. 속세의 이상과 개인의 꿈은 서로 대립적인 것이 아니라, 서로를 이해하고 조화롭게 어우러져야 힘이 생깁니다.

4. 기본 소득 사회

과거 한국 사회가 역동적이었던 것은 나누어지지 않았던 임자 없던 부(富)가 상당했었기 때문입니다. 그러나 지금은 어떻게 보면 한 개인이 접근 가능한 그런 부가 남지 않았습니다. 기본 소득 사회가 만연하게 되고 계급의 이동이 철저히 사라진 사회가 될 것입니다. 인민(人民) 대부분은 지금보다는 살짝 높아진 기본 소득만으로 살아가게 됩니다. 분수보다, 능력보다 많은 것들을 갈구하게 되면 혼자 살게 됩니다. 혹은 게을러서 그렇게 될 수도 있겠습니다.

일본은 거품 경제 이후 쇠락하여 부의 분배가 뚜렷해지고 부와 빈

부 격차가 커지면서 정체된 사회가 된 것 같습니다. 한국도 권력과 부는 소수에게 편중되었고, 대부분 소작농인 상태이며 착취당하기 일보 직전까지 몰립니다. 이처럼 그 이데올로기의 시대 말쯤 되면 '부'가 인간을 착취하는 강력한 수단이 됩니다.

굶게 되면 생명체는 번식하지 않습니다.
즉, '소비하지 않습니다.' 그리고 미래를 끌어와, 빚이 많아 소비 여력이 사라집니다.

이 시점에서 20년 이상의 소득을 담보로 빚을 진다는 것은 기본 소득 착취(搾取)에 해당합니다. 그러나 이상하게도 자발적, 장기적, 미래지향적 금융 노예가 되려는 이들이 너무 많습니다. 더 많이 벌기를 원하지만, 노인들이 많아 세금은 급격히 증가하였고 더군다나 더 많을 돈을 주고 사람들을 고용할 기업이 국내에 없습니다. 아직도 산업화 신화의 꿈을 가지고 있다면 "일차원적인 인간"[19]이 됩니다. 과거에 시선이 머물러 있는 사람은 복고를 지향하는 심리적 특성이 있으며 그들은 미래의 변화에서 멀어진 사람들입니다.

'거대한 기계 톱니바퀴에 금이 간 것입니다.' 그래서 기본 소득을 잠정적으로 늘려 격차를 줄이고 내수를 살려야 합니다. 미래의 소득은 공평과 균등을 지향합니다. '공평'은 각자의 상황과 기여를 고려한 차등 분배를 강조하고, '균등'은 모든 사람이 동일한 소득을 갖도록 하는 것을 강조합니다. 미래의 소득 분배는 이 두 가지 원칙을 조화롭게 적용하여 사회적 정의와 평등을 실현하려는 방향을 지향합니다.

"인간이 되면 살기에 충분한 돈이나 짐승이면 턱없이 부족한 돈입니다."

그래서 특정한 직업군 이상이 되지 않으면 보수적으로 살 수밖에

---

19) 일차원적 인간 : '헤르베르트 마르쿠제'의 1964년 책으로 저자는 동시대 자본주의와 소비에트 연방의 공산주의 사회에 대한 광범위한 비판을 제공합니다. 그는 "선진산업사회"가 매스미디어, 광고, 산업 관리 및 현대적 사고방식을 통해 개인을 기존의 생산 및 소비 시스템에 통합하는 잘못된 요구를 만들어냈다고 주장합니다.

없습니다. 이 말의 다른 의미는 '영과 혼에서 즐겨라' 입니다. 이러한 구속은 명확하지만, 부모의 재산이 풍부하다면 다를 수 있습니다. 미래에는 검소함이 필수이며, 지극히 현실적인 사회로 변화할 것으로 예상합니다. 아쉽지만 우리도 곧 일본처럼 선진국으로 변할 것이며, 자본주의의 정점을 경험하게 될 것입니다. 기본 소득을 얻기 위해 공부하고 새로운 기회를 기다리는 것이 필요합니다. 소득의 한계를 즉시하고 인간 본연의 놀이로 관심과 집중을 자발적으로 옮기는 것입니다. 삶의 가치가 어디로 향할지를 결정하는 일은 지금 시점에서 대단히 중요합니다. 기본소득사회로의 전향에 최대 이점은 불필요한 것들이 사라진 효율이 극대화된 세상임을 말합니다. 땅따먹기가 끝이 나면 지키려고만 합니다. 그래서 변화는 저항의 상징됩니다.

국회의원 구성원을 보면, 남녀비율은 남자가 압도적이고, 세대비율은 50대, 60대 베이비붐 세대가 압도적이고, 직업비율은 검사, 판사, 변호사, 고위 공직자가 압도적이고, 이 모든 비율이 50대, 60대 남자 그것도 법이나 고위 공직자들이 대부분 차지합니다. 이것은 가부장적 권위와 학벌체제가 만들어낸 현상이라는 말에 전적으로 동의합니다. 특수한 집단, 고임금의 사람들이 정치를 잘할 것이라 기대했지만, 가난하고 못 배운 사람들을 대변하지 못합니다. 그래서 불평등이 심해지고 소외됩니다.

국회의원 구성원은 일단, 남녀비율이 48대 52가 되어야 합니다. 자연법에선 남자의 숫자가 살짝 적습니다. 그리고 세대별 구성원의 수는 그해 인구 비율로 나누어서 참여 인원을 따지면 됩니다. 예로 베이비붐 세대가 한해 120만 명이고 요즈음 세대는 40만 명이니 3:1로 정하면 됩니다. 직업은 노동자가 많습니다. 어찌 직업이 '사'자 돌림의 인구수는 극소수입니다. 300석이면 판사 1명, 변호사 1명, 의사 1명이면 충분하고 상대적으로 비율이 월등한 각 분야의 노동자들을 대표하는 참여자가 70% 이상 되는 것이 이상적입니다. 즉 200석 정도가 노동자들이 선출한 구성원이 되어야 합니다. 나를 대변하는 대표자가,

나이가 비슷하고 직업이 비슷하다면 소통하기 쉽습니다. 그러면 정치 참여가 높아질 것입니다. 마지막으로 여성들이 참여하지 못하는 정치는 여성들이 기르는 자녀들에게도 올바른 정치를 가르쳐주지 못할 가능성이 상당히 큽니다. 그래서 일단 반을 여성들이 점유하되 다양한 분야의 사람들로 구성해서 됩니다. 다시 말하지만 '사'자이면서 '부자'들인 그들은 우리를 대변하지 못합니다.

여러분도 잘 아는 뛰어난 외판원(外販員)의 이야기입니다. 적도의 무더운 아프리카 원주민들에게 비싼 '모피코트'를 팔고, 알래스카의 원주민에게 '에어컨'을 팔 수 있어야 한다고들 합니다. 외판의 최고봉이라며 감탄해 마지않습니다. 그런데, 물건을 판 사람이야 뛰어난 외판원이겠지만 그 물건을 산 사람은 뭔가요? 파는 사람은 물건을 사는 사람에 대한 최소한의 배려는 있어야 하지 않을까요? 필요 없는 물건을 왜 사게 할까요? 물론 상대에게 그 물건이 꼭 필요한 것인가를 양심적으로 고려해가면서 물건을 팔다 보면 장사를 못 할 것입니다.

우리는 꼭 필요한지 아닌지 모른 채 구매하곤 합니다.[20] 그러한 구매행위를 받아들이는 것일까요? 그것은 필요해서가 아니라 '소유욕' 때문이라고 합니다. '좋아 보이니까'는 바로 상대방의 '무관심한 관심'의 틈을 침투하는 핵심원리입니다. 그럼 왜 팔아야 하는가요? 2차 산업혁명이란 19세기 후반부터 20세기 초에 이루어진 과학기술의 혁명기로써 산업화가 급속하게 이루어진 시기를 말합니다. 당시에는 상상할 수 없을 정도로 다양하고 신기한 발명품들이 쏟아져 나왔고 상품화되었는데 그 끝이 보이지 않을 정도였기에 이것들은 어떻게 소비시켜야 할지가 가장 큰 고민이었습니다. 소비촉진을 위해 은행들은 서민들에게도 조건 없이 마구 대출을 해주었고, 대중(大衆)들은 빚더미에 올라앉았습니다. 정부가 은행가를 통제할 능력을 상실하게 되면서 미국을 시발점으로 경제 혼란이 각지로 퍼져나가 세계 대공황이 발생

---

20) 탈출하라: 영국에서 가장 도발적인 작가 '로버트 링엄'이 자본이라는 '족쇄'에서 탈출해 진정한 자유인이 되는 방법을 알려주는 책입니다. 사람들 대다수는 일을 지긋지긋해 하면서도 그만두지 못하고 인생을 허비합니다.

하게 되고, 곧이어 인류의 비극인 제2차 세계대전이 발발합니다.

세기말은 인간성 퇴보의 시기였지만, 동시에 새로운 시작에 희망을 거는 시기이기도 했습니다. 특히 20세기의 시작은 세계에 엄청난 변화를 몰고 왔습니다. 2000년의 충격은 1900년과 비교하면 새 발의 피에 불과합니다. 비록 우리가 두 번째 천년인 2000년, 세컨드 밀레니엄에 큰 변화와 충격을 벌벌 떨면서 경험해 보았다고는 하지만, 인류의 가장 큰 변화는 19세기에서 20세기로 전환기에 시작되었습니다. 새로운 세기를 희망차게 바라보았으면 좋았겠지만, 1880년을 즈음해서 권태, 냉소, 염세가 찾아왔기에 인간성 퇴보의 시기였다고 말할 것입니다. 이왕 퇴보하자니 좀 즐겨보자는 데카당의 시대가 도래한 것도 당연합니다. 이는 문화적 측면에도 영향을 주었고 미술 등 예술에 변화를 가져왔습니다. 감상주의가 들어설 틈새가 생겨났고 세기말 풍조는 상징주의(symbolism)와 모더니즘(modernism)의 발전에 추진력을 더했습니다.

한편, 성숙한 방어기제가 습관화된 사람은 선동을 잘하려 들지 않기 때문에 쉽게 선동당하지도 않습니다. 그리고 선전·선동에 이러한 개인의 성숙한 능력이 적용되었거나 통했더라면 인류의 역사는 지금과 달랐을 것입니다. 현대인들은 PR이라는 선전에 속아서 PR이라는 말을 건전한 듯 편하게 사용하고 있습니다. 겁먹고 피할까 봐 선전이라는 단어를 단순하게 PR로 바꾼 것에 불과한데 말입니다. 소유욕에 따른 구매를 유도하고, 조건 없이 일반인들에게 마구 대출을 해준 은행, 문화의 타락과 부패, 사람의 마음과 집단의 길을 혼돈으로 몰고 가는 말들 이런 말들은 대부분 병리적 정신병적 수준 혹은 잘해야 미성숙한 수준에 머무른다는 점입니다. 하향 평준화라고나 할까요? 그이유는, 방식이 저급할수록 선동이 쉽다는 뜻이기도 하고 멍청할수록 선동당하기 쉽기 때문입니다. 저급한 선동선전 방식이 잘 통하는 것을 보니, 백성이 멍청하다고밖에는 말할 수 없겠습니다. 아니면 백성들이 멍청하다는 것을 똑똑한 지도자들이 너무도 잘 알고 있는 걸까요? 양심을 버리고 물건을 파는 것이 정당한 행위일까요? 만약에 지금의 '아파트'면 고민해 보아야 합니다.

세상에서 긍정은 대중에게는 세뇌로 일변합니다. '긍정적이고 낙천적인 사람이 살아남는다.' 그러나 현실은 이것과는 반대입니다. 살아남은 사람은 비관적으로 세계를 바라보는 사람들입니다. 이들은 세상이 그러함에도 불구하고 긍정을 찾으려 부단히 노력하는 사람들이지만 대중은 근거 없는 자신감으로 똘똘 뭉친 사람들입니다. 이런 근거 없는 자신감은 삶에서 위기(危機)를 불러들입니다. 합리적 낙관주의와는 다른 국면에 있으면서 냉소적으로 현실을 인식하는 자(自)만이 주인된 의식이 있습니다. 우리 사회는 10번을 잘해도 1번을 못하면 망합니다. 이런 이유로 긍정적이고 낙천적인 생각은 쉽게 불행으로 전이됩니다. 다가올 우리 시대는 대규모 개인 부채 폭발과 대규모 파산, 그리고 구조 조정이 다가올 것으로 예상합니다. 우리 사회의 알람 장치는 노예들에게 긍정적으로 낙천적으로 삶을 생각하게끔 조작하고 세뇌합니다.

자본주의는 고물가, 고실업, 복합 불황 그리고 부도 속에서 지속한 역사입니다. 이 시대는 영혼을 돈에 팔 수 있는 인간을 양산합니다. 아이러니하게도 이런 사람들이 많으면 인류의 역사는 퇴보합니다. 이 또한 순행하는 과정이며 이것을 컨트롤하지 못하면 개인은 망가집니다. 그래서 가슴 아픈 것입니다.

5. 산업화

초등학교 시절 금호강에서 수영하고 고기 잡으며 놀곤 했습니다. 중학생이 되었을 때 강물이 더러워 손 담그기도 부담스러울 정도였습니다. 산업화가 가속화될수록 물은 더욱 오염되었습니다. 더운 여름 강 근처만 가도 구린내가 코를 찔렀습니다. 그러다가 군대를 다녀왔을 때쯤 강이 깨끗해졌습니다. 바쁘게 산업화를 추진하다 보니 부작용을 미처 생각하지 못했으나, 뒤늦게나마 환경을 고려하게 된 것입니다.

그리고 지금은 아주는 아니지만 그래도 깨끗합니다. 여유가 생겨나고 그런 환경에 불만족한 사람들이 다양한 방식으로 정화작용이 일어난 결과입니다. 그리고 그 오염원의 직접적인 대상들이 외국으로 많이 출국하였습니다. 산업화는 끝이 나고 오염원들이 잠시 머물다가 사라졌습니다. 그러나 영국에서 오염이 출발하여 세계를 순회 중입니다. 과연, 영국에서 강이 깨끗해지고 무슨 일이 일어났을까요? 영국 자국의 역사책 즉, 세계사를 추려보면 그 이후의 역사적 사실들을 짐작할 수 있습니다. 아주 큰 변화는 체제하에서 움직이기 때문에 비슷한 유형으로 나타납니다.

외국어를 배워 우리보다 먼저 성장통이 지나간 다른 나라의 역사를 알아야 유연하게 대처할 수 있습니다. 이런 면에서 시스템 전체를 수정 없이 일본에서 많은 것을 받아들인 한국은 일본과 유사할 수밖에 없는 구조입니다. 일본어를 배우고 일본을 알아간다는 것은 어쩌면, 한국의 미래를 짐작하는 일에 가까울 수 있습니다. 체제는 큰 변화를 거부하고 유연하게 흐르게 만듭니다.

한편, 우리는 양적인 시대를 끝마치고 질적인 시대에 진입하였습니다. 혹, 아직도 산업화시대의 정신을 가진 것 아닌가요? 과거의 시대정신(時代精神)은 오염 시설들이 해외로 나가면서 이곳에서는 필요 없습니다. 거대한 집단인 많은 노인이 자꾸만 미루어지는 죽음을 기다리며 주머니를 닫았으며 많은 기업이 해외로 이전하여 내수와는 무관합니다. 일본은 대부분 재산을 노인들이 보유하고 있으며 생에 주기상 그들은 지키는 거대한 성벽과 같아서 부의 이동은 거의 없습니다. 즉, 젊은이들이 발버둥 처봐야 벌이가 빤합니다. 그런 곳이 물질적으로 풍부함이 넘치지만 늘 풍요 속에 놓인 빈곤한 젊은 개인이 됩니다. 그래서 "어떤 이는 더 큰 모험이 필요하다"라고 말하는데 글쎄요. 그리고 더 큰 꿈은 각종 투기의 형태로 나타나고 인간을 병들게 합니다. 삶을 살다 보면 돈을 벌어야 할 때, 지켜야 할 때, 그냥 돈과는 의도적으로 멀어질 때가 필요합니다. 지금은 단순히 삶을 유지하는 데에도 감사해야 할 때입니다. 급격히 변화하고 있는 한국은 곧 계급이 양분화됩니다. 이는 성숙한 사람과 그렇지 못한 사람 사이의 구분으로 이어질 것입니다. 자본주의의 원리를 이해하고 그것 위에서 행동하며 삶을 살아가는 법을 다시 배워야 할 것입니다.

소통하고, 잠들었던 내면을 깨우고, 책 읽고, 사색하고 삶과 자본이 함께 조화를 이루는 그런 삶이 중요합니다. 곧, 인간답게 사는 일입니다. 그래서 고전(古典)이 어느 때보다 중요합니다. 인간의 존재 목적이 돈 벌기 위해서 존재하는 것이 아닙니다.

냉철히 바라보자.
부의 분배는 끝이 났습니다.
그러함에도 불구하고
모두가 노예를 부리려고만 합니다.
부동산으로 "월세를 또박또박 받겠다"라는 것은 노예를 부린다는 것입니다.

모두가 월세를 받기를 원합니다. 이런 상황에서 몇 년간 노예들이 월세를 받으려고 하니 노예의 수는 줄어듭니다. 그 부의 비대한 중심이 어디로 향할까요. 모두의 피해로 다가옵니다. 저렴한 가격에 질 좋은 집들은 모두가 원하는 것은 당연합니다. 소득은 하향 평준화되어가고, 미래를 볼 때 소비는 굳어지기 시작했으며 변화는 점점 사라집니다. 대부분 사람은 정해진 보수만을 받게 됩니다. 특별한 능력이 없다면 그냥 평준화되는 것입니다. 그러함에도 이토록 제한된 상황에서 행복을 찾는 것은 어렵지만, 그것을 찾아내는 것이 우리의 숙명으로 여겨지고 있습니다.

더 큰 모험으로 돈을 더 벌고자 한다면 투기판과 같은 곳뿐입니다. 그래서 변화의 시작과 끝에는 무리한 투기, 이후 자살자가 많은 이유입니다. 계급이 굳어진, 자본분배가 끝이 난 곳에 선 변화가 없습니다. 그 변화가 더욱 없는 곳이 한국이 됩니다. 많은 노인과 소수의 출산율, 먹고 살기 좋은 나라이나 욕망이 능력보다 높아 스스로 지옥으로 각인하여 번식하지 않습니다. 실은 한국만큼 살기 좋은 나라도 없으며 보편적 삶이라도 다른 나라에 비해서 질이 높습니다. 그런데 만족하지 못하는 것은 탐욕을 부추기기 때문입니다. 성숙한 의식이 필요할 때고 천박한 자본주의가 마침표를 찍고 성숙한 자본가에게로 부의 이동이 시작되고 있는 것뿐입니다.

천박한 자본가의 불로소득을 세금으로 징수하여 최저시급을 높여야 합니다. 앞으로 대부분 사람이 그 최저시급에 맞춰 생활하기 때문입니다. 이걸 노동자들만 모르고 있으며 언제까지냐면, 노인 인구와 출산인구의 비율이 조정될 때까지입니다. 젊은 사람들의 올바른 모험에 참여할 인구가 많아야 또 다른 성장을 기대할 수 있습니다. 우리 때는 모험과는 거리가 먼 시대였습니다. 한국은 세계에서 가장 급격한 성장을 거듭하면서 가장 빠른 인구 감소세를 보여주었고, 그다음은 무엇일까요? 가장 긴 성장 고통을 겪은 나라로 기억될 것입니다. 이는 산업화시대의 인간으로 태어나 산업화시대가 사라진 현대에도 여전히 산업화 시절에 사고방식으로 살아가는 시대착오적인 인간들이 많기 때문입니다.

시대정신에서 멀어진 사람들이 세상을 얼마나 인식할까요. 그들의 앞날은 어떠할까요. 많은 사람과 대화하면 586세대의 산업화 정신들이 세대를 벗어나 젊은이에게도 만연합니다. 586세대는 떠났으나 그 정신을 이어받은 30대 자녀들은 또 다른 베이비붐 세대로 등장하고 그 비율 또한 적지 않습니다. 이것이 왜곡된 시장을 만드는 것이고 긴 침체를 만들어내는 원인이 될 것으로 예측합니다. 그러나 나는 모험과 도전이 넘치는 또 다른 '대항의 시대'를 상상해봅니다. 지난 식민지 시대와 전쟁의 상처로 인한 부의 상속은 그 어느 때보다 한계가 있음을 깨닫게 되었습니다. 돈은 사라지고 소멸하지만, 인간으로서의 가치를 물려받는다면 세상의 고민은 해결될 것입니다.

낮은 가격에 높은 품질의 주택과 매년 증가하는 소득만이 국민 대다수에게 행복을 안겨줍니다. 빚은 미래의 인생을 담보 잡히는 일이며 이는 노예가 되는 길입니다. 빚! 상환하는 동안 꿈은 없습니다. 악(惡)하게 20년을 버티면 악함으로 가득 찬 당신만이 남아있을 뿐입니다. 이것을 두고 인생을 망쳤다고 합니다. 이런 상황에 대다수를 몰아넣는 것은 비난받아야 마땅하고 개인도 그 책임에서 벗어날 수 없습니다. 모두에게 지옥을 선사하는 일입니다. 지옥에 사는 사람들은 서로를 잡아먹으려 좀비처럼 무모하게 달려듭니다. 대다수가 좀비가 되어서 자신이 무슨 짓을 했는지 알지 못합니다. 그래서 혼란한 시대에는 절제가 최고의 덕목인 이유이고 보수(保守)라는 참뜻은 바로 이것입니다.

이 시대에 대중의 월급은 오그라들었습니다. 반면, 물건들은 다양하고 화려합니다. 주머니가 가벼워 소비 여력이 없습니다. 그래서 자본 순환이 멈춰 버렸고 민중은 활기가 없습니다. 때맞춰 민중도 늙어 버렸습니다. 그러나 우리는 자본을 알아야 합니다. 삶과 함께 성장하는 자본을 알아야 합니다. 지금 시대는 성숙한 자본 의식이 필요합니다. 기술을 공부하는 것이 아닙니다. 수많은 변화 중에 바뀌지 않은 삶의 방식과 태도를 배우며 행하는 것입니다. 고전에는 그것들이 있습니다. 지독한 이기주의에서 탈출하고, 끝없는 자기애로부터 탈출하고, 자본의 노예에서 탈출하고 서서히 깨어나게 됩니다.

이기주의, 자기애, 자본에 묶여 있으면, 욕구는 내면에서 커지고, 외부에서 적어지는 월급으로 결국은 투기(投機)를 하게 됩니다. 어딘가에 예속되는 것은 노예가 되는 것입니다. 다른 사람의 생각에 노예가 되었을 때, 그것이 바로 내 생각이 아닌 순간입니다. 노예 자신만이 자신의 상황을 노예로 인식하지 못합니다. 이때가 가장 자신만을 생각하는데 삶의 끝단이기 때문입니다. 과거, 나도 모르게 시간이 훌쩍 지나 버린 경험을 한 적이 있습니다. 길들이는 것은 이처럼 무서운 것입니다. 그래서, 사람은 깨어나야 합니다. 젊게 사는 것과 미성년인 상태와 어린아이의 마음을 찾은 것과는 다릅니다. 고전은 종합 선물 보따리입니다. 인간에게는 내면의 거울과 세상을 반영하는 또 하나의 거울이 있습니다. 이제 이 두 개의 거울을 찾아 자신의 삶을 동일하게 비춰야 할 때입니다. 고전을 삶에 투영하고 그 삶을 자본에 투영하여 실세계에서 작은 자본가의 불씨를 피워야 합니다. 언제까지 노동자의 의식과 정신과 태도로 잠을 잘 것인가요.

산업화가 끝난 지금에 탐욕만이 남아 부자가 되기를 바라는 망상에 빠져 있을 것인가요? 부자는 이미 선별되어 계급이 분리되었습니다. 즉, 우리와 부자는 크게 상관없습니다. 부자를 따돌리자! 그러나, 그 경계선을 자본으로 넘지 말고 의식으로 넘자. 의식을 전환합시다. 전환하기에 너무 몸이 무겁다면, 게으르다면, 그 의식은 세상을 향한 방어기제로 남을 뿐입니다. 시대를 따르지 못하는 의식은 사라집니다. 그러므로 고통만이 남아있습니다. 내면(감정)의 무덤에서 탈출하고 두 번째 거울을 닦자! 인간이 가진 두 번째 거울이 작동해야 외부상황을 살핍니다. 바로, 세상이 움직이는 법과 사람의 마음이 움직이는 법을 탐구합니다. 물론, 이것도 고전에 있습니다. '우리'라는 말에는 두 번째 거울을 염두에 두고 말한 것입니다. 우리는 어릴 적에 학교에서 두 번째 거울부터 만납니다. 사춘기가 되면 내면의 거울이 나타나고, 그것만 해바라기처럼 바라볼 뿐입니다. 그러는 사이에 외부 거울을 잃어버립니다. 회복하는 것은 감정에서 벗어나 상황을 살피고 가장 바른 것을 행함으로 내면에 선한 영향을 지속해서 주는 것입니다. 방향이 중요하며 평정심의 초석입니다. 공부를 생활처럼, 투자를 생활처럼, 의식 전환을 밥 먹는 것처럼, 물이 흘러가듯 자연스럽게 한다면, 무엇에 미련을 두겠습니까?

내면의 에너지를 제어하여 평정심에 이르게 하고 두 거울의 조화를 찾아갑니다. 최초 하나의 일치점을 발견하면 됩니다. 이처럼 우리는 서서히 성숙의 길을 밟아야 합니다. 자녀들에게 무엇을 남겨주고 가야 할까요. 고전을 읽는 것은 슬기로운 탐구 생활을 실천하는 일입니다. 다시 탐구 생활을 하자!

6. 경제적 자유의 허상

2008년 미국발 주택담보대출이 터지고 2010년쯤 대구에는 부동산 10년 투기해서 10억 벌기라는 이상한 사람들 많이 생겼습니다. 이때부터 주변인들 사이로 빠르게 투기 바람이 불었습니다. 모두가 분양권을 노리는 하이에나가 된 것입니다. 그 후 박근혜 정부가 들어서고 빚이란 개념을 능력으로 가치를 전도(顚倒)시키면서 사람들은 투기에 몰려들었습니다. 빚을 너무 쉽게 생각하고 큰 빚을 집니다. 이때쯤 사람들은 큰 빚에 갚을 생각을 포기하고 떠넘기기식 사고에 빠집니다. 나만! 아니면 돼! 마침, 그런 생각을 공공방송에서 대중들에게 심어 줍니다.

너도나도 투기해서 돈 번다고 하니 눈이 뒤집힌 거예요. 그와 함께 맞물려 돌아가는 대구 재개발의 열풍 속에 모두 뛰어들었습니다. 가게 옆 동네 아저씨, 아주머니, 학생들 모두 투기꾼이 된 것입니다. 닭 튀기시던 아주머니도 공인중개사 시험에 도전하고, 젊은 새댁들은 우르르 몰려다니며 투기를 했습니다. 때맞춰 비트코인이라는 것이 나타나 투기판에 기름을 부었습니다. 아마, 코로나가 아니었다면, 주택가격은 2018년 후반이 최고점이었습니다. 코로나로 시중에 금리가 낮아지고 유동성이 투기 쪽으로 풀려버렸습니다.

2017년쯤인가, 친구가 아파트에 당첨됐습니다. 아파트가 복권처럼 아주 완벽히 미쳐가는 세상입니다. 입주권을 그냥 팔아버리고 관망하자고 했더니 기어이 무리하게 빚을 내어 몇 해 전 10월에 아파트에 입주했습니다. 코로나 이전에는 벌이가 괜찮았는데 질병 사태로 20년을 해왔던 요식업을 정리했습니다. 그리고 실업급여로 몇 달간 버티다가 지금은 아무런 상관없는 일을 몸으로 때우기 시작했습니다. 전국을 돌아다니며 힘들게 일하고 있습니다. 가장이라 쉬지를 못합니다. 친구가 어느 정도의 빚을 갖고 있을 것으로 생각되는데, 그는 늦게 결혼하고 초등학생 자녀가 있습니다. 과거에는 제가 그에게 말하지 못했지만, 현재 진행 중인 공사는 예상 공급량의 3~5배 더 큰 것입니다. 앞으로 구도심에는 계속 재개발이 이루어질 수밖에 없습니다. 과거

1960~1970년대 작은 대구 도심이 한 번에 구획 단위로 집들이 들어섰습니다. 구도심 외에 모두 일정한 간격을 두고 한 번에 건설되었어요. 그것들이 40년을 넘기고 모두 슬럼화되어갑니다. 세월이 흘러 사람도 늙고, 집도 오래되었습니다. 그래서 젊은 사람은 그곳을 떠나요. 젊은이에게 버려져 외면받은 도시는 다시 복구하기 힘듭니다. 그래서 미루다 미루다 그런 곳들을 동시다발적으로 진행할 수밖에 없는 구조입니다. 부동산의 경기와는 전혀 상관이 없이 다시 건설될 수밖에 없습니다.

도심에 몇몇 낡은 흉가가 있으면 허물고 철거해서 평지를 만들든 공원으로 만들어야 하는데, 도심에서는 허물고 다시 건물을 지어야 합니다. 그래야 도심 기능이 살아나니까요. 구도심은 반드시 50년이 되기 전에 무조건 부수고 지어야 해요. 지금까지는 도심이 확장됐지만, 앞으로는 예전 구도심으로 천천히 축소가 일어나고 외곽지 아파트는 40년이 되면 폭파해서 평지화합니다. 살 사람이 없어요.

"오래되면 어쩔 수 없이 다시 건설합니다." 도심 기능은 소중하니까….

앞으로 어쩔 수 없는 공급이 넘쳐나고 건설사들이 고의로 부도를 낼 거예요. 13년 전에도 대구에서 똑같은 일들이 주변에서 많이 일어났습니다. 입주하는데, 수년 이상이 걸리고 엄청난 이자를 물고서도, 시행사가 여러 번 바뀐 아파트들 꽤 있었어요. 제가 장사를 할 때, 법원에 등기 서류 매일 접수하는 분이 계셨는데 그분이 바쁘면 부동산 거래가 활발하단 뜻이었어요. 며칠 전 동구청 근처에 벽에 10년 이상 보이지 않던 전단이 붙은 거로 봐서 지금부터 시작된 것 같아요. 금리 너무 오르니, 물가가 올라갑니다. 한편, 과거부터 지금까지 제 주변에 주택담보대출로 주택 구매한 사람들 빚 모두 상환한 사람은 단 한 명도 없었습니다. 그리고 박근혜 정권, 문재인 정권에서 친구 따라 모두가 빚쟁이가 됐습니다.

빚이 사람을 압박하면 성실한 사람은 쉬지 못해요. 과로사가 주로 발생하는 이유는 대부분 빚 때문입니다. 인간다운 생각을 하지 못하게 만드는 것도 빚 때문입니다. 친구를 잃는 것도 빚 때문이고 그 친구를 보살펴 줄 수 없는 것도 빚 때문입니다. 빚을 등에 업는 순간, 사람은 평정심에서 멀어지고 편파(偏頗)적으로 변합니다. 그래서 현실을 직시하지 못합니다. 오랜 시간 빚에 눌려서 서서히 노예화됩니다. 20년 주택담보대출은 생각하지 않은 노예를 만들기에 충분한 시간이에요. 빚은 편파적인 시각을 만들고 대화에 장애를 초래합니다. 그래서 그들은 더욱 불리한 선택에 몰리고 나쁜 선택을 강요받습니다. 그래서 빚 갚다 생이 끝납니다. 나중에는 좀비가 된 육신만 남습니다. 빚은 죄악이고 사람을 타락하게 만듭니다. 개인의 역사는 빚이 있으면 지워집니다.

그 역사를 기록하고 반성하지 못할 때 똑같은 실수를 반복하며 안타까워하겠지만 생은 짧아요. 노예, 노비의 역사는 죽음을 담보로 한 반란에서 확인할 수 있으며 그 주체는 대부분 죽임을 당했어요. 모두가 손절매할 때 꼭, 필요한 걸 담으세요. 모두가 아니라고 할 때! 시작할 때입니다. 인생은 외로운 법이고, 고독을 스스로 찾아가는 것이에요. 사람들이 투기질할 때! 공부할 때에요. 요즈음 공부하기 딱 좋은 날씨에요. 수능이 끝나서 도서관도 널찍합니다.

경제적 자유보다 중요한 것은 정신적 박약에서 벗어나는 것입니다. 정신은 세상 만물의 중재자입니다. 대부분 사람은 경제적 자유의 구체적인 목표치가 없습니다. 소위 '많으면 많을수록 좋다' 입니다. 이런 막연한 것들은 길게 남아 한 인간의 습성이 되어 돈에 길들고 그 흔적이 마음에 남습니다. 그러니 평생을 누군가에게 고개를 숙이고 살게 되는 형세는 불 보듯 뻔합니다. 이러는 동안 마음에 없는 말을 수도 없이 하다 보면 정신이 온전할 리 없습니다. 그래서 마취와 망각의 술을 '약주'라 부르기 시작했습니다. 이들은 모릅니다. 사실 알더라도 행동으로 옮기기에는 길들어버린 사고를 전환하지 못하기에 허수아비를 인식한 자신을 버려둔 또 다른 허수아비의 탈을 쓴 또 다른 '나'에 불과합니다. 중요한 사실은 모든 사람이 경제적 자유를 완성할 필요도 없고 이를 구분할 필요도 없습니다. 당신이 얼마나 사람에게서 인간으로보다 가치 있는 존재로 밝아져서 앞으로 걸어갈 수 있느냐가 중요합니다.

한 사람으로부터 발생하는 전체 에너지가 있지만, 이 에너지는 생산과 동시에 소비됩니다. 그러나 정확히 얼마나 많은 에너지가 어디에서 어떻게 소비되는지를 정확하게 파악하는 것은 어렵습니다. 여기서는 에너지의 비율과 분배에 대해 논의하고자 합니다. 본성에 필요한 최소한의 에너지는 한 인간이 생존 시 필요한 최소한의 것을 의미합니다. 불필요한 것을 제거하고 간결해지는 것이 최고의 미덕이라고 생각합니다. '마음'은 자신이 추구하는 본질에 가까운 것이며, 명분인 '자유'를 얻으려 노력한다면 여기에서부터 추구해야 할 것입니다. 본성, 마음 그리고 정신이 결합하여 제어될 때 '조화된 영혼'에 도달하게 됩니다. 영혼의 단계에서 한 인간의 존재는 설명할 수 없는 것들과 불확실성에 대한 고민으로 결정되며, 이 결정이 그 사람의 성향을 나타냅니다. 결정에 대한 불확실성이 차지하는 영향과 그 방향의 차이를 간파하는 것은 또 다른 공부의 과제가 됩니다. 반면, 타고난 본성 즉, 의식주의 풍요와 소비에서만 행복감을 찾는다면 정신과 영혼으로 의식이 이동할 수 없습니다. 돈을 이용하여 정신과 마음에서 구하고자 하는 것을 현 세계에서 구체화해 상품으로 만들어서 사게 될 뿐입니다. 본성에서 본 경제적 자유는 적절히 조율하여 이 단계를 가장 빨리 벗어나는 것이 가장 이상적입니다. 끝없는 탐욕은 본성인 정신이 머물러 있기에 사람을 성장하지 못하게 만듭니다. 돈이 전부인 인생은 나머지 두 단계의 행복을 알지 못합니다. 그래서 돈을 벌면서 발생한 고통을 돈을 소비하면서 완화합니다. 지독히 돈의 소비를 통해서 즐기려는 나쁜 심성이 자리 잡게 됩니다.

본성, 마음, 영혼의 3단계에 대한 정신의 힘의 의지 비율을 공부를 통해 강화함으로써 세상을 더 넓게 인식할 수 있습니다. 이에 따라,

조금씩 확장되는 것이 아니라 배의 제곱에 해당하는 영역으로 인식이 확대됩니다. 돈을 필요 이상으로 얻으려 노동하는 것은 오히려 참된 삶을 살아가는 것과 반대입니다. 일반적으로 우리가 언급하는 "다른 사람의 마음을 얻는다"라는 것은 영혼으로서 마음이 서로 연결되었을 때 가능한 것입니다. 이것에는 아무런 조건이 없기 때문입니다. 그리고 그 가치를 측정할 이유도 없기 때문입니다.

돈으로 그 사람의 마음을 일시적으로 붙잡을 수 있겠지만,
'베아트리체'가 될 수 없음을 우리는 모두 알고 있습니다.

불확실한 현실을 명확하게 전달하는 것은 깨달음을 얻은 후에도 여전히 어려운 일입니다. 기본욕구가 충족되는 한 소득은 행복과는 비례하지 않습니다. 욕구의 한계를 정하고 다음 행동에 대해 신중히 고려한다면, 과도한 욕구를 추구하는 데 소모된 시간을 아끼게 될 것이며, 또한 사적 이익을 추구하는 과정에서 타인에게 도움이 되지 못한 것을 후회하게 될 것입니다. 기본욕구의 충족을 위한 노동의 시간은 개인적으로 10년 정도가 적당하다고 생각합니다. 한 가지 일을 10년 동안 한다면 어느 정도 수준에 이를 수 있기 때문입니다. 그렇다면 인간은 욕구의 한계선을 낮게 설정할수록 노동의 시간은 짧아지게 됩니다. 지금 인간의 소득이 적은 것이 아니라 고정비가 많이 지출되기 때문에 노동을 멈출 수 없는 것입니다. 고정비는 당연하다고 생각하며 지출하는 기본비용이 됩니다. 그러나 이것을 깨쳐서 수정하면 많은 노동이 불필요합니다.

한 인간은 가능한 한 빨리 기본욕구 목표치를 달성하고 그다음 단계로 변이하여야 합니다. 어떤 이는 그다음의 차원을 모르기 때문에 다른 차원의 행복에 접근할 수 없습니다. 그래서 이유도 모른 체 영원히 배고픈 돼지로 지내게 됩니다. 그러나 배고픈 돼지가 배고픔 그 자체를 각성하면 '나'를 찾게 됩니다. 물질만으로 인간을 설명할 수 없음을 알았기 때문입니다. 물질이 2순위로 밀리면, 제1순위가 나타납니

다. 바로 '사람'입니다. 그리고 그 사람이 인격을 갖춘 인간이 되는 여정이 나타납니다. 죽는 순간까지 감히! 성인의 수준을 넘보며 살아갑니다. 그래서 성인들의 글을 읽으려 듭니다. 그 의미와 뜻을 알 수 없을지라도 말입니다. 그리고 생에 대부분 위와 같은 깨달음의 교차점은 비슷합니다.

'만약이란' 가정이 사라진 시대에서는 평생직업이 있었고 은퇴와 동시에 거의 죽었기 때문에 그런 시대는 '만약'이 필요가 없었습니다. 그러나 오늘날에는 평생직장은 드물고 평균 수명은 늘어났습니다. 모든 실험과 발견은 우리가 잊고 있었던 '만약'이라는 가정에서 출발합니다. 그러나 요즈음 세상에는 넘치는 정보가 버거워 만약이란 가정을 내세울 시간이 없다 합니다. 너무나 불필요한 정보에 노출돼, 정작 인생의 중요한 순간에 스스로 탐구하고 수정해야 할 중요한 것들에 도전하지 않습니다. 결국은 연구와 탐구를 위해 열심히 정보를 수집한 것인데 말입니다. 그리고 이런 사람들은 다른 이의 연구를 고약하게 방해합니다. 그것도 열정적으로 해를 끼칩니다. 해를 끼치는 사람은 당연한 결과만을 연결하여 질문의 답을 찾고자 한다면, 입맛에 맞는 완벽한 답은 없다는 것을 알아야 합니다. 그것은 당신의 정신이 연구의 단계에 진입하지 못했기 때문입니다. 이 세상의 많은 것들은 미발(未發)인 상태로 존재합니다. 그 불가시성 부분을 고려하지 못해서 찬물을 뒤집어쓰게 되는 것이죠. 손쉽게 얻을 수 있는 사실과 신화로 인식되지 않는 불가시성 사이의 가능성 관계에서 중요한 것은 비율이고 희미하게나마 이 비율의 범위를 발견하는 행위가 연구하는 것입니다. 창의적인 생각, 틀을 깨는 사고는 사실을 찾는 구체적인 자신만의 행위를 하는 것과 같고, 그 과정에서 다른 부수적인 것들이 따라옵니다. 만약이란 가정이 사라진 삶에서는 외부의 사실이 중요합니다. 그래서 밖으로 나가고 더욱더 많은 사실을 만나면서도, 그것에 압도되어 만약이란 가정과 더욱 멀어지게 됩니다.

7. 마담 보바리

'부자가 되는 것은 행운입니다.' 열심히, 성실히 일하는 것과 부(특히 사람의 삶에 영향을 미치는 행운)는 별개입니다. 그러므로 비자발적 노동을 하면서 언젠가는 당신이 돈을 많이 벌어서 하고 싶은 것들을 하면서 살리라 다짐하지만, 이런 사람에게는 그런 기회는 영원히 주어지지 않습니다. 비록, 지금에 '나'가 노동하더라도 당신이 원하는 노동을 선택하지 못하는 것은 자신이 무엇을 원하는지 모르기 때문이고 이는 외부의 기준에 따라 노동을 비자발적인 선택으로 거기에 자신을 맞추어가기 때문입니다. 보편적인 인간, 즉 대중은 자신을 철저히 모르기 때문입니다. 그래서 당신에게 가치가 없으며 외부의 순서, 즉 돈의 정도에 따라 정해지거나 혹은 권력의 강, 약의 순서에 노동이 따라갑니다. 그리고 비자발적 노동은 피로한 자신을 내버려 둡니다. 그래서 쉬는 날에는 소비를 통해서 심신을 보상받으려 합니다. 이 보상심리는 경쟁적으로 폭주하고 감정은 그 진폭을 격상시켜 큰 소비를 불러옵니다. 그래서 한편으론 벌고 이것의 피로를 또다시 소비를 통해서 심신을 충전합니다.

우리 사회 구조가 위와 같이 되어있습니다. 개인의 문제는 아니라 하더라도 조금만 떨어져서 생각해보면 왜 이런 현상이 발생하는지 알 수 있습니다. 이런 악순환의 고리를 끊으려면, 비자발적 노동은 인생에서 최소한만 하여야 합니다. 최소 비용으로 살면서 비자발적 노동을 자발적 노동으로만 바꾸어도 행복은 큽니다. 자발적 노동으로 전환하기 위해서는 공부가 필수입니다. 그리고 비자발적 노동은 정신과 육신을 노예화하는 구조가 되어있으며 20년 정도를 비자발적 노동에 머문다면 다른 생각을 받아들이기 불가능에 가깝습니다. 나이가 들어 조직에서 버려지면 쓸모가 없어집니다. 그리하여 결국 개인이 철저히 소모품이 되었습니다.

비자발적인 노동에서 벗어나야 합니다. 비자발적 노동은 종종 평생 직장으로 이어집니다. 자아를 탐구하고 자기 자신을 알기 위해서는 지속해서 내면의 질문을 발견해야 합니다. 이후에야 당신 가치를 스스로 평가하고 질서를 부여할 수 있습니다. 이는 외부의 가치와 충분히 대조되거나 충돌할 수 있는 것입니다. 나 자신을 이루고 가치를 확립하면 만족과 불만 사이의 기준이 정해집니다. 이 기준을 넘어서면 목표를 달성한 것이 되고, 그 이후에는 쉬어야 하며 다른 목표를 찾아야 합니다. 왜냐하면, 아직 우리는 해결해야 할 많은 것들을 발견하지 못했기 때문입니다.

절제는 멈춤입니다.
절제가 발동하려면 만족할 때입니다.
만족이 가득 차려면 기준이 있어야 합니다.
기준은 내가 실현 가능한 것이어야 합니다.
그 기준들은 내가 만들었습니다.
내가 나와 소통이 원활할 때
기준은 낮아지고 작은 성취들이 쉽게 쌓입니다.
그래서 웃음이 떠나지 않습니다.

작은 성취가 많아서 웃음의 빈도가 잦을수록 행운이 찾아올 가능성이 커집니다. '단번에 무언가 크게 되리'라고 꿈꾸는 것은 환상(幻想)입니다.

미국의 급격한 금리 인상으로 이자가 눈덩이처럼 불어남.
한국 부동산 빚 갚기 포기.
부동산 대 규모 경매 출현.
상승만 외치던 '부동산 공부' Cafe가 폭락으로 성향이 변동됨.

코로나 팬데믹 동안 유동성 자금이 과도하게 유입되면서 한국 부동산 시장은 사상 최대의 거품을 형성하게 되었습니다. 그러나 최근 금리 인상의 영향으로 인해 이 거품이 서서히 꺼지고 있는 상황입니다. 요즘에는 금리가 급상승하고 계약 포기 사례가 증가하며 중도금 납부의 불안이 높아지면 건설사들이 고의로 부도를 내고 파산하며 명의를 변경하고 은폐하는 일이 늘어나고 있습니다. 이러한 상황에서 건설이 완료되지 못한 아파트 입주 예정자들은 오랜 기간 이자 비용을 부담하게 되며 건설사 변경으로 인해 추가 계약과 비용이 발생합니다. 이러한 문제에 대한 조속한 해결이 필요하다고 생각됩니다. 과거 이와 비슷한 사이클의 시기에 지어지던 아파트는 건설사가 3번 이상 바뀌었고 최초 분양자들은 거의 없었던 것으로 알고 있습니다. 지금 세계 경제, 우리가 이렇게 발전한 이후에 이런 금리 인상은 없었답니다. IMF보다 충격파는 더욱 클 것인데 언론은 그 위험성을 알려주지 않습니다. 0.25 금리도 이렇게 짧은 시간에 올리면 충격파는 더욱 심해지고 빚이 보편화한 시기에는 빚으로 살아가는 사람은 죽음과 같습니다.

과거 일본 거품 경제를 공부하면서, 세상을 상대로 아무것도 하지 말아야 할 때가 거품 말기라고 생각했었고 이때에는 아무것도 하지 말고 공부할 때라 2015년쯤에 생각했었습니다. 왜냐면 거품 말기에는 투자가 최소가 되어야 하고 저축이 최고가 되어야 하기 때문입니다.

사람은 자신에 생애 사이클, 직업 사이클 그리고 경제 사이클의 개념을 알아야 합니다. 사실, 투자 공부는 인생 공부이고 사람의 마음 공부인데, 기술적 공부에서 삶 공부로 전향하려면 패배자들의 입장을 살펴서 그 악습을 하지 않은 것이 기본이며 이것이 인문학이며 특히 범위를 좁혀서 고전이라 부르며 즉, 이 둘을 포함하면서도 가장 쉽게 알 수 있는 것이 '고전 문학'을 읽는 것입니다. 그런데, 사람들이 투자를 삶으로 살고자 하나 고전 문학까지 거의 오지 못합니다. 고전 문학이 곧, 투자된 삶, 삶에서의 진정한 투자인데, 다들 도박만 하다가 가만히 방구석에서 책 읽는 저보다 처지가 난처해진 사람들이 여럿 보여서 마음이 편치 않습니다. 빚으로 무게가 한쪽으로 기울면 그 어떤 사람도 세계도 바르게 볼 수 없답니다. 이 사람들은 중용과 중도에 이를 수 없습니다. 그래서 빚 있는 사람과는 경제 토론을 즐기지 않습니다. 그들은 계속 실패하고, 옆에 사람들을 잡아먹으며(지인, 친구,

친척, 가족) 결국에는 몰락의 길로 안내합니다. 과거에 읽었던 '마담 보바리'21)가 생각납니다. 그리고 지금 한국 사회 특이점은 살만한 사람들의 파산시대가 다가왔습니다.

우리 삶 속에는 일정 분량의 불확실성 경계가 항상 존재합니다. 그래서 만일이라는 가정도 있는 것이고 내가 분명히 인지한 것의 가능성과 불가능성의 틈새를 집요하게 파고드는 일이 공부입니다. 그러면 내가 배울 수 있는 가장 최상의 것에 도달할 수 있다는 생각의 확신이 들었습니다. 이런 방식으로 책을 찾아 읽어나갑니다. 그리고 인간이 불가능성을 대하는 태도는 성인들의 말씀을 듣는 것이고 그들의 말씀을 내면화하는 것입니다. 가능성은 열심히, 경계는 공부하고 배우고, 불가능성은 성인들의 말씀을 듣고 따르는 길입니다. 무엇보다 가장 중요한 것은 나를 사랑해주는 모든 사람과 소통하는 일입니다.

8. 세상의 속삭임

외부세계에 노출된 우리는 감각으로 모든 정보를 받아들입니다. 이 땅에 두 발로 서서 무엇을, 어떻게, 왜 바라보고 있을까요? 오감에서 끊임없이 정보가 생성되고 이 정보는 연속된 형태로 우리 뇌에 들어오게 됩니다. 이 흐름은 태어나서 죽는 순간까지 지속합니다. 수많은 정보의 흐름과 처리는 두뇌의 정보과인지를 불러옵니다. 그래서 인간의 뇌는 의도적으로 또는 비의도적으로 감각으로 들어오는 정보들을 무뎌지게 만들거나 무시하게 됩니다.

무의식은 감각과 인지의 완충 역할을 하게 됩니다.

결국에는 우리의 의지에 따라 감지하고 싶은 것만 확인하도록 자신도 모르게 주관적으로 됩니다. 역설적으로 이 의지는 감각을 당신이 다시 규정합니다. 그러나 자신은 이것을 인식하지 못하는 경우가 많습

---

21) 마담 보바리: 프랑스의 작가 '귀스타브 플로베르'가 1857년에 발표한 소설. 프랑스 낭만주의 소설의 계보를 사실주의적인 비극으로 탈바꿈한 작품으로 평가되는 고전이다.

니다. 감각은 자신이 의도적으로 무시하는 것보다 훨씬 더 많이 시간이 지나면 무뎌집니다. 그리고, 그 무뎌짐을 인간은 알지 못합니다. 수많은 시간에 걸쳐서 서서히 진행되기 때문입니다. 그래서 무뎌진 것을 다시 새롭게 하지 못합니다. 똑같은 일을 수년간 수행한 손은 일의 형태에 따라 굳은살이 생깁니다. 이는 손을 보호하기 위함도 있겠지만 일의 처리를 신속히 하려고 일부러 우리 신체가 변화한 것으로 생각합니다. 이런 상태에 오래 머물면 굳은살 아래의 감각은 다시는 살아나지 않습니다. 나이가 든다는 것은 철저히 감각으로부터의 무뎌짐입니다. 이는 굳은살로 인하여, 새로운 정보가 기존의 정보를 능가하지 못한다는 것입니다.

'매력을 잃는다'라는 것이 아니라 감각의 잃음이었습니다.

감각이 무뎌졌다는 이유만으로! 많은 것들을 잃어버릴 수 있습니다. 당신의 삶에서 신선함이 없는 이유가 이것입니다. 또한, 가장 신선했던 기억의 끝없는 집착도 이곳에 머물러 있을 뿐입니다. 그 감각을 회복하고 세상을 정밀히 살필 줄 알아야 '처신(處身)'이 생겨납니다. 감각이 차단되거나 죽은 사람은 세상을 바르게 알아갈 가능성이 상당히 낮은 사람입니다. 세상을 바르게 느껴서 감지하는 데 어려움이 있는 사람이 타인의 감정을 잘 감지할 수 없습니다. 또한, 세상에서 잘 살아갈 일 만무합니다. 이런 이는 지독한 외로움 속에서 살아갈 것입니다. 마음의 상태를 순간적으로 끌어들이는 마법과 같은 것은 감각으로 전해집니다. 유혹에는 감각의 결정(結晶)들이 묻어있습니다. 감각을 회복하는 가장 쉬운 방법은 휴식을 취하는 것입니다. 이를 위해서는 평정심을 찾는 것이 핵심 과제이며, 반드시 해야 할 일이 없어야 합니다.

세상은 유혹(誘惑)의 공간입니다. 우리는 각각 치우친 감각에 따라 세상을 느끼고 있을 뿐입니다. 느낀 것은 사실 중 하나이지만 관계가 끊어진 인과로 인해서 쉽게 왜곡될 수 있습니다. 이것이 사고로 연결되고 치우친 느낌은 다른 감정을 만들어냅니다. 인간의 마음이 평정심을 찾아 중심을 잘 잡는 것은 이런 감각에 치우치지 않음과 동시에 객관적인 감각의 인식에 대한 불굴의 의지 표명입니다. 이것을 조금 확대하여 해석하여 '태도'라 할 뿐입니다.

몸이 장애 없이 모두 건강하다면 감사해합시다. 언제든 다시 시작할 수 있다는 강력한 증명입니다. 이 감사함을 마음에 연결합시다. 우리가 아기였을 때 두 발로 서기 위해 하였던 수많은 노력을 기억하자! 그리고, 나를 바라보시던 어머니의 한없이 따스한 그때 그 눈빛도….

건강한 몸에 모든 감각이 살아 있으면 당신의 심장은 준비가 된 것입니다. 만약 몸에 일부가 감각 정보를 발생시키기에 장애가 있다면 당신의 심장은 빠르거나 느리게 뛸 것입니다. 이런 상태에서는 평정심에 절대로 이를 수 없습니다. 감정은 감각으로 들어온 처리와 관련된 이후의 순환입니다.

인식과 인정 사이에 감정과 욕심이 개입하면 대상이 변화되어 실제와 다르게 마음에 비칩니다. 사심이 없다면 마음에 대상들이 선명히 비치며 객관화가 되겠지만 '인식과 인정' 사이에서 흐르는 감정과 욕심을 최대한 자제하여 건너야 할 강이 있습니다. 우리는 강이 고요할 때 건너면 됩니다. 강이 하늘인지, 하늘이 강인지 구별하기 어려울 정도로 순수한 마음의 바탕을 완성해야 하고 또한 이는 순수한 이전에 강의 원천이 진실하여야만 합니다. 내 마음이 세상을 인식하는 것은 강물의 흐름에 비친 나 자신과 같습니다. 강물의 흐름은 보를 설치하여 어찌 확보할 수 있으나 물이 맑고 탁한 것은 인간의 깨달음에서 나오는 진실이 바탕이 되지 않으면 탁한 강을 건너게 되고 감정에 바르지 못한 것들을 전달하여 그 결과 함께 틀린 것들이 다음의 인식에 영향을 주어 영감에서 멀어지게 됩니다. 즉, 일반적인 세상의 긍정적인 속삭임과 멀어집니다. 반면, 기다릴 줄 아는 사람은 강이 고요하고 선명해질 때 보가 없이도 강을 건널 수 있습니다.

전율은 감각에서 나오고 이는 쾌락을 극대화해 행복감을 선사하고 다시 인정에 순환 고리에 합류합니다. 몸에 오감이 반응하여 인정에 확신을 깊이를 더하여 알아차리는 과정을 향상합니다. 어떻게 보면 이런 과정을 세분화한 감각의 제 인식이라 볼 수 있습니다. 이로 인해서 우리의 감정은 행복감에 충만해져서 기질이 유순해지고 영감에 능히 접근할 수 있다고 개인적으로 생각하며 이것들 모두가 순차적 관련성이 있다고 판단합니다. 반면, 기다리지 못하는 이는 항상 쫓기듯 강을 건넙니다. 강물이 말라버린 이는 비춰볼 대상이 없으니 타인의 강물에 비춰봅니다. 자신을 강이 아닌 다른 곳에서 잃어버린 자입니다.

강물을 풍부히 확보하고 일정한 유속을 형성하는 일은 의식을 넓히는 일이 됩니다. 자신의 의식의 폭이 강의 폭이고 의식의 변천이 그 흐름입니다. 그래서 적당한 흐름이 없다면 고여서 썩습니다. 그러면 탁해집니다. 이 말은 탁하지 않으려면 지속해서 공부하고 사람들과 만나 대화해야 합니다.

'강물은 흐르고 날이 맑다.' 그러나 나는 때를 기다립니다.
왜냐면 그 강물에도 내가 빠져서 익사할 수 있기 때문입니다.

내 인식이 정확하다는 최선의 가정이 완성되었을 때 빠르고 정확히 건넙니다. 인정은 날카롭고 정확한 속성을 가지기에 항상 비판적인 성향을 지닙니다. '내가 행위자냐! 아니면 관찰자냐!'에 차이가 있지만 대부분 아직 내 삶은 관찰자에 가깝습니다. 인정은 강을 건너서 감각으로 전이되고 감정에 여운을 남기고 다시 처음의 곳으로 돌아가기를 반복합니다. 자신 내면에서 개념들이 일치했을 때 발생하는 직관의 속삭임, 기감(氣感)이 발달하여 들려오는 자연의 속삭임, 잘못된 길을 선택할 때의 기감으로부터 울려 퍼지는 도리의 속삭임이 있으며 도리의 속삭임과 본심의 목소리와는 또 다른 차이가 있었습니다. 오늘도 강물과 그 하늘 그리고 물고기들의 한적한 움직임을 보고 때를 기다리며 걷습니다.

오늘은 하늘에서 비가 내립니다.

9. 앎의 길과 해방의 길

단테[22]는 어두운 숲속에서 길을 잃었습니다. 이곳은 모든 인간이 꼭 도달하는 곳입니다. 이는 탐욕, 오만, 음욕으로 인해 아무도 쉽게 벗어나지 못하는 현실을 반영합니다. 베아트리체와의 사랑이나 베르길리우스와 같은 스승의 도움으로 여정을 시작하지만, 이 여행은 행운에만 의존하는 것이 아니라 단테 자신의 의지로도 극복하기 어려운 여정입니다. 이 여정은 단테의 의지와 행운뿐만 아니라 극복하기 어려운 시련과 고난으로 가득 차 있습니다. 단테의 여정은 그 자신의 허물과 죄악에 대한 깊은 회개와 영적인 성찰을 통해 구원을 찾는 과정을 묘사합니다. 그의 이야기는 사회, 정치, 종교적 관점을 통해 영원한 진리와 영적인 존재에 관한 탐구를 담고 있습니다.

'Sacrifice'가 있다면 아! 그러나 타인을 위한 고귀한 희생(犧牲)은 지옥(地獄)의 영역에 들어선 자에게는 불가합니다. 단테가 있던 곳은 지옥이었습니다. 그렇게 사랑하는 사람이 있었고, 훌륭한 스승이 나타났음에도 말입니다. '지옥입니다.' 그래도 단테는 자신이 지옥에 있다는 사실을 알지 못했습니다. 고통이라 착각했을 것입니다. 순간이라 믿었을 것입니다. '지옥입니다.' 단테처럼 대부분 사람은 이런 희미한 경계에 걸쳐있습니다. 곧, 그곳이 단테가 걸었던 숲속입니다. '지옥입니다.' 긴 삶을 살아, 실패 없는 행운을 누려, 배부르고 등 따시게 누려, 인간의 모습이 사라집니다.

그대들의 씨앗을 생각하라!
그대들은 짐승처럼 살기 위해서가 아니라 덕과 자기를 따르기 위해 태어났습니다.

---

22) 신곡: 우리 인생길의 한 중앙, 올바른 길을 잃고서 어두운 숲을 헤매고 있었습니다. 그러나 내 마음을 무서움으로 적셨던, 골짜기가 끝나는 어느 언덕 기슭에 이르렀을 때 나는 위를 바라보았고, 이미 별의 빛줄기에 휘감긴 산꼭대기가 보였습니다. 사람들이 자기 길을 올바로 걷도록 이끄는 별이었습니다. (지옥편 첫 구절)

'구원을 간절히 원한다면 당신은 분명 지옥에 있습니다.'

지혜가 생겨서 그 무엇을 알게 되어서 해방된 것인가요? 해방되어서 내가 알 수 있는 것인가요? 앎은 무엇이고 해방은 어디로 이어지는 것인가!

사람은 고난을 겪은 후에야
스스로 앞으로 나아가서 배웁니다.
그러면서 뼈저리게 흐느낍니다.
무엇이 부족한지
무엇에 자만했는지
무엇 때문에 자기 분수를 잊었는지
왜? 그렇게 되었는지
자신을 놓아봅니다.
인간이 되어갑니다.
사람은 배우지 않으면
방종에 물들고
결국엔 자신과 멀어지고
나중에는 나를 잊어버린 사람이 됩니다.
사람은 인간으로
다시 사람으로
수 없이 똑같은 실수들
반복합니다.
그리고 죽음을 맞이합니다.
우리는 삶에서 무언가
달라지는 것을 느껴야 합니다.
비록 그것이 고난이라서 고통일지라도 말입니다.

고통과 고난은 성숙한 인간에게는 배움으로 전환됩니다. 설사 그 고난에 내가 꺾여서 아픔이 가득 차더라도, 아픈 반성의 기록을 가슴 깊이 새기고 그와 같은 실수를 두 번 다시 하지 않는다는 '믿음'을 가지면 사람은 달라집니다. 그러합니다. 배움을 멈추면 인간은 사람으로 변하는 존재입니다.

바라고 원하고 열망하고
그래서 애원하고 붙잡고 늘어지고
떼쓰고 감아쥐고 억압하고 구속하고
내 것이라 생각하고
사랑하고
염원하고 소원해지고
멀어지고 무관심해지고
무덤덤해지고
그래서 마음에서 사라지고
다시 또 바라고….
짧게는 몇 분
길게는 수십 년 혹은
어떤 것은 이순환을 이루지
못 하는 것도 있습니다.
그러나 우리는 모두 갈피 없이
아무것이나 쉽게 바라는 것 같습니다.
그리고 중요한 것은
사람의 마음은 항상
사랑에만 머물 수 없습니다.
대상에 따라 달라지는 수많은
마음의 변화들이 있으니 말입니다.

어느 하나의 존재나 대상을 오랫동안 사랑하는 것은 쉽지 않은 것이 당연합니다. 그러므로 사람들은 어떤 대상에 대해 변함없는 사랑을 보여주는 법을 연구해볼 가치가 있다고 생각합니다.

제4부 깨어나서 움직이는 사람들

학교를 졸업하고 직장에서 돈을 벌어가는 삶에서 선생님들이 사라졌습니다. 그래서 배움과 깨침이 사라진 삶은 힘들고 어렵게 되었습니다. 배우고자 마음먹은 사람은 자신을 낮추고 스승을 찾게 됩니다. 또한, 스승은 그런 사람을 제자로 받아들입니다. 스스로가 잘났다고 여기며 독단적인 지식으로 가득 찬 사람에게는 스승이 없습니다. 과도한 열정은 자신만이 올바른 길을 가고 있다는 착각을 불러일으킵니다. 학교 졸업이 '해방'이라면 크게 잘못된 것입니다. 혼자서 공부하는 것은 효과적인 피드백이 어려워 자신의 정도(程度)를 파악할 수 없습니다. 그래서 스승과 다수의 배우는 사람들의 공동체가 필요합니다. 예의와 존중 속에서 가르침과 배움의 진실이 드러나 모두가 자명하게 되는 과정입니다. 스승과 제자 사이에는 예절이 있을 정도로 격차가 있어야 하고 이것이 초석이 되어 스승을 존중하고 믿고 따를 때 깨칠 수 있다고 판단됩니다.

1. 사람은 바닥에서 비워지는 존재

다만, 자신의 잘못을 알아차리고 반성(反省)을 넘어 참회(懺悔)에 이르렀을 때 가능합니다. 그리고 자신의 잘못을 성심(誠心)을 다해 뉘우치는 것보다 더 위대한 것은 없습니다. 자신이 습관적으로 잘못하는 것을 발견하고 고치는 일은 몹시 어려운 일이니까요. 사람(人)은 인간(人間)이 되기 전, 자신이 창조한 그 의식의 세계에 숙명적(宿命的)으로 빠져들게 됩니다. 이로써 자신은 그 세계를 창조한 것이라 믿으며 일상을 살아가지만, 사실은 외부에서 당신에게 주입된 그 어떤 힘의 영향으로 형성된 것입니다. 이러한 상태에서는 자신이 그 세계의 주인도 아니며, 더욱이 당신의 의식은 마치 깊은 동굴 속에서 잠들어 있는 모습과도 같습니다.

플라톤의 동굴 비유 속에서, 어떤 사람은 목줄을 끊고 동굴 밖으로 모험을 떠납니다. 그리고 그 사람의 내면에서 어떤 변화가 일어나면서 동굴 안에 얼마나 많은 이들이 묶여 있는지를 깨닫게 됩니다. 이후 그 사람은 동굴로 돌아와 그 안에 구속된 이들에게 세계의 진정한 진리를 전해주는 모습을 보게 됩니다. 이런 순간은 마치 영혼 해방(解放)과 지식 환희(歡喜)가 어우러진 시간으로 그 과정에서 진정한 깨달음과 이해의 빛을 퍼뜨리게 됩니다. 이러한 분들이 바로 '스승(師)'으로서 우리를 이끌어주는 존재입니다. 이 깊은 동굴에서 잠이 들었다가 깨어나 밖으로 발걸음을 스스로 옮기는 사람들이 있습니다. 반면에 더 깊은 동굴로 향하는 사람들도 볼 수 있는데, 이들은 아직 자신이

내 영혼(靈魂)을 돌보는 일

선택한 신념이 참회의 한계를 넘지 못했기 때문입니다. 더욱 깊은 동굴로 들어가면 자신의 목소리가 몇 배나 크게 증폭되고 자신에게 반영되어 더 굳은 확신으로 다가오게 되며 더욱 운명(運命)에 구속됩니다. 동굴을 떠나 햇볕 아래로 나오면, 내 안의 모든 세포가 활기를 찾게 되어 깨어납니다. 오랫동안 동굴 속에 머물렀던 사람일수록 태양 아래 자연 원소들에 몸이 강렬하게 반응하며, 지구의 땅, 물, 불, 바람(地水火風)의 조화로운 흐름을 느낄 수 있습니다. 마치 신비로운 세계의 문이 열리는 순간처럼, 내면의 각성과 변화를 뚜렷하게 체험(體驗)하게 됩니다. 이때부터 진지한 공부와 수련이 시작됩니다. 체험은 하나의 확실한 신념이 되고 앞서 나가는데 이 신념이 깨어남입니다.

"정말 우연한 일이라고만 말할 수 없습니다."

마음을 억누르고 있던 모든 것에서 자신도 모르게 해방(解放)되었습니다. 그리고 세상의 모든 것이 밝아지기 시작했습니다. 그리고 얼마 지나지 않아서 삶에 쫓아온 고통의 긴 터널을 빠져나와 태양 아래 서게 되었습니다. 그리고 진실로 태양이 존재한다는 것을 깨달았습니다. 마침내 태양은 자신에게 질문합니다. 죽음이 가까워질수록 진실로 다가가려고 합니다. 어느 순간, 그는 태양이 떠오르는 황야를 걷고 있는 자신을 발견합니다. 자신의 깊은 내면을 탐색하며 길을 걷고 있습니다. 이곳에서는 끝없이 낮아지고 죽음만이 존재합니다. 어두운 터널을 빠져나온 것은 몰락(沒落)의 끝이었습니다. 그로 인해 다른 세계로 이어지게 되었고, 그 다른 세계는 바로 태양 아래였습니다. 끊임없는 황야에서 살아남는 법은 중요하지 않습니다. 그렇게 과거의 삶을 깨어 부수고 다른 삶을 살게 되었습니다.

또 다른 차원의 체험은 나란 존재에 모든 힘이 제거되었을 때입니다. 이 말은 힘을 많이 가진 사람은 체험하기 어렵다는 뜻입니다. 가령, 새로운 운동을 배울 때 몸에 힘을 빼고 코치의 말을 잘 들어야 합니다. 몸에 힘 빼기가 가장 어렵고, 코치의 말을 내 주장보다 위에

- 117 -

두기가 또한 만만치 않습니다. 이 말은 코치의 말을 더럽게 듣지 않는다는 것입니다. 그리고 객관적으로 당신의 모습을 온전히 평가할 수 있는 사람은 지금의 코치뿐입니다. 변화의 방향 설정은 당신이 아니라는 말입니다. 몸에 힘 빼고, 정신에 힘 빼고, 코치의 말을 들어서 그 정신이 스스로 흥에 닿아 배우다 보면 근력과 정신력을 끝까지 밀어 붙이는 능력이 계발됩니다. 그리고 이 둘을 초월하는 시점이 분명히 다가옵니다. 이 시점부터 과학이나 말로 표현할 수 없는 경지에 이르게 되는 것이고 정신력의 끝은 당신의 '영(Spirit)'까지 힘이 이르게 되어 잠들었던 영이 깨어납니다. 그러면 신(神)이 있다는 것을 알게 될 것입니다. 결국, 영이 깨어나야 신을 의식할 수 있습니다.

'신명 난다는 말이 있습니다.'
우리 일상에서도 누구에게나 가끔 이런 일들이 일어납니다.

영, 혼, 육이 하나의 화살에 우연히 끼워지는 경우가 일상생활에서 가끔 발생한다는 말입니다. 그러나 이때 당신은 정신이 강하거나 혹은 육신이 강해서 잘 인식하지 못하는 경우가 많습니다. 그런데 음악과 미술을 하는 사람들은 그들에 영의 기운들을 많이 사용합니다. (정신이 아니라!) 그런데 이상한 것은 음악, 미술 하는 사람들도 구별하여 생각하는 것을 모르는 경우가 많습니다. 또한, 운동하는 사람들도 마찬가지로 이것을 잘 모릅니다. 왜냐하면, 말로 글로 설명할 수 있는 것들이 아닌 영역이라서 그들은 결과와 과정으로 보여주는 사람들이며 저는 유별나게 말과 글로 그것들을 표현해 보자고 노력하는 사람일 뿐입니다. 사실, 이것은 경험에 차원이지 그 어떤 표현의 증거는 될 수 없음을 저는 알고 있습니다. 과거 저의 배움에 시초는 여기에서부터 불타올랐습니다.
인간은 누구나 열심히 공부하고 반성하고 끊임없이 정성을 기울여 한계까지 밀면 체험(體驗)은 누구에게나 일어납니다. 그 이후 공부하고 반성하기를 더욱 열심히 하는 것입니다. 체험이 일어나기 전에는 믿음이 아니라 자신을 설득하는 마음공부가 필요합니다. 여기에서 체험은 정신을 극도로 몰아서 영을 살피는 일입니다. 즉, 마음 비움(空)입니다.

"마음 비움은 위대한 포기와 같습니다."

인간이 할 수 있는 모든 것을 다 해보고 더는 스스로 극복할 수 없는 한계에 다다를 때, 나도 모르게 깨달음에 근접하면 마음과 몸이 가벼워지며 자연과 하나가 됩니다. 그때 비로소 내면 깊숙이 숨겨져 있던 진정한 자신을 만날 수 있습니다. 그리고 비판적 사고는 내면에 당신을 만날 때까지 최대로 발달시켜야 하고 신의 존재를 체험으로 확인한 이후에도 내면의 목소리가 여전히 조용할지라도 수행을 지속해야 합니다. 다만 순리에 맞지 않을 때 양심에 소리가 다른 사람보다 크고 선명하게 들리며 실시간으로 판단지가 자명할 뿐입니다. 이런 소소한 깨달음이 계속 쌓이게 되는 것입니다. 그러면 비판적 사고는 스스로 선(善)을 선택할 의지를 발휘하느냐의 문제는 평상시 공부하고 반성하는 일을 수행하기 위해서는 반드시 비판적 사고는 여전히 필요할 것이라는 결론에 이르게 됩니다.

양심이 작동하기 이전 깨어있지 못할 때는 비판적 사고가 선별 자가 되고 대부분 출발지가 됩니다. 깨달은 사람이 천명을 따르려고 해도 고요하게 늘 깨어있기가 쉽지 않다는 말이지요. 깨달음이 오고 공부와 반성이 꾸준하다면 이것들이 어떤 순간이 되면 글로만 알았던 것들이 깨달음으로 바뀌어 내면에 쌓여서 평정에 이르게 됩니다. 반대로 나쁜 짓을 많이 하여서 양심의 소리에 무관심을 넘어서 외면에 이르면 내면의 나와 양심에 소통이 끊어져도 비슷합니다. 이토록 영이 깨어나지 못하면 선악 구별이 쉽지 않습니다. 항상 선택의 중심은 땅을 밟고 있는 유한한 생명을 지닌 존재를 자신이 가장 아끼기 때문입니다.

하늘에 천명(天命)을 영으로 받아들이고 깨어있으면 아무런 문제가 없으나 늘 깨어있지 못한 인간의 한계도 분명히 있습니다. 그래서 보조적으로 양심이 있는 것으로 판단하며 반대편에는 비판적 사고가 균형을 찾도록 해준다고 결론 내립니다. 운동을 통해서 좋은 울림통을 유지하고 명상합니다. 내면의 나와 지속해서 소통의 길을 열어놓고 기회가 되면 그 자리에 들어갑니다. 인식에 그물망을 촘촘히 만들어 개념들의 관계를 연구하고 연결되지 못한 개념들을 찾아냅니다. 지속해서 의식을 확장하고 나와 비슷한 사람들과 연대합니다. 좋은 인간 그물망을 만들어 혹시 내가 실수를 저지르더라도 다른 사람의 충고와 질타를 사랑으로 받아들이고 감사하게 생각합니다. 그래서 육신에 내가 죽어, 영적인 내가 산다고 하고 즉, '내가 죽어 내가 산다.'입니다.

2. 스승 아래 깨어나지 못한 자

예수님 제자들은 갈릴리 호수의 어부들입니다. 그들은 예수님을 만나서 3년이나 동행하며 예수님의 말과 행동을 보고 가르침을 받아 많은 것을 깨달았다고 자신했습니다. 그러나 제자들은 예수님께서 십자가에 매달려 돌아가기는 어려움에 직면하자 다시 어부(漁夫)의 길로 돌아갔습니다.

세상일이란 이처럼 마음먹은 것과 현실의 거리는 상당합니다. 몸에 익어서 편안한 그러나 한편으론 착취당하는 그런 삶을 살기에는 깨달음이 당신을 용서하지 않습니다. 편안한 것은 게으름이며 퇴보입니다. 이와 반대 국면은 무언가 배우는 것이고 지독한 편견과 억척같은 고집에 맞서는 것입니다. 세상을 모를 때에 내디딘 발걸음이 이렇게 후회스럽고 안타까워서 다시 스스로 선택의 기회를 주며 삶을 다시 살고자 합니다. 몸에 익어 가장 잘 안다고 생각하는 것들과 멀어지는 연습은 지금도 진행 중이며 마음을 모두 비워낼 때, 당신은 새로워집니다. 그리고 조용히 다시 일어섭니다. 삶은 그런 당신과 수도 없이 멀어지는 연습을 하며 빈 마음을 유지하는 것입니다. 그때 품었던 마음을 생각하면 못해낼 것이 없습니다.

한편 공부에 있어 이해하지 못한 것들을 암기(暗記)합니다. 암기하다 보면 이해가 찾아올 것이라 착각합니다. 암기가 주가 되면 머리가 무거워지고, 마음이 탁하게 변이되어 유연함이 사라져 순간순간 논리적인 대응과는 멀어집니다. 반면 이해의 노력이 쌓이면 저절로 암기 그 이상의 체화가 일어납니다. 필요한 사고를 하는 것만으로도 기억에서 찾아서 쉽게 복원할 수 있습니다. 또한, 암기를 최소화하는 것이 좋은 정신, 몸 상태를 유지하는 방법이며 이런 상태에서 학습이 이루어져야만 효과적인 학습이 가능합니다.

암기에 빠져 그 끝을 집요하게 잡고 늘어지면 잃어버린 암기의 기억으로 우울한 감정(불안과 압박)들이 밀려와 마음이 금방 어두워집니다. 암기가 어느덧 정신을 휘감으면 모든 학습효과는 사라집니다. 즉, 암기에서 이해로 전환되는 것은 노력보다 극소수 작은 부분이 됩니다. 이해하기 어려운 것에 대한 인간의 마음은 이를 암기하는 데 안주하려는 심리적인 경향이 더 강하기 때문입니다. 암기 쪽으로 마음 전환이 일어난다면 주의하여야 합니다. (이때 읽고 싶은 책을 읽어 머리에 사고를 풀어주면 좋습니다) 그리고 공부는 암기를 기반으로 하는 과목들이 있기에 늘 부족한 능력이며 금세 소진되는 약한 고리 부분입니다. 이해를 위한 공부는 배운 것을 누군가와 반드시 소통해야 합니다. 자주 꺼내서 이야기하다 보면 자연히 흡수가 일어나고 몰랐던 부분이나 이해하지 못한 부분이 저절로 드러나거나 채워집니다. 소통하지 않는 공부는 쉽게 암기에 매몰되고 정신이 혼탁해져 마음이 쉽게 우울하게 됩니다. 이 상태를 오랫동안 공부한다는 이유로 머물게 되면 그는 공부를 탓하고 배움을 등한시하게 됩니다. 그래서 공부의 진정한 의미가 왜곡됩니다.

'길게 볼 것인가! 단시일을 볼 것인가!'의 선택은
그 사람의 마음의 태도가 전부이며 이는 그 사람의 운명까지 이끕니다.

암기는 어두운 기억을 때우는 임시방편에 지나지 않습니다. 한정하는 순간, 자신은 그 한정된 공간에서 벗어나지 못합니다. 이곳에 매몰되어 공부에 대하여 좋지 못한 기억들을 사람들은 다양하게 갖고 있으며 주변 사람들을 편협하게 설득합니다. 모르면 암기할 것이 아니라! 염치를 불고하고 사람을 찾아 물어보아야 합니다. 이 길이 가장 빠른 길입니다. 그래서 '주변인'이 중요합니다. '물어볼 사람'이 없음이 얼마나 안타까운 일인가요? 그 사람의 마음이 흐려지면 소통은 사라집니다. 마음이 깨끗한 것이 이토록 중요합니다. 아무것도 없는 빈 마음은 더욱더 중요합니다. 왜냐면 어떤 대상을 향한 적은 노력으로도 마음에 쉽게 담을 수 있기 때문입니다.

스승의 법문[23]을 듣다가 문득 깨달을 수 있지만, 세상을 바꾸고자 한다면 마땅히 자기 마음을 깨달아야 합니다. 탐내고, 성내고, 어리석은 세 가지 마음의 독입니다. 끊임없이 욕심과 탐욕을 일으키고 뜻대로 안 된다고 화를 내며 어리석은 마음으로 물질적인 성공을 향해 달려가고 있습니다. 이 삼독심의 결과는 활활 타오르는 불길과 같습니다. 만나는 사람이 매번 바뀌는 통에 결코 지속적이지도 결코 진심으로 이루어질 수 없는 인간적 교류이며 모든 것은 불확실한 것이었고, 바로 이러한 불확실성이 그 다른 사람들을 그토록 안절부절못하게 압박하고 그들의 행동을 변명해 주고 있었습니다.

세상을 바라보는 방식은 개인의 성향, 경험, 가치관 등에 따라 다양할 수 있습니다. 그러나 다음과 같은 관점을 고려하여 세상을 바라보는 것이 도움이 될 수 있습니다. 세상을 개방적인 마음가짐으로 접근하는 것은 새로운 경험과 아이디어를 수용하고 이해하는 데 도움이 됩니다. 편견에 빠지지 않고, 열린 마음으로 다양성과 차이점을 인정하며, 새로운 사실과 의견에 대해 고려하는 태도를 보이는 것은 삶의 어려움에 대해 장기적으로 긍정적인 시각을 유지하는 데 도움이 됩니다.

---

23) 운명을 바꾸는 법: '요범사훈'은 운명을 뛰어넘는 길을 제시하고 있습니다. 자신의 경험을 토대로 아들을 훈계하기 위해 '인생을 올바르게 사는 네 가지 가르침'에 대해 저술하였습니다.

모든 것은 바라봄에서 시작됩니다. 개인의 고통도 사회의 아픔과 괴로움도 그 해결을 위한 첫 단계는 보는 것에서 시작합니다. 여기가 모든 이해의 출발점입니다. 나아가 바라봄이 늘 타인을 향한 것이라면 타인의 단점, 잘못된 점만 쉽게 보게 되어 결국에는 상대를 탓하는 마음이 생깁니다. 그래서 타인을 바라보는 만큼 더 절실히 주의를 기울여 자기 자신을 바라보아야 합니다. 세상의 질서에 관련된 연구를 하려면 인간은 자기 자신을 보는 것에서부터 출발해야 합니다. 진실하고 치열하게 내면을 바라보는 눈앞에 등불을 켜서 들어야 합니다. 들추고 싶지 않은 아픔이나 불편한 양심, 혹은 잘못한 것에 대한 회한과 고통은 자기애와 만나면 이기적인 마음으로 변하기 쉽습니다. 신(神)에게 도움을 청하기 전에 또는 신의 도움이 지상에 미치지 못해도 인간 스스로 많은 문제를 해결할 수 있다는 것을 우리는 알고 있습니다. 인간은 불가능성이 그를 압도해 버리면 신을 찾고 구원을 바라는 나약한 존재입니다.

인간이 신을 향해 기도하지 않는 세상이 될 때, 그때야말로 인간 세상은 평화로워지지 않을까 생각합니다. 내 삶에서 풀리지 않는 문제에 대한 해답을 찾거나 풀 길이 없는 문제를 수용하는 힘을 얻기도 합니다. 인간을 성선설이나 성악설에 기준으로 하지 않고 그저 인간 자체의 모습을 있는 그대로 인정했습니다.

3. 나도 모르게 깨달음이 찾아오다

세상에서 깨달음(Enlightenment)은 기본적으로 인간이 가지고 있는 무지와 무지한 상태에서 벗어나 깨닫는 것을 의미합니다. 불교에서 깨달음은 사람들이 삶의 본질과 진리를 이해하고, 자아의 해방과 자신의 고통에서 벗어날 수 있는 상태를 말합니다. 불교의 창시자인 부처님은 깨달음을 통해 세상의 모든 존재가 가지는 고통을 극복하고 해탈을 이루는 길을 보여주었습니다.

수행(Practice)은 깨달음을 이루기 위해 노력하는 일련의 학습과 실천 활동을 의미합니다. 불교의 수행은 명상, 인내, 자비, 깨달음을 위한 지식 습득 등 다양한 방법을 포함합니다. 수행은 개인의 영적 성장과 현실적 삶의 문제를 극복하는 데 도움이 될 수 있습니다. 깨달음과 수행은 서로 밀접한 관계를 맺고 있습니다. 깨달음은 수행을 통해 이루어질 수 있으며, 수행은 깨달음에 이르는 길을 개척하는 데에 큰 역할을 합니다. 수행은 마음을 정화하고, 선행을 실천하며, 명상을 통해 인간이 자아와 세상에 대한 깨달음을 얻을 수 있도록 돕는 것입니다. 깨달음을 얻기 위해서는 현실의 고통과 욕구에 대해 인식하고 이를 극복하는 데 노력하며, 지혜를 쌓아가는 것이 필요합니다. 명상의 시간 배분과 실행이 꼭 필요합니다.

우직하게 살다 보면 깨달음 같지 않은 깨달음이 체험됩니다. 당신은 이전에도 몇 번의 경험은 있었으나 아주 약해서 알아차리지 못했지만, 한 사람의 생애주기가 극에 다다르면, 강하게 오감을 하나로 제어하면서 당신에게 당신의 나를 알려 주게 되어있습니다. 인간의 무의식 속에는 자신인 나를 확인하게 하는 프로그램된 깨달음의 발단들이 내재 되어있습니다. 그리하여 저는 '나 안에 내가 있다'라는 말의 뜻을 진심으로 알게 되었습니다. 도서관에서는 이런 주제로 수많은 책이 있습니다. 20여 년 동안 배움 앞에 서지 못하고 오랜 시간 책 한 권 읽지 않았으며 오로지 이익과 쾌락을 좇아서 살았습니다. 그러다 내 안에 내가 생애주기의 마지막 순간에 나에게 내가 가는 길이 무엇인지 나에게 알려준 것입니다. 그 후 저는 방황을 끝낼 수 있었고 마음을 쉬게 할 수 있었으며 고요함에 이를 수 있었습니다. 그동안 작은 목소리와 자연의 소리는 들을 수 없을 정도로 나에게 사로잡혔던 제가 문득 깨달음과 수행, 인생의 전환점과 성장 그리고 베풂의 여정에서 무엇을 어떤 이에게 베풀 것인가가 삶의 화두가 되었습니다.

본래면목 '나' 있음의 감각, 이 근원적인 바탕 위에서 생각, 느낌, 감정, 의지, 의식, 심지어 이 몸도 오고 갈 뿐입니다. 그러나 근원적인 '이것'은 전혀 오지도 가지도 않고 소소영영(昭昭靈靈)하게 모든 것을 비출 뿐입니다. '이것'이 바로 진정한 그대의 본래면목입니다. 깨달음은 체험이 어떠했느냐가 중요한 것이 아니라, 그 체험을 통해 본래면목을 확인했느냐가 핵심입니다. 치열하게 삶을 살다 보면 자신을 극한까지 밀어붙여서 자신을 완전히 포기하게 되면서 깨달음까지도 다 내려놓는 '위대한 포기'의 순간이 옵니다. 그때 문득 깨달음의 깊은 체험이 찾아옵니다. 그리고 신비를 경험하게 됩니다. 신비를 체험한 사람은 '신'을 믿지 않으며 체험의 영역으로 전환됩니다.

세상에는 스승이 많다고 하였으나 어디를 둘러봐도 스승은 보이지 않았습니다. 하지만 무언가를 배우고자 마음이 열린 제자는 스승을 찾을 수 있습니다. 오만(傲慢)방자하여 스스로 스승을 두지 못했기 때문에 스승이 나타나지 않았던 것입니다. 스승은 필요한 사람에게 꼭 나타납니다.

내면의 목소리를 죽이고,
이기심을 줄이고,
독단적인 생각을 멈추고,
남을 비판하는 생각을 멈추고,
때론 감정의 폭발을 흘려보내고,
때론 이성의 고동도 흘려보내고,

과거의 선택을 가만히 살펴보면, 항상 내 이기심이 작동하여 무언가를 결정했다는 것을 알 수 있습니다. 그 선택들이 항상 잘될 가능성이 있는 것은 아닙니다. 세상의 이치는 공덕(功德)으로 이루어진다는 사실을 생각하면, 이기심으로 반평생을 살아왔다면 그러함에도 만약 잘살고 있다면 운명이 좋다고 말할 수밖에 없을 것입니다. 다른 사람의 목소리를 듣기 위해 자신 내면의 독단적인 나에게서 울려 퍼지는 목소리를 첫 번째로 줄여야 합니다. 의심과 판단이 흐려서 세상에서 누구도 믿지 못하는 '스미골(반지의 제왕)'의 모습과 같은 상황에 부닥치게 됩니다. "스승이 없으면 사부를 찾아라"라는 문구는 중국의 명나라 문인 장사성(張謝生)의 글에서 유래된 말로 알려져 있습니다.

이 말은 스승이 없을 때 자신의 교육과 자기 계발을 위해 책과 학문을 탐구하고 스승으로서 도움을 주는 존경할만한 사람을 찾으라는 뜻을 담고 있습니다. 스승이란 지혜로운 가르침을 나누어주는 선배나 지도자를 의미합니다. 무엇보다 스승을 찾고 스승을 모시는 것이 가장 좋습니다. 그래야 믿음이 생깁니다. 믿음은 스승과 나 사이에서 발견하는 것입니다.

4. 나 자신을 버려라

한 책에서 원숭이가 호리병에 들어있는 바나나를 움켜쥐고 놓지 못해서 사냥꾼에게 잡힌다는 이야기를 읽었습니다. 이와 같은 어리석은 모습은 우리의 삶에서도 발견할 수 있습니다. 때때로 우리는 급한 욕심에 사로잡혀 중요한 것을 간과하고, 분별력을 잃게 됩니다. 이와 같은 어리석음의 시작은 집착에서 비롯됩니다. 우리가 무엇에 집착하고 그것에 몰두하게 되면, 중요한 가치나 목표를 잊게 되고 허무한 욕망에 사로잡히게 됩니다. 이러한 상태에서는 옳고 그른 것을 가리지 못하고 올바른 판단에 이르기 어렵게 됩니다. 그렇게 되면 결국 자신의 욕심에 사로잡혀 더 이상의 성장과 발전이 없는 삶을 살게 됩니다. 우리는 자신의 진정한 가치를 발견하고, 중요한 가치를 지키는 데 집중해야 합니다. 급한 욕심을 내려놓고 현재의 순간을 귀중하게 여기며, 지혜로운 선택을 하고 성장하는 삶을 추구해야 합니다.

"나 자신을 버려라. 그래야 나(我)가 드러납니다."라는 문구는 특정 문맥에서 자기의 제한적인 면을 떠나고, 자유로운 본성과 진정한 모습을 드러내라는 의미를 지닐 수 있습니다.

이 말은 때로 자아에 대한 구속이나 외부의 기대나 편견에 의해 숨겨진 자신의 진심(眞心)과 소중한 면들을 표출하라는 메시지를 담고 있습니다. 여러 가지 사회적 기대나 자아상(狀)의 갈등으로 인해 우리는 자기를 억압하고 속이기도 합니다. 그러나 이러한 억압된 자아를 버림으로써, 진실하고 솔직한 자아를 드러내게 되면, 더욱 자유롭고 온전한 모습으로 살아갈 수 있습니다. 이러한 문구를 해석할 때 중요한 것은 자신을 버리는 것이 자기를 부정하거나 무시하는 것이 아니라, 자유로운 모습으로 살아가라는 동기부여가 될 수 있어야 합니다. 자신의 감정을 솔직하게 표현하고, 자기의 가치와 능력을 인정합니다. 그러나 이 문구를 오해하여 자기를 부정하거나 비난하는 의미로 사용하면 오히려 자기 존중을 상실하고 자아 발전에 제한이 생길 수 있습니다. 따라서 자신을 버린다는 말을 사용할 때는 반드시 긍정적인 의미가 있는지, 자아 존중과 발전을 도모하는지를 고려하여 사용해야 합니다.

여름이면 나무는 잎들이 생기가 돌아 녹음이 가지들을 가립니다. 겨울이 되면 가지들만 남게 되어 본 모습이 드러납니다. 그리고 봄이 되면 그 나무들은 새순들이 올라와 가지들이 자라고 나무의 모습이 정해지고 굳어지기 시작합니다. 이때 나무의 모습을 인간이 가지치기라는 행위를 통해서 모양을 조정해줍니다. 인간의 관점에서 균형미를 잃게 할 가지들이 잘려나갑니다. 만약 우리도 타인의 도움이 필요한 시기가 나무와 같지 않을까요. 그러나 인간의 가지는 경험이고 보이지 않습니다. 목표를 향해 위로 오르지만, 자신을 살피지 못하고 오로지 높이만을 따집니다. 그래서 바람이 불면 가지는 쉽게 휘어지고 태풍이 불면 가지들은 꺾여서 부서집니다. 사람에게 있어 나뭇가지는 경험과도 같습니다. 연속적인 스펙트럼인 경험을 가지치기하듯이 다듬어, 바람에도 견디며 명료하게 만들어 봅니다. 그리고 시간의 고리들을 남은 가지에 알맞게 배치하고 연결하면 관계가 밝혀집니다. 가지의 순서들과 경험의 굵기들 그리고 방향들 이 모든 것을 한 번에 보았을 때의 균형미가 드러납니다. 가지의 모습은 그 사람의 성향입니다. 이것을 구체화해 정신에서 그려내어야 깊은 숙고가 가능합니다. 그러면 자신의 부족함이 드러나기에 이를 고치려 할 것이며 이로 인해 태도가 달라집니다.

성찰은 시간의 프레임 속에서 사고로 전환되지 못한 것들을 끌어와 마음에 비춰보는 일인데 불필요한 가지가 너무 많거나 가지들이 앙상하지 않은 계절을 선택한 것입니다. 사람에게 겨울은 절망할 때입니다. 가지들의 초라한 모습이 드러날 때입니다. 이때를 기회로 삼아 가지치기를 한다면 그 나무는 오랫동안 곧게 자랄 수 있습니다. 경험은 기억을 넘어 무의식에 뿌리를 두고 있습니다. 나뭇가지처럼 잘라낼 수 없습니다. 그래서 시간의 고리들을 가지에 연결하여 파편화된 부정적인 경험을 풀어내고 이것을 이해의 조명을 통해 긍정적인 결과를 끌어내 자신에게 만족을 주어야 무의식 속 불만족은 점점 변화하게 되고 완화됩니다. 충분한 이해를 자신에게 주어야 불만족이 만족으로 다가와서 감사함이 생깁니다. 그러면 순환 사이클이 완성되고 일차원의 삶이 끝납니다.

깊은 밤, 공부에 열중하다가 나도 모르게 새벽을 맞이했답니다. 가만히 몸을 치켜세우고 자세를 바르게 고정하고 큰 호흡 한 번에 정신을 끌어 올리고 피아노 반주가 잔잔한 노래 한 곡을 감상합니다. 음악은 내 안의 나와 바로 직렬로 연결된 통로인 것 같습니다. 내부가 나가서 좋든, 싫든 혹은 외부의 나가 행하는 대로 동의하고 따라주며 음악에서 마음의 안정을 찾아가기 때문입니다. 이처럼 어떤 순간에도 내 마음속 깊은 외침을 하나로 모으고 힘의 균형을 잃지 않는 훈련을 게을리하지 않습니다. 내 안의 지속적인 동요를 잠재울 수 없다면 인간은 선한 꿈을 꿀 수 없답니다. 악몽을 꾸기 때문이지요. 인간은 꽃밭을 거닐지 못하면 늘 악몽을 꾸게 되는 존재입니다. 세상 수많은 우연 중 희박한 악몽들은 누구도 모르게 내 옆에 살포시 소리 없이 나라는 존재 때문에 현실에 내려오게 됩니다. 그 순간, 위대한 잠재성이 자신을 위협하는 거대한 역경으로 전환되어 다가옵니다.

꿈은 접근할 수 없는 거대한 태산이 되어 누군가의 앞을 가로막아 철저히 그늘지게 만들어 버렸습니다. 이런 꿈들을 극복하고 이겨 내어 자신의 잠재력을 발현하는 일이 생에 대한 극복일 것입니다. 고요한 밤 잠속의 꿈이 아니라 미래를 끌어당기기 위한 꿈을 꾸고 있습니다.

그래서 피곤하지도 괴롭지도 않으며 음악을 들으며 잔잔히 생각들을 끌어들여 정리하고 있노라면 마음에는 고요함을 넘어 '천(天)'이란 곳에 다다라 있답니다. 그러면서 이런 글들을 남기고 싶어지기 시작했습니다. 차츰 습관들이 쌓여 나도 모르게 무언가를 작성하면서 생각들을 차곡차곡 포개어 일치점을 찾곤 합니다. 재미있는 일은 아니지만 나도 모르게 흥미가 발동하여 이 또한 여흥이 되고 맙니다.

머릿속에는 생각의 순서도와 같은 작은 개울이 잔잔히 흐르기 시작했으며 그 물은 더욱더 맑아집니다. 메말라 비틀어진 과거의 생각들이 그 물에 닿아 다시 싹트기 시작했으며, 또한 개울가 근처에서는 이름 모를 작은 푸른 생명으로 덮이기 시작했습니다. 생각의 줄기는 이처럼 나 자신에게 그 자체의 존재를 느껴지게 만들면서 나 자신 본원에 노크하고 다가옵니다. 이것은 일종에 큰 기쁨입니다. 반갑게 그것들을 받아들여 더 큰 물줄기를 틔울 수 있을 것 같은 마음이 들었기 때문입니다. 세상에서 행했던 것들이 순환되어 무언가를 받았다는 느낌은 이토록 강렬한 하고자 하는 의지에 원초적인 에너지가 됩니다. 이런 것에 한번 기쁨을 맛보면 빠져나오기 힘들 것이라고 말해봅니다.

공부하고 있다 보면 머리에 온갖 생각들이 스칩니다. 그러다가 무언가 정리되어 다가옵니다. 순간 중요한 단어들의 조합들을 남겨서 백지장에 빠르게 작성하곤 합니다. 마음속 있는 그대로의 말을 드러내봅니다. 그럼, 이해와 감정이 균형을 이루면 마음이 움직이고 그 능동적인 형태를 감지하여 공부로 접목하는 것이 삶의 배움입니다. 그러면 즐겁지 아니한 것이 없습니다. 이해는 오래 기억되지 못합니다. 패턴의 형식으로 오래 남기 힘들기 때문이고, 감정은 마음이 아닌 개인의 욕구에 연결된 것이라 때가 되면 그 대상이 변하기에 그 기간이 유효합니다.

마음으로 다가가 움직이려면 이해와 감정의 균형이 핵심입니다. 한쪽으로 기울어진 마음의 세계를 바로잡습니다. 즉, 편견과 고집을 버리는 것부터 연습해야 합니다. 이 간단한 그것만으로도 평정심을 경험할 수 있습니다. 한쪽으로 치우친 욕정을 덜어내다 보면 저절로 균형이 맞아 집니다. 그리고 그 상태를 유지하는 훈련 속에 또 다른 평정심을 발견할 수 있습니다. 세상 그 누가 당신에게 그렇게 바쁘게 움직이라고 말할 수 있는가요? 오직 자신뿐입니다. 자신에게 불합리한 명령을 내릴 수 있는 것도 자신뿐입니다. 평정심을 유지하면 마음으로 세계를 관찰할 수 있습니다. 마음이 구체적으로 움직여 형태가 변화되면 사람은 전환(轉換)될 수 있습니다. 그리고, 무언가에 확! 끌린다는 것은 다른 말로 이미 기울어진 상태에서 누군가가 끌어당겨 완전히 몸까지 기울어진 상태이기에 좋은 경우는 극히 드물 것입니다. 즉, 내 의도가 아닙니다.

사람은 살게 되면 습관이 무의식에 생기고, 이 습관은 무의식 속에 자리 잡고 있어서 의식적으로 살펴보지 못합니다. 무엇보다 이것을 인식하지 못하기 때문에 좋은 습관이든 나쁜 습관이든 고치거나 더 좋게 변화하지 못합니다. 좋지 못한 습관은 움직임이 아닌 고정된 것에 해당합니다. 습관이 몸에 많이 쌓이면 그 사람은 대부분 한정되고 불행해집니다. 전부 알고 있으면서 고치지 않고, 더 좋게 변화하지 않고, 고집하는 것은 정신승리 이거나 편견이 그 사람의 이해를 가로막고 있는 경우입니다. 그래서 대부분에 '고정된 습관은 나쁩니다.' 편견에 가깝기 때문입니다. 편견이 그 사람의 이해를 가로막아 매번 감정이 폭발하여 매번 주위 사람들을 힘들게 하는 경우가 우리 주위에 많지 않은가요. 욕심의 감정이 앞선 사람들은 살아갈수록 미물로 퇴보합니다. 인간에서 사람으로 돼지로, 개로, 바퀴벌레로, 아메바로 점점 더 이해와는 멀어진 존재가 됩니다. 이처럼 균형을 철저히 잃어버리면 불행해지고 미물이 되고 죽음에 직면합니다. 그래서, 미물은 생의 주기가 짧습니다. 여기에서 '한 사이클'이 퇴보적인 측면에서 완성되었습니다. 그래서 세상의 이치는 미물을 다시 인간으로 각성(覺醒)시킵니다. 미물에서 인간이 되는 방향은 긍정적입니다. 이 반대의 경우는 타락입니다. 우리가 세상에 태어나서 무언가를 무의식으로 배울 때는 미물에서 고등 동물이 되는 과정과도 같습니다. 과거에 아이들을 황구(黃口)라 부르며 어리석은 인간으로 표현했었습니다. 단명한다는 것은 그 사람은 평정심을 경험하지 못했으며 최소한의 내 마음에 안정도 찾지 못한 사람일 것입니다. 즉, 운명의 분수를 넘은 사람일 것입니다. 강렬한 자극은 자신과 공명하여 세계를 파괴합니다. 매번 균형을 찾아가도 금세 한곳으로 기우는 것이 인간입니다. 저 또한 크게 다르지 않습니다. 그러나 기울어진 상태에서 균형을 찾아가는 수많은 연습 속에서 인간은 변화를 경험합니다. 감정과 감각에서 이해를 수만 번을 반복하면 무언가를 서로 전달하게 됩니다. 바로 외부세계와 내면세계의 수많은 교감이지 않은가요. 그 교감의 결과 마음이 웃고 있는 형태입니다. 이것은 이해가 충만한 상태이고 마음이 평화로운 상태입니다.

충분히 평정심을 유지할 때, 외부세계에 연결된 나 자신의 고리를 스스로 잘라낼 수 있습니다. 기울어진 상태의 불안한 인간이 평정심을 찾으려면 마음에 든 것들을 버려야 합니다. 중요한 것부터 버리면 당신의 그릇이 보일 것입니다. 그 그릇의 존재를 확인하면 공부를 게을리할 수 없습니다. 공부는 이해와 감정, 그리고 감각이 수많은 상호작용과 교류를 반복하는 과정에서 마음이 받아들이는 작용을 의미합니다. 모든 것이 균형을 이룰 때까지 연습하고 또 연습일 뿐입니다. 자신의 내면이 정리되지 않은 불안한 상태에서 서로 섞여서 서로 불편하지 않은가요? 배운다는 것은 불편함을 토로하는 것이 아니라, 누군가가 균형을 찾기 위해 노력하는 가운데, 약한 연결 고리를 찾아서 알려주는 것입니다. 그래서 너와 내가 다른 것이 아닐까요? 그래서 서로에게 약한 부분을 잘 보이게 세상이 만들어둔 것일 것입니다.

"마음을 열다."의 본뜻을 생각해봅시다.

불편함과 수고스러움의 본뜻을 받아들이지 못하면 당신은 기울어진 상태로 오랫동안 머물러 있어서 균형을 찾아가는 방법을 잊어버린 사람입니다. 누리려는 자와 배우려는 자의 마음가짐에 차이가 곧, 그 사람의 방향입니다.

　세상에 태어난 아기는 어느 것에도 집착하지 않습니다. '다시 시작합니다.'의 참뜻은 하나의 생을 다수의 의식으로 살겠다는 의지의 표상이며 전의 의식에 마침표를 찍어야 또 다른 의식이 시작될 수 있습니다. 동시에 두 개의 의식을 가진다면 정신병에 걸리고 말 것입니다. 깊은 숙고 후 인정이 마음에 다가와야만 마침표를 찍을 수 있습니다. 다시 아이가 되는 것입니다. 다 늙어 죽음이 그늘질 때는 이미 늦었습니다. 그렇게 다시, 아이가 될 수 있습니다. 어른이 될 때까지 그 아이를 교육해야 합니다.

"알을 깨고 나옵니다."
헤세 아저씨가 한 말의 의미는 이것입니다.
하나의 생을 살며 아이가 3번 살기를 꿈꾸어 봅니다.

5. 감상하는 마음

　감상하는 마음은 어떤 대상 혹은 자신, 세상과 일치(一致)합니다. 외부의 대상을 감상하는 것은 외부의 나와 내면의 나가 어떤 대상에 대해 동의했다는 것입니다. 그럼 무엇에 동의한 것일까요. 서로 좋아하지 않는 것을 나무라지 않는 것이며 같이 침묵(沈默)할 수 있는 상태입니다. 그 예로 음악을 감상한 것은 좋은 일입니다. 단, 음악도 감정이 극한 것, 내면에 나와 교감이 어려운 것은 적절치 못합니다. 이 두 가지 조화가 모자라 한쪽으로 치우친 음악은 인간 내면의 부정적인 기운만을 회복하는 역할을 하게 됩니다. 이곳 유원지는 일요일마다 격한 감정에 듣는이의 의사와는 관계없이 음악을 가장한 소음을 냅니다. 그들에겐 애환을 풀어내는 메아리지만 과도한 감정을 그 누군가에게 던져서 버릴 뿐입니다. 그 억눌린 비뚤어진 감정을 비우고자 소음을 만들어내고 그 삐뚤어진 그릇에 또다시 일주일의 울화와 같은 감정을 담아서 다음 주에도 괴성을 지를 것입니다. 그래서 이곳24)은 주

---

24) 동촌유원지: 대구 동구에 있으며 이곳에서 달리기, 산책, 명상을 했습니다.

말마다 소음이 가득합니다.

음악은 교감을 만들어 낼 수 있습니다만, 리듬과 박자가 기계적인 음악은 영혼과 영감에서 보면 거리가 먼 정반대의 음악입니다. 육신을 달래주는 음악은 외면의 나는 흥이 나지만 내면에 '나'는 반대로 틀어지는 경우가 많습니다. 사람들이 이것을 너무도 모릅니다. 자신과의 교감을 구체적으로 생각해본 적도 없고 그럴 마음도 없기 때문입니다. 자신의 마음과 일치점을 찾고 쉬운 것부터 모순을 정리해가면 '화'는 누그러지게 됩니다. 내외부의 나가 모순이 커지면 화의 크기도 증가합니다. 내면의 목소리가 너무나 커서 다른 이의 말이 들리지 않습니다. 그런 내면의 목소리도 작다고 생각하여 확성기를 키워 화를 가득 머금은 소음을 노래로 위장하여 감정을 버립니다. 자신의 감정을 정리하고 살펴보는 방법을 모르는 사람들이 한이 깊다고 말할 뿐입니다. 인간이면 모두가 갖은 욕구가 있지만, 그들은 소리를 통해 잠시 화풀이를 할 뿐입니다.

외부의 나가 내면의 나를 구속할수록 화는 커집니다. 만약 도(道)와 도덕(道德)의 순위가 바뀐다면 많은 혼란을 겪을 것입니다. 분명한 것은 도가 우선이고 도덕은 인간이 강제한 것들입니다. 외부의 나는 실체가 없는 내면의 나를 옥죄고 나에게 자유를 주지 않습니다. 그러면 자유로운 사고와 그 과정이 모두 죽어버립니다.

내면의 내가 자유와 멀어질 때 사람은 공황장애와 같은 극도의 무기력에 도달하게 됩니다. 도덕은 민중들을 옥죄기 위한 수단입니다. 계몽은 인간의 이성을 깨웠지만, 그 이상은 단순화시켜버렸습니다. 그래서 내·외가 나가서 조화롭게 소통하는 법을 잃어버렸습니다. 두 개체 간의 불 화합과 불 소통은 극도의 결핍을 만들어서 거짓말에 이르게 됩니다. 이것이 계몽 이후의 지금 시대에서 개인이 겪는 큰 고통일 것입니다. 외부의 나를 그렇게 가꾸고 치장하면서 내면의 나의 존재조차 명확하지 않다면 가식과 허영으로 인간이란 존재가 흐려진 것입니다. 자신을 투영하여 관조하지 못한다면 내외는 끝없이 분열됩니다.

이 분열은 두려움과 고통에 가깝습니다.

내외의 나가 하나의 합일(合一)점을 찾는다.
바로 음악을 들으며 명상(瞑想)하는 일입니다.

　나는 어쩌다 나 자신을 나도 모르게 보곤 했었습니다. 그리고 독서 후 나 자신을 직면할 수 있음을 알게 되었습니다. 더불어 명상과 음악은 자신을 더 쉽게 만날 수 있는 환경을 만들어 주었습니다. 명상은 내면의 목소리를 듣기 위해서 하는 수행입니다. 곧, 거짓을 하지 않도록 내면의 나와 이성을 찾아서 규합하는 일련의 과정입니다. 이것은 똑같은 실수를 하지 않겠다는 결의와 같습니다. 이런 결의가 없다면 분열 속 자신은 끝없이 약속을 어깁니다. 왜냐면 욕심은 그 무엇보다 강하기 때문입니다. 내면의 내가 외부의 나를 이끌어 나갈 때 도(道)의 길이 행해집니다. 대부분 사람은 반대로 살아갈 뿐입니다. 그래서 영혼과 영감의 존재를 알지 못합니다. 숙달의 고통을 견디지 못한다면 외부의 나가 우세하여 양면적인 삶을 살아가게 됩니다. 내면의 잠재된 에너지는 영원히 발휘하지 못하고 분열하고 있다면 강제로 내려오는 삶을 살게 됩니다.
　인간은 이성을 바탕으로 철학에서 분과학문으로 그리고 과학에서 과거 하늘의 것들이라 의심하지 않았던 것들을 지상에 끌어내리기 시작했습니다. 심지어 지금은 과학기술에 발전의 중심인 인간들조차 과학의 발전 속도와 범위를 예상하지 못합니다. 과거에는 무지하여 신의 영역이라 여기며 신성한 존재로 숭배했던 것들이 과학이라는 도구에 의해 현실에서 실행되고 설명되고 있습니다.
　인간의 마음은 세상을 바라보는 비율을 담은 그릇이라면, 할 수 없는 불확실한 것을 많이 담는 것보다는 할 수 있는 것들에 대해서 감사한 마음을 가지며 불확실한 것들을 서서히 몰아낼 필요가 있습니다. 왜냐면 인간은 역사가 말해주듯이 어떤 불확실성에 대해 정복해 온 것은 분명한 사실입니다. 당신이 멈춰있더라도 그 누군가는 호기심

을 풀어갈 궁리를 하고 있단 말입니다. 불확실한 것들이 과학 세계에
도 존재하는 것과 같이 개인의 삶에도 또한 존재합니다. 불확실한 것
들과 함께 살아가는 것 또한, 인간의 숙명이지만, 불확실한 상황을 서
서히 극복하려는 노력, 중심 세상을 향한 이해와 공부, 그리고 성실한
태도가 필요합니다.

　불확실한 것들을 많이 담은 마음은 스스로를 제약하며, 마음을 보
호하려는 체제가 작동하여 강요하지 않는 도덕으로 스스로를 한정짓
습니다. 그 결과, 불확실성을 탐구하기보다는 신성시하며 무지를 드러
내게 됩니다. 이해와 공부가 없는 일방적인 믿음은 크게 기울어진 삶
입니다. 즉, 사랑을 널리 전하기보다는 자신의 사랑에 대한 갈망을 충
족시키는 수단으로 한정한다면, 신들이 존재한다고 해도 이러한 나약
하고 편협한 인간을 사랑하지 않을 것입니다. 인간은 그 자체로 비뚤
어진 그릇의 모양을 하며 욕망을 담은 형세와 전혀 다르지 않기 때문
입니다. 그러한 믿음은 필요하지 않습니다. 그 믿음의 방향을 세계로
돌려야 합니다. 그러면 대상을 향한 이해를 위한 전제는 "무엇인가를
배워야만 한다."라는 것을 금방 알게 됩니다. 과거 수동적인 공부는
마음을 그늘지게 했다면 이제는 그 그늘을 걷어낼 때입니다. 세상에
대한 이해와 공부가 없다면 불확실성은 증가합니다. 자신이 이런 노력
을 전혀 하지 않으며 매일매일 잘 먹고 잘살기 위해 염원만 한다면
정말 미치고 팔짝 뛸 일이지만 사실, 그런 사람들이 너무 많아 이사회
는 지금 삐걱거립니다. 단편적으로 매주 복권 판매액이 늘어가는 것만
봐도 알 수 있습니다. 풍요롭게 살기 위한 부의 수단으로 수동적 공부
만 하니, 세계에 대한 이해가 부족하며 불확실성은 증가합니다. 그래
서 크게 보면 시대에 대한 어떤 이해의 노력도 없는 상태입니다.

　마음에 불확실성의 비율이 높은 사람은 시대의 불확실성도 높게
됩니다. 스스로 제어 가능한 범위를 잃어버리니 이 불확실성은 사람을
움직이지 못하게 만들고 나태와 태만으로 몰고 갑니다. 강력한 불확실
성은 태산 같은 불안을 몰고 옵니다. 그래서 자신의 상(狀)은 은둔자

가 되고 바퀴벌레가 됩니다. 어쩌면 지금 이사회는 개인이 세상에 직면하는 삶을 허락하지 않는 안전장치가 많이 존재합니다. 이 덕분에 바퀴벌레들도 자신의 존재를 모릅니다. 그래서 더욱 깨부수기 힘든 것입니다. 불확실성에 도전하지 않는 것은 죽은 인간입니다. 그런 인간은 자신이 바닥으로 수없이 떨어지면 세상의 중심축인 하늘이 보일 것입니다. 환상과 신기루입니다. 그리고 바닥인 이유는 분명히 있습니다. 내가 왜 이곳에 있는지를 생각합시다.

6. 인간이 되면

인간은 감각하는 대상과의 관계를 이해의 출발점으로 삼을 수 있습니다. 인간이 아닌 불완전한 모습으로 존재하기에 온갖 고통과 불일치가 있을 뿐입니다. 절대 명제는 '인간이 되자'입니다. 내·외면의 관찰자의 시야를 회복하고 균형미를 찾고 이를 유지하는 연습을 통해서 무게를 분별하는 심안을 기르면 세상을 바로 볼 수 있는 기본 틀이 마련된 것입니다.

자아 존중감에는 인식에 대한 관점의 모순이 있습니다. 결론은 인간에 가까우면 이런 말들은 전혀 필요가 없습니다. 인간에 가까우면 세상 흐름이 물 흐르듯이 쉽게 풀립니다. 그러지 못하는 존재들이 자신을 자위하며 위로하는 정신 질병의 형태들입니다. 이런 단어들을 들먹이는 사람들은 대부분 내·외의 관찰자의 시야가 지나치게 한쪽으로 치우쳐 있어 균형미를 유지하지 못하는 사람들입니다. 편향이 심할수록 인간과는 거리가 멀고 고통과는 가깝습니다. 그래서 그들에게서 세상의 행운은 떠나가고 욕심만이 남게 된다는 사실까지도 알지 못합니다. 비율과 균형미가 깨어진 삶은 바보, 멍청이, 미저리[25]가 됩니다.

인간은 세상을 분절하여 그 형태를 떼어낼 수 없기에 이것을 인식하지 못하면 편향된 자아로 완전히 기울고 맙니다. 이 말은 개인적인

---

25) 외투: 니콜라이 고골이 1842년 발표한 단편소설입니다. 키 작고 곰보에 홍조증이 있고 눈이 나쁘고 치질이고 게다가 대머리인 만년 9등 문관 아카키 아카키예비치 바시마치킨의 이야기를 다루고 있습니다.

욕구만 남은 인간의 탄생입니다. 이렇게 되면 내부에 대한 시야만 민감하고 외부 관찰자의 시야는 완전히 사라지게 되어 수많은 외부와의 갈등을 겪게 되나 이것을 이해하려는 그 어떤 노력도 없는 가장 강력한 무지의 방패를 앞세우고 악의적인 신념으로 변화와 진화를 통해 인간은 그 깊이를 더욱더 교묘히 만들어 빠져나갔을 뿐입니다. 사실 자신의 신념이 타인에게는 악에 가까운 것을 알지 못합니다. 이처럼 정당화의 끝은 상상력의 끝단이기에 깊은 무기력과 태만에 이르고 맙니다. 인간과 가장 멀어진 모습을 하고 또 그들에게는 인간 위에 군림하는 질병이 만연하여 정상적으로 사고하는 인간을 만나기 힘듭니다. 정상인을 찾기 힘들다는 것은 멀리서 바라보는 이가 없는 것과 같습니다.

탐구(探究)할 때는 적당한 무관심과 적당한 거리를 유지합니다. 삶의 문제가 연속적으로 주어지지만, 그 문제를 삶에서 떼어내지 못한다면 멀리 거리를 두기라도 해야 합니다. 문제 해결, 거리, 시간은 서로 별개입니다. 즉시 해결할 수 있다면 가장 좋겠지만, 일정 시간이 지나 저절로 해결되는 문제도 많습니다. 이러한 문제는 일정 거리를 두고 다양한 관점에서 지켜보면 쉽게 해결될 수 있습니다. 이처럼 다양한 시선과 거리만으로도 상당히 많은 문제를 해결할 수 있지만, 문제 자체에 너무 달라붙어 문제가 내 삶에 들어와 직접 인간을 조종하는 때도 많습니다. 문제가 마음에 깊게 퍼지면 시간을 한정하고 좋지 못한 심상을 마음에 담아 두는 연습을 강제로 하는 것과 같게 되어 끊임없는 기운의 소멸이 일어납니다. 인간의 몸은 어떠한 소멸에 대항하여 방어를 시작하는데 그것이 자아 존중감의 형태로 나타납니다.

어떤 대상에 대한 열정, 탐욕, 노력은 그에 몰입하고 있을 때는 구별하기 어렵습니다. 그러나 멀리서 무관심하게 지켜보며 그 과정을 탐구하면 비로소 구분할 수 있습니다. 이러한 탐구 과정을 많이 연습할수록 균형을 잘 유지하고, 흐트러진 비율을 바로잡을 수 있습니다. 삶은 인간의 흐트러진 비율을 수정하여 균형을 유지하고, 처음 출발점의 마음가짐을 항상 함께해야 그 끝을 짐작할 수 있습니다. 뿌리 없는 나무가 없듯이, 처음 출발이 치우쳐 편향된 것은 자신에게는 이로울 수 있으나 대다수에게는 이롭지 않습니다. 사실, 본인에게도 이롭지 못합니다. 이것이 삶인데 이것을 부정하고 모두 놓아버림으로써 선택하지 않은 강한 무기력에 빠지게 됩니다. 단, 그 동물적 감각과 비대한 욕심만이 가끔 꿈틀거릴 뿐입니다. 성장과 몰락은 어디에나 있고 몰락에는 변화하고자 하는 다양함이 없음이고, 한쪽으로 치우쳐 극에 다다른 것입니다. 자위, 환상, 거품은 소멸을 불러옵니다.

경쟁(競爭)은 극으로 가장 빨리 치닫는 법입니다. 다시 태어날까! 다양함은 탐구하는 과정에서 얻어지는 수많은 관점이고 그 관점을 발견하는 것은 공부이며 이것들을 교정하고 연습하는 것이 소통과 대화입니다. 열린 마음을 유지하려면 철저한 균형감각과 평정심이 필수입니다. 이런 연습과 공부에 사람들은 너무나 인색하고 그 어떤 연습을 사람들은 좋게 보지 않습니다. 그래서 연습이 없는, 실수가 없는 완벽한 세상을 꿈꾸는 허상의 세계에 살고 있으며 명사만 끌어안고 동사를 모두 고정합니다. 움직임이 없으면 변화는 없습니다. 인간 본연의 심리는 개으릅니다. 이것을 탈출하기 위해선 재미를 찾아 탐구하는 방법뿐이며 그 탐구에서 이 세상을 향한 자신만의 의미가 무엇인지 곰곰이 생각할 기회가 있을 것입니다. 자기 자신을 능동적으로 계몽의 의지로 몰아가는 가장 확실한 것은 공부뿐입니다. 그 어떤 강한 무기보다 월등한 것입니다. 세상에 대한 나의 나약함을 인정할 때 열정, 욕구, 노력은 분별되고 이후 강한 하나의 신념이 마음으로부터 바로 서게 됩니다. 공부만이 즉, 인간이 되면 그토록 바라던 모든 것들이 해결되는 이치이거늘, 오랫동안 열정과 욕망을 좇는 것이었습니다.

대중적인 생각은 하나의 개념에 획일적으로 치우쳐 있어 균형과 비율이 깨어진 상태입니다. 보편적 노예 도덕의 상태가 대중적인 상태입니다. 세상을 향한 나의 무기는 무엇일까요. 내가 잘할 수 있는 것과 오랫동안 유지할 수 있는 능력을 탐구하는 과정에서 발견하고, 이

후 많은 연습과 수행을 통해 성장하는 것이 인간의 본질이며, 그 과정
은 자연스럽게 흘러갑니다.

생애 가장 가난한 순간이, 삶의 정신에 있어 어느 때보다 자유롭
지 않을까요? 그 이유는 치우침이 모두 사라져서 변화에 무감각해지
기 때문일 것입니다. 하나의 대상을 철저히 잊고 버림으로써 익숙한
관점에서 해방되는 일이 바로 철저히 가난한 순간에 만나는 기쁜 감
정일 것입니다. (위대한 포기=놓아버림) 버리면 다른 것이 생깁니다.
그래서 자의든 타의든 포기하고 잊어버립니다. 다시는 보지 않을 것처
럼 냉담히 멀어집니다. 그렇다고 그것들이 나에게 있어 본래 가까운
것도 아니었습니다. 내 바람만이 그것들을 부질없이 가까이 두고자 하
였을 뿐, 모두가 의미 없는 일이었습니다. 반면, 나에게 가까이 오고자
하는 대상을 따뜻하게 반겨주지 못했습니다. 설령, 내 품에 여차하여
들어온 것들을 타인과 따뜻이 나누지 못했습니다. 나에게 적합하지 않
은 것들을 타인에게 아낌없이 주는 것에 무심했습니다. 그래서 내게서
모두 잊히고 말았습니다. 나에게서 모든 순환의 대상에 마침표가 찍혀
지고 말았었습니다. 마치 암흑의 소실점처럼 정기의 맥이 끊어진 내
삶과 같은 뜬구름이 되고 말았습니다. 소실점은 깨끗할 수 없습니다.
그래서 배움이 필요했습니다. 배움을 위한 마음에 정성은 비움입니다.
사람들은 이 시대가 강요하는 것에 억지로 생애주기를 맞춥니다. 그러
나 사람마다 순환의 흐름이 다르고 내 성장이 멈추어 오류가 가득하
다면 비우고 공부할 때가 온 것입니다. 이것을 하지 않으면 쾌락을 찾
아 새로운 것만 추구하게 됩니다.

달라지는 것, 자신이 변화하면 일기를 쓰고 싶어집니다. 그런데 이
것이 쉽지 않습니다. 인간은 작은 기대에도 쉽게 만족하고 편안함을
느끼면 머무르는 존재이기에 어떤 단계에 고정됩니다. 그래서 변화를
오래 끌고 가기 어렵고 이 변화가 없다면 그 고요함은 함구하기 때문
에 글 쓸 이유가 없습니다. 글은 개인에 변화의 기록이기에 이 형식을
철저히 따를 뿐입니다. 또한, 글은 공부에서 떨어지는 부산물이지 막

연한 책들을 열거하여 탐험한다고 해서 글감이 나타나는 것은 아닙니다.26) 많은 이들은 번뜩이는 글감을 찾곤 하는데, 사실 상상력은 기대 이상으로 짧고 단편적이라서 항상 내 마음에 담고 있는 형상을 글감으로 선택하지 않는다면 오래가지 못합니다. 글쓰기는 마음에 있는 것들을 정신을 통해 역으로 인출하는 과정입니다. 내 상상력과 평소의 공부가 부딪쳐야 또 다른 생각이 상상력으로 번지고 글을 쓸 마음이 저절로 생겨야만 글감이 되는 것입니다. 가만히 앉아서 고민만 하고 분위기가 바뀐다고 하여 번뜩이는 생각이 찾아오지는 않습니다. 고요히 머무르며 자신의 정신을 주시하는 것이 아니라 그런 정신이 의지의 원동력을 잃지 않을 때 앞으로 나가며 변화가 부드러울 때 글을 적어야겠다는 생각을 인간은 부수적으로 하게 될 뿐입니다. 이 부수적이라는 조건이 습관이 되면 자연스러운 글쓰기가 될 것 같으나 아직 좀 더 연습이 필요합니다.

거의 다 죽을 뻔했다가 운 좋게 다시 생명을 얻어본 경험을 한 사람은 전혀 다른 삶을 삽니다. 죽음이 확정된 시한부 인생은 현실을 부정하고 좌절하고 타협하고 결국에는 받아들이게 됩니다. 그 받아들임이 생의 마지막 시간과 거리가 멀지 않기를 바랄 뿐입니다.27)

다시, 1살이 된다는 것.
모든 것을 초기화하고 다시 시작하는 것.
삶을 긍정적으로 살겠다는 의지입니다.
사람들은 각자 생애 사이클이 있습니다.
봄·여름·가을·겨울이 있듯이 말입니다. 변화는 주기에 맞춰서 순환합니다.
모든 순환에는 겨울이 옵니다.
그리고 "마른 가지 위에 까마귀28)가 됩니다."

---

26) 도덕의 계보: 하나의 논박서(Zur Genealogie der Moral: Eine Streitschrift)는 프리드리히 니체의 후기 저서로서, 《선악의 저편》에서 말한 "도덕에서의 노예반란"를 좀 더 자세히 설명하고 내용을 확장시켜, 3개의 논문으로 작성된 책입니다.
27) 이반 일리치의 죽음: 지금까지 내내 나는 산을 오르고 있다고 생각했지만, 사실은 산을 내려가고 있었습니다. 사람들의 눈에는 내가 산을 오르는 것으로 보였겠지. 그러나 내 삶은 사실은 항상 발 아래로 미끄러져 내려가고 있었을 뿐이었습니다.
28) 김현승-가을의 기도

겨울에는 모르긴 몰라도 사이클이 정체되어있음을 강하게 느낍니다. 이 지루한 정체됨은 높은 곳에서 나도 모르게 천천히 내려와 갈 곳 없는 비참함을 느끼게 합니다. 이것은 생애주기가 한 바퀴 돌았다는 증거입니다. 그럼 다음 생을 준비해야 합니다.

겨울에는 다음 봄을 준비해야 합니다. 그리고 살았던 생을 차분히 살펴보아야 합니다. 더 나은 다음 생을 살기 위해서 지난 계절에 대한 정리의 시간이 필요한 것입니다. 과거의 나를 정리해 온전히 보내주고, 현시점에서 다시 배워 전혀 또 다른 삶을 사는 것이 과거의 나에게 줄 수 있는 가장 큰 선물이 될 것입니다. 강제로 퇴직을 맞이할 때까지 쇠락을 외면하고 버티는 것은 비겁한 짓입니다. 그 자리를 지키기 위해 타협만이 남았다면, 그 안정된 자리를 떠나세요. 삶은 물처럼 흐르기 때문에 내게서 떼어내지 못하기에 내가 어디 있는지 알지 못합니다. 성장 이후 곧, 젊음 이후에는 반드시 소멸의 길로 서서히 전환이 일어납니다.

눈을 크게 뜨고 자신을 살펴라!

스스로만 모를 뿐이지 세상은 다 알고 있습니다. 사이클은 살펴보아야 그 주기(週期)를 알 수 있습니다. 시선이 외부에서 자신을 볼 때 상황파악이 일어납니다. 문제를 인식해야 벗어납니다. 죽지 않고 다시 삶을 산다는 것은 학교에 다시 가는 것입니다. 나의 미숙함을 알았다면 반성하고 고치려니 배울 수밖에 없습니다. 퇴직이란 회초리를 맞고 다시 학교에 가면 퇴직 전의 삶보다 더 좋지 못합니다. 시간제 힘든 일을 노년기에 한다는 것은 생애주기를 인식하지 못해서 대처하지 못함입니다. 나이 들어 아직도 더 많은 돈이 필요하다면 아직도 환상에 살고 있을 뿐입니다.

생애전환은 스스로가 필요 때문에 물이 흐르듯 자연스럽게 서서히 일어나야만 합니다. 아주 늦게 죽음의 회초리를 맞으려고 목놓아 기다리는 바보 같은 행동은 하지 않기를 바랍니다. 인간은 마지막에 게으른 존재가 되려고 합니다. 그토록 안정감을 느끼는 그곳은 당신이 꿈꾸는 곳의 반대편이며 자유와는 더욱 먼 곳입니다. 이것을 깨지 못하면 몰락만을 맞이할 것입니다. 그래서 나이 들고 성장이 멈추고 쇠퇴하면 고독으로 착각하는 것입니다. 그런데 이순환 주기가 너무도 짧아져서 20대 후반 30대 전후에 많이 나타나는 것으로 보입니다.

"마른 가지 위에 까마귀가 됩니다."
안정감을 얻지 못한 걱정과 염려는 우울증으로 나타납니다.

　세상에 대한 가장 큰 안정감은 절대 움직이지 않음이 아니라, 겨울에 지난봄을 상상하는 환상일 뿐입니다. 곧 봄이 오기 때문에 겨울이 있는 것입니다. 겨울은 지난 삶을 돌아보고 반성하며 새 출발을 준비하는 시기입니다. 이것에 가장 반대되는 것이 결혼과 직업입니다. 이들은 사람을 오랫동안 고정된 자리에 묶어두고 안정감만을 느끼도록 해주는 요소들입니다. 큰 관계에 묶여 있으면 다른 생각을 하지 못합니다. 생애주기에 대한 변화를 감지하지 못하는 것의 원인은 바로 이것들 때문입니다. 그래서 사람은 바뀌지 않습니다. 나이 들고 쇠퇴하면 타락하고 맙니다. 그 타락이 내부의 나와 외부의 도덕이 끝없이 싸움하고 그 결과 지속해서 혼돈을 불러와 모두가 모호한 상태 전이가 일어나 결국에는 인간의 판단과 사고가 흐려집니다. 안개가 짙은데 움직일 수 없다면 머무릅니다. 아주 오랫동안 자유를 버리는 쪽으로 자신도 모르게 물처럼 흘러갑니다. (마치 '단테'처럼)
　중국에 황하강의 물이 맑을 때가 없는 것과 같은 이치일 것입니다. 인간이 자신의 처지를 살펴 부족함은 인정하고 배우는 자세로 삶을 살지 못하면, 반드시 타락으로 접어들며 그 타락과의 협상을 이성이라 착각하는 정신 질환을 불러옵니다. 이것은 자신의 생을 지키려는 방어본능입니다. 다시 말해, 지키는 것이 나에게는 좋을 수 있지만 대다수에게는 분명 좋지 않을 수 있습니다. 인생을 살면서 몇 번의 큰 전환을 경험해야 할 필요가 있지 않을까요? 직업 이후, 결혼 이후 변화가 있는가요? 대다수가 예측 가능한 삶을 서로가 강제할 뿐입니다.

움직이지 못하는 인간의 마음은 몸의 변화와 마찬가지로 불행으로 이어질 수 있습니다. 자유롭지 못하면 사고가 다양할 수 없는 한계를 품고 있어 생애주기를 깨지 못합니다. 그 생애주기가 어떻게 흘러가는지 미리 알 수 없습니다. 생애주기를 깨는 것은 새로운 시작이며, 지속적인 배움을 의미합니다. 마치 다시 학교에 가는 것과 같습니다. 이것을 왜 부끄럽게 여기는가요? 타협 자들은 이것을 실패(失敗)라 부르곤 합니다. 자녀들이 배우는 것에 대해 똑같은 눈높이로 바라볼 수 없다면 철저히 자신이 교만해진 것입니다. 그 교만은 안정성을 타협한 결과일 뿐이고 결국에는 세상이 기울면 전부를 내놓아야만 할 것입니다. 가장 비참한 죽음이 다가올 때 가장 바닥으로 내려갈 것인가요? 그래서 죽음이 두려운 것입니다.

7. 연옥(Purgatory)

가톨릭 교리에서 죽은 사람의 영혼이 살아 있는 동안 지은 죄를 씻고 천국으로 가기 위해 일시적으로 머무른다고 믿는 장소입니다.

"생소합니다." 죽은 이후….

한 가지 분명한 그것은 나는 과거 참회를 했었습니다. 그러나, 이 또한 분명한 것은 그 무엇을 향한 것은 아니었습니다. 굳이 말해야 한다면 삶에 대한 고귀함을 잃고 싶지 않았습니다. 살아 있다는 것은 행복 그 자체입니다. 무슨 말이 필요할까요? 두 눈으로 하늘과 그 아래 모든 것들을 볼 수 있기에 내 마음은 그곳에 있었습니다. 그늘진 마음이 시간이 흘러 평정심을 되찾고 모두를 무심히 공정하게 바라볼 수 있었고 그것으로 생각의 가지를 키웠습니다. 그래! 삶은 고귀한 것이고 감사한 것입니다. 인간은 겨울이 100번 오면 대부분 죽고 사라집니다. 벌써 수십 번의 겨울을 맞았습니다. 그리고 또 겨울이 다가오니다.

난, 기억합니다.
내가 처음 겨울이라고 생각한 그때의 '눈'이란 것의 신비스러움과 감탄을….
그러나 인간은 그 또한 금방 잊어버립니다.

　신비스러움이 당연함으로 대체되고, 그것이 눈처럼 사라지고 평범함이 쌓여 존재를 가볍게 여깁니다. 이러한 사소한 것에서 참회는 시작됩니다. 가벼운 것에 대해 생각지 않음, 이는 어떤 특정 패턴에 모든 것을 가두어 버리는 사고의 결함입니다. 그 당시, 기준에 따라 세상을 나눠서 단편적 진리를 절대적 진리로 삼아버립니다. 그러나 상대적 진리는 시간이 흐르면 변합니다. 선이 악으로 악이 선으로 순환하고 변동합니다. 반면 인간은 고정된 것을 숙고하지 않으려 합니다. 지나친 확신은 독으로 변질하여 자신을 상하게 합니다. 그 독을 담은 그릇이 당신의 마음입니다. '확신을 담았습니다.'라고 자신을 세뇌할 뿐입니다. 대상을 향한 지나친 당연함은 탐욕에 가깝다는 것을 늘 인식한다면 그것을 무심히 바라보는 데 익숙할 것입니다. 오히려 역설적으로 무심할수록 영혼은 빛이 납니다. 내가 무언가를 나누고 구분하지 않아도 저절로 나타나 말해줍니다. 다만, 그 상황을 여유롭게 즐기고, 감사한 마음을 잃지 않는다면 말입니다.
　한편, 죽은 후 어떠한 목적을 위한 행동을 지정하면 '자발적'이라는 마음의 긍정적 태도에서 멀어지게 됩니다. 무언가를 향한 의식은 강한 행동의 욕구, 갈망, 결핍입니다. 굳이 말하자면, 현재 살아있는 동안 이러한 도전을 극복하고 정신적으로 고귀한 목표를 독려하며 추구하는 것이 좋습니다.
　"스스로"라는 것이 없다면, 세상의 모든 길이 존재할 필요가 없습니다. 인생의 행로는 마땅히 하는 것과 내가 그 길을 발견하고 동의하며 따르는 것과는 다릅니다. 니체는 아래와 같이 적어놓았습니다.

낡은 서판과 새로운 서판에 대하여
진실하다는 것, 그렇게 될 수 있는 자는 소수에 불과하다!
그리고 그렇게 될 수 있는 자는 아직 그렇게 되기를 바라지 않는다!
그리고 착한 자들은 그렇게 되기가 가장 어렵습니다.
아! 이 착한 자들!
착한 자들은 결코 진리를 말하는 법이 없습니다.
정신에 있어서 이처럼 착하게 된다는 것은 일종의 병입니다.
그들, 이 착한 자들은 양보하고 참고 견딥니다.
그들의 마음은 다른 사람을 따라서 말하고, 바닥에서부터 복종합니다.
그러나 복종하는 자는 자신의 내면에 귀를 기울이지는 않습니다.
부숴버려라, 부숴버려라, 그대 인식하는 자들이여,
낡은 서판을!29)

착함, 진리, 양보, 견딤, 복종 등에 단어의 연결 순서가 철저히 이중적인 마음을 가르칩니다. 거의 정신 분열에 가까운 인간들이 득실한 세상을 말합니다. 분열의 정도가 심할수록 자신이 지옥, 연옥, 천국의 위치를 착각합니다. 그래서 자신의 죄를 살피지 못합니다. '멀리 떨어져 자신의 형태를 살펴라.' 단테는 지금의 형태에서 변화를 주고자 하는 열망을 주고 싶었을 것입니다. 자신의 참혹한 위치를 인식한다면 인간은 참회할 것입니다. 참회한 인간은 다시 시작할 수 있습니다. 세상의 모든 것들이 손가락 사이로 빠져나가서 너무나 가벼운 상태에 놓입니다. 내가 내려놓은 것들은 바로 독이었습니다. 그것은 세상을 향한 당연시함을 말합니다. 인간은 참회가 없다면 위험한 존재가 되고 맙니다. 착함을 가장한 끝없는 에고의 자위와 대상을 향한 복종과 그것을 넘어 타인 영혼에 복종을 강요할 뿐입니다. 상대적인 진리가 복종으로 변화되어 고착된 결과입니다. 그래서 정말 악은 실행됩니다. 자신만 철저히 모를 뿐입니다. 부적절하게 자신에게 연결된 관계, 연

---

29) 차라투스트라는 이렇게 말했다: 차라투스트라는 30살에 고향을 떠나 산으로 들어갔습니다. 산 속 동굴에서 10년간 고독을 즐기다가, 어느 날 그는 자신의 넘쳐흐르는 지혜를 사람들에게 나누어주고자 산을 내려오기로 결심했습니다. 산을 내려온다는 것은 사람들을 만난다는 것을 의미하는데, 그것은 차라투스트라에게 일종의 '즐거운' 고통이라고 할 수 있습니다.

결 고리를 잘라버려야 내 마음이 내 것이 됩니다. 내 마음이 아닌 것에 에너지의 변화는 모두에게 이롭지 못합니다. 그래서, '착함의 가장'으로부터 철저히 멀어지는 것이 가장 힘들 것입니다. 인식하는 자들은 벌써 이 말의 뜻을 숙고하고 있을 것입니다.

'착함'을 가장 먼저 버려야 합니다. 그러면 평판도 같이 버려지게 됩니다. 빠르게 산다는 것은 현대인의 보편적 특성이며, 이는 성찰로부터 멀어지게 합니다. 반대로 성찰이 깊어지면 참회에 이를 수 있습니다.

기대하고 믿는 것만으로 될까요? 나약함의 상징으로 표현된 그런 존재가 만약에 구원된다면, 그 대상이 될 수 있을까요? 종교에 의지하는 사람은 무언가에 결핍을 느끼며, 그 결핍 정도가 나무가 강하여 현실에서 해결하기 어려울 때 나타납니다. 그리고 어떤 종교든 인간을 타락한 상태로 머물게 합니다. 교화시키지 못한 상태로 지속해서 약에 중독시킵니다. 오래된 낡은 서판을 강요하고 다른 것들은 배척합니다. 그래서 더욱더 자유의지는 꺾여 수동적으로 되고 악순환으로 이어집니다. 그래서 종교 아래에서 깨어나는 사람은 현실 세계보다 더욱 소수입니다.

그리하여 현대 사회에서 종교는 종종 현대의 복잡한 세계에서 큰 도움을 주지 못한다고 여깁니다. 계몽시대 이전에는 종교가 대중에게 가까웠지만, 이제는 시대적인 변화를 수용하지 못하고 다른 것으로 대체되고 있습니다. 인간에게 대중교육이 없었던 시절에는 종교가 그 대중을 교육해왔지만, 선진화된 지금에는 학교가 1차적 계몽 역할을 하고 있으며, 2차적 계몽 역할을 종교가 해야한다고 할 수 있습니다. 그러나 여기서 자발적 계몽적 차원을 넘어선 개인은 종교를 초월합니다. 그런 자발적 2차원 계몽에 이른 자는 종교가 필요하지 않습니다. 인간의 의지는 강할 때와 약할 때가 있고 그 의지가 약해지면 현대의 종교는 손짓하며 유혹할 뿐입니다. 이 시대에서 명확한 자아를 가지고 자신의 길을 걷고 있다면, 그것이 곧 모든 길과 연결되므로 종교를 초월할 수 있습니다. 그러므로 명확합니다. 서로가 대화하고 소통할 수 있는 장소가, 우리 정신이 모이는 커뮤니티가 바로 모든 '초월지'가 됩니다. 종교는 오랫동안 커뮤니티에서 중요한 역할을 해왔습니다. 그러나 자신의 목소리만을 높이고 다양성을 받아들이지 않을 때, 계몽된 사람들은 그들을 이상하게 보게 됩니다. 현대 사회에서 살아남기 위해 계몽 이전의 방식을 유지하려는 종교들의 무 변화와 무 다양성에 대해 어떤 말을 해야 할까요?

계몽 이후, 사람들이 다양한 주제로 모여 대화를 나누면 차츰 개인은 깨어나게 되는데, 자발적 계몽으로 이성의 불씨가 살아 있는 사람은 종교를 앞서게 됩니다. 모든 고귀함은 인간의 관계에서 생성됩니다. 보이지 않은 누군가에 대한 의지를 옆에 있는 사람에게 기울이면, 당신은 성숙해지고 남에게 기억될 것입니다. 허상을 오래 추구하면 진실과 멀어져 자신을 보호하지 못하게 되고 또한, 자신을 챙기지 못하면 주변 사람을 돌보고 자유의지를 유지하기 어렵습니다. 그래서 종교는 마치 약 처방처럼 능숙하게 작용하고, 개인은 그 약에 계속 중독되기 일쑤입니다.

약은 곧, 망상입니다.
잊어버려라······.
불만족의 상처···.
약 처방···.
잊어버려라.
고통, 망상, 약 처방이 순환합니다.

그래서 종교를 신봉하는 사람들은 삶이 의미를 찾기 어려워서 애초에 종교적 신앙에 의존하며, 자신은 변하지 않으면서도 세상이 변화하기를 바라는 정신적인 어려움을 겪습니다. 이들은 자신의 신념을 강하게 믿으며, 이는 종종 유일한 안정된 것으로 여겨집니다. 단 하나의 믿음에만 의존해야 하는 상황에서 자신을 옳다고 확신하는 사람들이 많습니다. 전적으로 믿을 만한 한 명의 인간이 주변에 없는 것은 안타깝습니다. 아무것도 없이 초라한 자신과 한계 상황에서 오는 비참함이 느껴집니다. 이런 상황에서는 정신에 허수아비를 세우고 마음을 허상과 같은 다른 것으로 채워 넣는 것입니다. 이러한 전환의 초석은 마법 같은 신비로부터 비롯되기 때문에, 정신적 어려움이 여기서 시작됩니다.

만약에 예수, 부처 등등을 믿는다면, 예수와 부처를 지우고 부인, 남편을 그렇게 믿어보세요. 구원은 같이 마음을 나누고, 공감을 형성한 사람에게 선물 받는 것입니다. 이것은 필수 불가결한 진리입니다.

'단테의 신곡'
천국의 허수아비는 구원을 줄 수 없습니다.

8. 칸트의 계몽

칸트는 계몽[30])이란 인간이 '미성년 상태'로부터 벗어나는 것이라고 했습니다. 이때 미성년 상태는 타인의 지도 없이는 자신의 이성을 사용할 수 없는 상태를 뜻하며, 이를 벗어나는 데 필요한 것은 용기를 내어 자신의 이성을 사용하려고 하는 것입니다. 칸트에 의하면 계몽은 두 가지 양상으로 이루어집니다. 하나는 개인적 계몽으로 각자 스스로 미성년 상태를 벗어나서 이성 능력을 발휘하는 것입니다. 하지만 모든 사람이 개인적 계몽을 이룰 수 있는 것은 아닙니다. 미성년 상태는 편합니다. 이 상태의 개인은 스스로 생각하고 판단함으로써 저지를지 모르는 실수의 위험을 과장해서 생각합니다. 한 개인이 실수의 두려움으로 인해 미성년 상태에 머무르기를 선택하면 편안함에 대한 유혹과 실수에 대한 공포심을 극복하며 자신을 계몽하기는 힘듭니다.

대중 일반의 계몽은 이보다는 쉽게 이루어질 수 있습니다. 어느 시대에나 개인적 계몽에 성공한 독립적인 정신의 사상가들이 있기 마련이고, 이들은 편안함에 안주하며 두려움의 방패 뒤에 도피하려는 사

---

30) 출처: 공무원 국어 지문(2017.12.16. 지방직 원문)

람들의 의식을 일깨워 자각의 계기를 제공해 줄 수 있습니다. 개인적 계몽에 성공한 이들에게 자기 생각을 표현하고 발표하는 자유가 주어진다면 계몽 정신은 자연스레 널리 전파될 것이고 사람들은 독립에의 공포심에서 벗어나 스스로 생각하는 성년 단계로 진입하게 될 것입니다.

칸트는 대중 일반의 계몽을 위해 필요한 이성의 사용을 이성의 공적 사용이라 일컫는다. 이성의 사용은 사적 사용과 공적 사용으로 구분됩니다. 이성의 사적 사용은 각자가 개인이나 소규모 공동체의 이익을 위해 이성을 사용하는 것을 말합니다. 그러나 한 개인이 몸담은 공동체의 범위를 벗어나 세계 시민의 한사람으로서 그리고 학자로서 글을 통해 자기 생각을 대중에게 전달하게 되면 그는 이성을 공적으로 사용하는 것이 됩니다.

욕심이 생길 때,
나쁜 생각이 들 때,
불안한 마음이 들 때,
망상이 물밀 듯이 밀려오면…. 공부하자!

투자와 투기는,
부자가 되려는 욕구는,
세상에 빚집니다.
공부를 앞세우자.

당신은 삶에서 공부를 무엇으로 대체했는가요?
욕심, 나쁜 생각, 불안한 마음이
지배적인 이유는 공부를
버렸기 때문입니다.

마음을 달래기보단,
그 마음을 위로해주기보단,
그로 인한 감정에 결핍보단,
마음이 다른 곳을 향해 달리게 하자!

세상의 순리가 무엇인지,
나이 먹는다는 것이 무엇인지,
인간의 길이 무엇인지,
배움을 저버리면, 모두 잃는 길입니다.

　　오늘따라 유난히 "3기니[31]"가 생각납니다. 평생 자신이 하고픈 일을 하려면 최소한의 돈이, 어쩌면 절대적 자유에 필수 요건이 됩니다. 취직을 위한 생애 오랜 발부림, 돈을 향한 선택의 최종 목적지 그리고 성공적인 안착과 동시에 고인 물이 되어 맑던 영혼은 썩어들어갑니다. 직업은 이토록 양면의 모습을 가지고 있습니다. 안정속에서 고정됨으로 변화가 없는 지루함을 쾌락으로 바꾸려 돈을 소비합니다. 이런 악순환은 더 큰 돈을 소비하기 위해 더 많은 일을 하려 합니다.

나는 이걸 삶에 '굴레'라 부르고 타락이라고 명(名)합니다.

　　속박에서 인생이 모두 소모되고 사라지는 것이 대중입니다. 직업은 사람을 그 속에 가두어둡니다. 세월이 지나면 시대에 뒤처진 구식 인간이 되어 사회와 이질감을 가득 품고 밖으로 배출되어서 우리에게로 다가옵니다. 다시 세상의 추세(趨勢)를 따라가기엔 그 삶은 과거를 지우지 못해 더는 가치를 발견하지 못하고 대부분 소멸한 상태로 희미해집니다. 푸른 언덕에 소가 말뚝에 묶여 풀을 뜯고 있습니다. 한번 말뚝에 묶여 길든 소는 코뚜레가 당겨지면 밖으로 나가지 않습니다. 그리고 어디를 뜯을지의 선택은 주인에게 전적으로 맡겨집니다.

　　소(牛)는 그냥 풀만 뜯을 뿐입니다. 이처럼 소는 소일뿐입니다. 소에게 주어진 반경의 범위는 아주 작은 부분이라 그 경계가 뚜렷합니다. 그러나 주인의 보호를 받습니다. 그러니 자신의 신변도 스스로 지키지 않습니다. 모든 것을 위임한 상태가 소입니다. 우리가 익숙한 모

---

31) 3기니: 1938년 발표된 버지니아 울프의 에세이로, 흔히 울프의 에세이 대표작 『혼자 쓰는 방A Room of One's Own』(1929)과 함께 읽히거나 그 후속작으로 평가받는 작품입니다. (문학과 지성사)

든 것에서 벗어날 때, 비로소 자신의 참모습을 볼 수 있습니다. 이는 우리의 욕망이 철저히 무너졌을 때 가능해집니다. 마치 소가 보호자 없이 늑대들이 배회하는 광활한 초원에 던져진 것과 같습니다.

넓은 초원에서 자유를 맛보지만, 동시에 위험과 마주합니다. 이 순간 소는 처음으로 자신의 존재를 깊이 인식하게 됩니다. 안전과 자유 사이에서, 우리는 선택을 통해 진정한 자아를 발견하게 됩니다.

'3기니도 많다고 생각하며 2기니로도 충분합니다.'

길은 그 본질 자체로 우리의 여정을 인도합니다. 길의 중심을 따라 걸을 때, 우리는 주변 세계와 조화롭게 어우러지며, 내면의 평화를 찾게 됩니다. 이러한 균형과 안정 속에서, 우리는 타인을 위해 손을 내밀 여유와 힘을 얻게 되고, 그들의 삶에 긍정적인 변화를 가져올 수 있는 기회를 맞이하게 됩니다. 길은 단순한 이동 경로를 넘어, 우리를 성장과 나눔으로 이끄는 인생의 나침반이 되는 것입니다. 길의 중심에 서면, 우리는 주변 세계와 깊이 공명하게 됩니다. 내면의 소비가 줄어들수록, 우리의 존재는 길 위에서 더욱 빛나며, 영혼은 자연스럽게 고귀해지고 유연해집니다. 이 여정에서 우리는 새로운 시각을 얻습니다. 길이 선사하는 다양한 기쁨으로 인해, 우리의 시선이 더는 아래를 향하지 않고 희망찬 지평선을 바라봅니다. 이 순간, 우리는 선순환의 흐름에 자연스럽게 몸을 맡기며, 무의식적으로 길의 중심을 향해 나아갑니다. 낮은 차원의 욕구를 초월하고 자신의 한계를 인식하며 그것을 뛰어넘을 때, 우리는 순수한 마음으로 세상을 변화시킬 힘을 얻습니다. 마침내, 노력이 열매를 맺을 때, 우리의 의지는 고요한 마음속에 깊이 뿌리내리게 됩니다.

순수한 마음이 세상의 길이며, 정의와 비슷한 것일까요. 스스로 깨달아서 세상을 잘 이해하는 사람은 마음이 열린 사람입니다. 그러나 마음도 분명 욕구의 영역이 있습니다. 길과 마음이 하나 됨이 곧, 진리가 될 수 없음을 나는 언젠가 직감했습니다. 순수한 마음과 길의 방향이 다행스럽게도 일치한다면 얼마나 좋을까요? 이것을 알고 난 이후에야, 여기서부터가 진정한 인간의 길이 시작됩니다. 과거에 나만의 길이라 생각했던 것은 모두 열정과 욕심이 잘못 이끈 길이었습니다. 그리고 그 중재자인 마음의 힘이 너무도 미약해서 이성의 힘이 작용하지 못했기 때문일 것입니다.

사람들은 마음을 위안(慰安)으로만 삼습니다. 마음의 에너지는 긍정적인 활동의 원천이 될 수 있으며 변화의 주체가 될 수 있음을 알지 못합니다. 마음은 순수해질수록 그 힘은 더욱 강력해집니다. 열정이 모두 사그라지면 오로지 마음의 순수함이 당신을 지배하기 시작합니다. 그리고 그 순수함이 세상의 길과 모습이 가장 흡사할 때입니다. 감히, 혼(魂)에 근접했으며 이르렀다고 합니다. 그리고 그 길에서 여러분을 만나는 것입니다. 감사하여야 할 것입니다.

나는 운이 좋아 우연히 본심(本心)에 이르는 법을 알아차렸습니다. 현실에서 모두 부서지고 망가져서 '나'라고 할 것이 없을 때 그리하여 내가 의도치 않은 무(無)의 상태가 되었을 때 단박에 깨달았습니다. 깨닫는 것은 일생 일대의 전환이고 동시에 그 사람은 세상을 바라보는 관점에 변화가 찾아옵니다. 그래서 동시에 주위에 사람들이 모두 사라집니다. 문득 이런 생각이 들었습니다. 깨달음 이전에 깨달음이라는 추상적인 개념을 공부와 수련으로 자신을 깨달음으로 이끈 사람들이 대단하다는 생각을 해보았습니다. 양지에서 태어나 양지를 거닐다가 때가 되어 천상을 날고 있는 사람들의 존재가 궁금해집니다. 보통 이런 사람들은 이른 시간에 세상에 존재를 드러낼 것이 분명하기 때문입니다. 지금에 나는 내면에 '나'가 있는 곳만을 양지로 만들었을 뿐입니다. 다른 모든 세계는 아직 음지이고, 나는 음지를 양지로 바꾸고자 공부하고 수련하는 중이지만, 오래 묵은 때들은 쉽게 벗겨지지 않습니다. 이 책이 그 증거이고 그 세계의 난잡함을 멈추는 것도, 쉬는 것도, 어쩌면 먹는 것도, 이 모두를 버리는 것도 '자유'가 있어야 가능합니다. 내 안에 내가 죽을 수 있는 것도, 자유가 있을 때 가능합니다. 내가 죽어, 내가 산다는 말을 실행하기 위해선 아무리 생각해보아도 자유입니다. 나를 얽맨 사슬들을 풀려면, 자발적인 공부로 이성에 힘을 키워 바로 자유인, '지적역량'을 확보하여 얽맨 대상으로부터 독립할 수 있어야 합니다. 지적역량이 확보되면, 경험을 초월하여 경험에 상처들을 정리할 수 있어 과거에 매몰된 감정들에 상처를 복원하여 이해의 길로 살필 수 있습니다. 그리하여 감정을 느끼는 오감을 원상태로의 회복이 가능해집니다. 이처럼 지적역량의 확보는 우리를 얽매는 모든 대상에 대한 저항, 이해, 치료 그리고 이 모두를 실행할 자유에 원천이 됩니다. 자발적인 공부로 우리들의 마음에 씨앗을 뿌리는 일이 됩니다. 내가 죽어, 내가 산다는 말에는 마음에 두는 기간(期間)이 있는데 하루 이상을 두지 말자. 가령, 지인이 나와 다른 의견을 말했고 살펴보았을 때 타당하면 내 자리를 단숨에 버리고 손을 잡을 줄 알아야 합니다. 인간은 변화를 즐기지 못할 때 지키려 합니다. 지키려고 태도를 바꾸는 순간 누군가에 자유를 억누르거나 뺏어야 합니다. 빼앗기는 두려움을 지적역량으로 헤아리면 타인에 자유를 구속할 일이 없습니다. 이래서 자발적인 공부가 나와 타인에게 자유를 확보하는 일이 됩니다.

공부를 위해선 일단 '내가 죽어야 합니다.'
다른 방법은 나는 모릅니다. 그래서 다른 경험을 듣고 싶을 뿐입니다.

이른 저녁에 잠이 들었습니다. 꿈에서 무언가 연구하다 번뜩이는 생각에 나도 모르게 깨어나 연필을 찾고 백지에 그림을 그렸습니다. 잊어버린다는 생각에 짧은 시간에 스케치하고 다시 누웠다가 스르르 잠이 완전히 달아나 버렸습니다. 가끔 있는 일입니다. 이번 꿈에서는 차이와 틈으로 인한 틀린 생각을 알아차리고 수정하는 방법입니다. 사람은 살다 보면 우연히 100점을 맞습니다. 이 말은 자신도 모르게 100점을 넘고 있다는 것도 확신함을 의미합니다. 그러나 100점은 아무에게 주어지는 것이 아닙니다. 진실한 성실함의 결과일 뿐입니다.

다만 이런 결과를 자신도 모르게 특정 시점 이후 마구마구 분출하는 삶이 있습니다. 1부터 100까지의 모든 숫자의 변화 과정을 알아야 합니다. 어떤 이는 80쯤에서 100이라 주장하고 다른 이는 105에서 100이라 주장하면 이 둘은 그 틈을 알아차리지 못합니다. 전자는 자신의 부족함을 알지 못하고 후자는 자신의 지나침을 알지 못합니다. 그러므로 둘 다 알지 못합니다. 그러나 이 둘이 마음을 열어 1부터 지금에 숫자까지의 과정에 관하여 대화를 한다면 서로 간의 틈을 인식할 수 있으며 이 말은 자신의 위치를 상대방에 비추어 역으로 내 위치를 합리적으로 유추할 수 있음을 의미합니다. 그래서 이들은 조정의 시간을 가질 수 있고 점점 100에 근사해질 수 있습니다. 끝이라 단정하는 것에서는 능력보다 중요한 것이 대화에 임하는 마음의 태도이고 이는 정확성과도 관련이 깊습니다. 그리고 세상을 향한 또는 자신을 향한 100 근사치를 여러개 성취해야 하고 이것이 쌓여야 능숙해집니다. 단, 하나의 우연에 의한 완벽함과 세 가지의 다른 점을 단번에 알아차리고, 그리고 오직 감사함과 소중함이 마음에서 떠나지 않으면, 마음은 평온한 상태에 이르게 됩니다.

나에게 갇혀버린 자신을 탈출시키는 행위는 분노(忿怒)가 아니면 어렵습니다. 100을 찾지 못한 자신에게 분노하고 행위를 정신이 이해하도록 공부하면 1~100까지의 숫자를 놓치지 않고 지금에 위치를 명확히 알 수 있습니다. 자신의 행위를 정신에 객관화시켜서 하나의 사고에 진행으로 두어 다른 것과 언제든 공유할 수 있는 형태를 유지하는 것이 지혜라 생각합니다. 지금에도 수많은 우연이 나를 통해 지나치고 있습니다. 자신의 방법으로 그 우연들을 발견하고 분석하여 모든 우연에 관한 대화를 이어간다면 세상은 흥미진진한 세계가 되고 세상 모두가 연구하는 삶을 산다면 환상적일 것입니다.

현재의 나를 잃어버림으로 인한 차이를 '다름'이라 포장하지 말자! 마음속에 흩어진 말, 말, 말들, 그 잃어버린 조각들은 마음에 상(狀)으로 처리됩니다. 그러나 집착하지 않으면 말, 말, 말들은 사라집니다.

집착에서 벗어나는 일은 공부하는 것입니다. 막연히 불안한 자신의 감정을 소처럼 되뇌는 것이 아니라 세상은 하나의 틀림을, 실수를 인정하지 않고 다름으로 대치하면 기준점은 사라집니다. 그 기준점은 양심이고 진실에 직결됩니다. 기준점에서 벗어나지 않음이 진실함입니다. 진실함은 양심과 대화하는 능동적인 자신을 가리킵니다. 그러니 지금에 위치를 다른 사람과 대화하여 자신을 확인하는 것이 무엇보다 중요하고 모두를 위한 일이기도 합니다.

제5부 더 깊은 동굴로 향하는 사람들

　　사람의 삶에 있어 세계가 확장되는 사람과 이와는 반대로 쇠락(衰
落)하는 사람이 있습니다. 과거 저는 당연히 쇠락하는 쪽의 세계에 속
하는 사람이었습니다. 세상에서 무언가를 발견하는 것은 어둠에서 빛
을 발견한다고 합니다. 저는 반대로 빛에서 어둠을 제거하는 방식으로
세계를 대면했었습니다. 나쁜 것은 모두 잘라버렸습니다. 그런데 가만
히 생각해보면 그 나쁘다는 기준은 누가 준 것인지 한 번도 의심하지
못했습니다. 나쁘다는 것의 정의가 무엇이며 왜 나쁘게 받아들이게 되

었는지 생각조차 해보지 못했던 것입니다. 그래서 외부의 말에 의해 조종당하는 꼭두각시 있었던 것입니다. 한 세계의 몰락은 어둠에서 빛을 찾아야 하는 데 반대로 살았기 때문입니다.

　나쁘다고 정의된 가지들을 모두 잘라 버리면, 삶을 나무에 비유하면 나무는 풍성하지 못하고 결국은 최후의 나무 몸통만 남게 될 것입니다. 그리고 볼품없는 나무는 누군가에 의해서 잘려나가고 세상을 원망하고 탓하는 마음으로 가득 차게 됩니다.

　어린 시절에는 부모님, 선생님, 그리고 주변 사람들이 나를 지켜보며 품고 있는 꿈이 내 큰 그림이었습니다. 이러한 꿈을 바탕으로 포부를 키워왔지만, 현재 사람들은 삶의 큰 목표를 잊고 한 달 동안의 월급을 돌아보며 계획을 세우고 살아가고 있습니다. 어릴 적 꿈들은 사라지고, 현실에서는 꿈은 다가오는 월급날이 됩니다. 이 시간이 점점 줄어들어 결국에는 오늘만 살게 되고, 매일매일 오늘만 살게 되다가 어느 순간에는 "한 시간만이라도 편안히 살고 싶다"라는 말들이 무심결에 나올 수도 있습니다. 그런 불안한 환경은 본인 스스로가 만드는 것이고 이런 삶의 특징은 세계가 좁아지는 것입니다. 이것의 원인은 분별없는 욕심 때문이고 이로 인해 당신의 세계가 쇠락했다는 증거가 됩니다. 복권 판매가 늘어나는 이유는 일주일만 사는 인간들이 가득한 세상이기 때문입니다.

　우리 인간은 금융시스템의 도움으로 돈을 쉽게 빌려 사용할 수 있습니다. 끝없이 빚을 권하는 사회에서 실패하다 보면 그 이자를 갚기 위해서 한 달을 살게 되는 경우가 흔하게 발생합니다. 이번 달만 대금을 맞추면 된다는 것이 한 사람의 인생에서 소망이 오랫동안 지속하면 거의 바닥에 접근한 인생입니다. 빚은 사람을 멀리 보지 못하게 하고 넓은 마음을 갖지 못하게 만들고 욕심에 눌려서 판단이 지독하게도 편향된 시야로 살아가는 사람 될 수밖에 없습니다. 아주 특별한 사람의 경우를 제외하고는 사업에 있어 유용하게 이용하는 경우는 제 경험상 드뭅니다. 빚이 아니라 사업 능력이 돋보여 투자를 받는 것이 이치이며, 투자를 통해 빚이 생기는 것이 옳은 방향입니다. 은행에서 돈을 빌려 빚을 만들면서 인생을 좀먹는 행위는 바람직하지 않습니다.

우선 욕심을 알기 위해서는 사람이 살아가는데 필요한 것들이 무엇인지 알아야 합니다. 현시대의 많은 사람은 과거 부모님의 고충과는 다르게 의식주가 모두 편안합니다. 그러나 우리가 질을 따집니다만 그런지가 얼마 되지 않습니다. 제가 어렸을 때는 잘 먹지 못했습니다. 대다수가 물질적으로 풍족하지 못했습니다. 누님들은 낮에는 돈을 벌면서 밤에는 피곤함을 좇아 공부해야 했으며 집마다 부족함이 늘 있었습니다. 물질의 끝이 어디일까를 생각해보아야 합니다. 사실 저는 나이 40이 되어서 이런 생각을 했습니다. 돈은 노동을 통해서 획득할 수 있습니다. 좋은 물질은 비싸고 이런 물건을 획득하려면 긴 노동시간 필요합니다. 그런데 곰곰이 생각해보면 굳이 그렇게 비싼 물건을 가지려고 소중한 시간을 낭비할 필요는 없습니다. 내가 생각하는 물질의 만족도는 어디까지이고 내가 노동해서 얻어야 하는 가치의 본질이 무엇인지 스스로 판단할 수 있다면 물질과 시간의 중요도에 따라서 물질을 형편에 맞게 선택할 것입니다.

최소한의 의식주로도 충분히 만족할 만한 마음을 갖기를 소망합니다. 그리고 지금에 관심은 물질을 벗어나 그렇게 물질을 추구하면 살았던 과거의 열정에서 내려오는 삶을 선택했습니다. 사람이 태어나서 교육을 받고 인간이 되면 의식주를 해결하고 좀 더 고차원적인 것에 관심을 가지고 애쓰며 점점 더 높은 가치를 추구하는 것이 인간의 또 다른 욕구입니다. 의식주의 차원의 불만족을 이른 시간에 해결하고 더 높은 차원으로 올라가면 그 위의 사람들은 눈에 띄게 줄어듭니다. 인간은 육신의 안정과 마음의 평온 그리고 정신 그 이상의 높은 가치를 추구하는 존재입니다.

산업화 이후 현재 세계에서는 물질(物質)이 최우선이 되었습니다. 이러한 물질적인 양상에 대한 갈망으로 인해 치열한 경쟁이 벌어지고, 불만족이 나타나면서 개개인의 삶을 휩쓸어버리는 현상이 발생했습니다. 불만족은 내면의 불씨와 같아서, 작은 자극에도 쉽게 타오르며 주변에 부정적 기운을 퍼뜨리는 위태로운 심리 상태를 만듭니다. 물질의 취함에 있어서 자신의 분수를 알고 되도록 낮은 수준에서 만족에 이르고, 물질이 아닌 다른 고차원의 영역에서 성취와 만족을 반복해서 달성하며 마지막 차원까지 올라가야 하지 않겠습니까? 죽으면 싸가지도 못하는 돈을 그렇게 죽도록 벌어서 잘 쓰는 것이 삶의 전부는 아닙니다. 돈은 삶에 부수적인 물건일 뿐입니다. 삶의 가치에서 돈은 있어도 그만 없어도 그만인 것이고 잡아둘 수도 없고 흐르는 대로 두는 물과 같습니다. 방 한 칸과 3끼니만 있으면 충분합니다.

1. 인식과 표현 심리 그리고 습관

감각 기관별로 외부정보를 받아들일 때 해석되는 정보의 양은 시각, 청각, 촉각, 후각, 미각의 순서로 차이가 큽니다. 이로 인하여 외부정보의 왜곡 현상은 시각장애, 청각장애, 촉각 장애, 후각장애, 미각장애의 순으로 나타나는 것을 알 수 있습니다. 자신이 받아들이는 외부정보가 사실과 다를 수도 있다는 것도 생각해야 합니다. 이렇게 외부정보가 왜곡(歪曲)되어 인식되는 것을 인지 오류라고 합니다.[32] 이러한 인지 오류는 남자보다는 여자에게 많이 발생합니다. 여자는 감각 정보보다는 감정 정보를 중요하게 인식하기 때문에 남자보다 한 단계를 더 처리함으로써 왜곡될 가능성이 커집니다. 남자는 감각 정보와 느낌 정보에 충실하고, 여자는 느낌 정보에 의한 감정에 충실하기 때문입니다.

인간이 하는 말과 행동과 표정은 무의식으로서 자각되지 않은 표현의 습관이 작용합니다. 즉 의도되지 않은 것입니다. 또한, 이러한 습관을 변화한다는 것은 성격을 바꾸는 것이고, 마음을 변화하는 것입니다. 성격을 바꾸거나 마음을 바꾸려면 습관을 변화해야 합니다. 나는

---

32) 마음이론: 마음이론은 마음유전자(migene)에 의하여 생성되는 마음과 심리가 작용하는 원리를 규명하였습니다.

그냥 편해서 한 말인데, 왜 상대는 내가 한 말 때문에 상처를 입었다고 하는지 모르겠습니다. 분명 우리가 서로 사랑하는 것은 잘 알고 있지만, 남보다 못하게 나에게만 나쁘게 말해서 도저히 말이 통하지 않습니다. 이렇게 말하는 사람이 많습니다. 이러한 현상은 자신은 무의식으로 말했기 때문에 의도한 것이 없는데, 상대는 그 말을 의식으로 받아들여 의도했다고 생각하기 때문입니다.

인식심리가 작용할 때 서로의 의식과 무의식이 다르게 작용하기 때문에 서로 인식되는 것이 다릅니다. 심리를 외부로 표현할 때는 무의식이 작용하고, 심리로 받아들일 때는 의식이 작용하여 인간관계에서 의식과 무의식이 같은 감정으로 작용하면 문제가 없겠지만, 다른 감정으로 작용하면 스트레스와 상처가 발생합니다. 따라서 심리를 인식하는 과정만 정확히 알아도 심리를 분석하는 것은 어렵지 않습니다.

말의 발화는 친밀한 관계일수록 무의식에서 전달되어 받아들입니다. 의식(마음은 아닌데) 수많은 인식의 오류, 스트레스와 감정의 상처 순입니다. 서로의 호칭을 바꾸어 첫 발화를 형님, 아우님, 누님, 친구님 등등 말에 격식을 차리면, 첫마디에 의식이 묻어가게끔 습관을 만들 필요가 있어 보입니다. 대화 청취자의 기분, 감정이 항상 좋을 수는 없는 것입니다. 남자가 스트레스를 받았을 때 무의식이 '화'를 내면서 제거하라고 작용합니다. 여자는 상처의 감정에 대해서 무의식이 '치료'하라고 작용합니다. 그래서 치료하기 위해서 화를 냅니다. 상대에게 표현을 좋지 않게 하려는 것이 아니라 스트레스를 제거하거나 상처를 치료하기 위한 것입니다. 그러나 상대는 이것을 인식할 때 '나에게 화를 냅니다.'라고 생각합니다. 상대는 스트레스를 제거하고 상처를 치료하려고 했기 때문에 상대가 화낸 이유는 알지 못하고 단지 그 사실만 중요하게 생각하게 됩니다.

여자의 마음은 '사랑을 기초로 한 현재의 행복을 추구'하고 미래의 행복은 중요하지 않지만, 남자의 마음은 '열정을 기초로 한 미래의 행복을 추구'하고 현재의 행복은 중요하지 않습니다. 이렇게 여자와 남자의 마음이 행복을 추구하는 목표가 다르므로 남자와 여자의 마음이 다릅니다. 결국, 남자와 여자는 서로 다른 행복을 추구하는 심리의 기준을 갖습니다. 한 남자는 매번 스트레스받으면 폭력을 통해 스트레스에서 벗어나고, 또한 거짓말로 자신을 합리화하면서 벗어납니다.

여자가 '난 앞으로 살아가면서 현재의 행복을 느끼지 못할지도 몰라, 아무리 생각해 봐도 불가능해'라고 생각한다면 매우 고통스럽게 됩니다. 현재의 행복이 무너지면 고통을 느끼게 되는 것입니다. '나는 이제 앞으로 죽는 날까지 행복은 없다고 확신해, 지금 살아서 뭐해, 앞으로 행복할 일이 없는데, 나에게는 죽는 날까지 사랑이란 없어' 등과 같은 말은 매우 고통스러운 말입니다. 남자에게 행복이 무엇이냐고 묻게 되면 "가족이 편안하고 일이 잘되어서 신명 나게 사는 것"이라는 답변이 대부분입니다. 그래서 남자의 행복은 가족이 안정되어 편안한 것, 자신에게 신명 나는 즐거움 느끼는 것, 목표에 대한 성취 등의 3가지를 행복이라고 말합니다. 남자는 긍정 기분을 기억하고 부정 부분을 기억하지 않습니다. 여자에게 행복이 무엇이냐고 질문하면, "자식들이 건강하고 행복하게 살고, 남편의 하는 일이 잘 되고, 사랑받으면서 사는 것이 행복이다."라는 답변이 대부분입니다. 여자는 받는 사랑과 주는 사랑을 통하여 현재의 행복을 추구하기 때문에 미래의 행복보다는 현재의 행복을 중요하게 인식합니다. 또한, 현재의 행복을 갖게 될 때, 비로소 미래의 행복을 추구할 수 있게 됩니다. 이는 부정 감정을 기억하고 긍정감정을 기억하지 않는 것과 밀접한 연관성이 있습니다. 또한, 여자가 부정감정을 기억하는 것은 부정감정에 대한 치료가 필요하기 때문입니다.

감정몰입의 차이는 어떠한 대상에 깊이 파고들거나 빠져드는 것을 말하는데, 남자는 열정(熱情)을 갖고, 여자는 사랑을 갖게 되면서 대상에 집중하는 심리입니다. 대화는 특정한 사건과 문제에 대하여 상호 협력 과정을 통하여 해결하는 과정 또는 서로의 감정을 교류하는 과정입니다. 그래서 대화를 할 때는 의견을 합의(合議)하는 것인지, 감정을 조율(調律)하는 것인지를 명확히 해야 합니다. 대화할 때 의견과 감정이 함께 결합하면, 의견보다는 감정이 우선이 되기 때문에 의견은 별 소용이 없게 됩니다. 특히 부정감정이 개입되면, 의견도 모두 부정되기 때문에 이견을 조율하는 것은 불가능해지면서 대화의 의미가 없으며, 부정감정이 발생하게 되어 인간관계에 나쁜 영향을 주게 됩니다.

남자는 대화를 '문제를 이야기하는 것'으로 인식하여 대화하자는 말을 인식할 때, 부정감정이 발생하면서 마음의 거부방어 기제가 작용합니다. 따라서 남자는 대화를 하자는 말을 스트레스의 부정감정으로 인식합니다. 다만, 남자가 먼저 대화하자고 할 때는 꼭 필요한 경우, 절박한 상황이 된 경우, 어쩔 수 없는 상황이 되었을 때 스트레스의 부정감정에도 불구하고, 반드시 대화해야만 하는 상황이 될 경우입니다. 결국, 어떠한 경우라도 남자에게 대화는 부정기분을 예상하여 스트레스로 작용합니다.

'아내는 결론도 없는 이야기를 계속하기 때문에 제가 지치고 힘든데, 자꾸 대화(對話)하자고 합니다. 미치겠습니다. 결국, 대화하면 또 싸우게 될 것인데, 아내는 계속해서 대화하자고 합니다. 왜 그런지 모르겠어요.' 아내의 대화 요구에 지친 남편이 말합니다. 여자는 대화를 '해결을 위한 이야기'라고 인식하며 대화하는 것을 인식할 때, 문제의 부정감정을 치료하여 긍정감정을 발생하는 마음의 수용 방어기제가 작용합니다. 따라서 여자는 대화하는 것을 문제의 부정감정을 치료하고 문제를 해결하는 긍정감정으로 인식합니다. 다만, 여자가 대화를 거부할 때는 불필요하다고 생각하는 경우, 관심이 없는 경우입니다. 따라서 어떠한 경우라도 여자에게 대화는 긍정감정을 예상하여 문제를 해결하고자 하는 기대감으로 인하여 긍정적으로 작용합니다.

"남편은 제가 대화하자고 하면 표정부터 좋지 않습니다. 대화하자고 한 것일 뿐인데 왜 기분 나쁜 표정을 하죠? 저는 대화하자고 하면 좋은데 왜 남편은 싫어하는지 모르겠습니다. 저를 사랑하지 않으니 그렇겠죠?"라고 아내가 말합니다. 인간관계에서는 감정대립이 발생하는데 원인은 세 가지로 요약할 수 있습니다.

첫 번째는 대화의 인식이 남자와 여자가 다르고, 두 번째는 감정의 기억이 남자와 여자가 다른 감정기억의 오류, 세 번째는 심리의 작용에서 인식은 의식으로 하고 표현은 무의식으로 하는 심리작용의 오류로 발생한 오해와 갈등 때문입니다. 상대는 무의식으로 표현하여 생각을 의도하지 않았지만, 자신이 생각해 볼 때는 분명 표현한 것을 생각으로 느꼈기 때문에 상대가 의도했을 그것으로 생각하고 확신합니다. 자신이 했던 말과 행동과 표정은 무의식으로 하면서 생각하지 않았으니 기억하는 것은 불과 10%도 채 되지 않고, 상대가 했던 말과 행동, 표정은 생각으로 받아들였으니 90% 이상 기억하기 때문에 모든 문제의 원인은 상대에게 있다고 생각하는 것입니다. 이 또한 상대가 의도한 것이 아니지만 상대가 의도했다고 생각합니다. 이러한 인간관계는 사랑하는 사람, 친밀한 사람, 오래된 편안한 사람과의 인간관계라고 할 수 있습니다. 부부관계, 부모·자식 관계, 형제자매 관계, 가족관계, 친한 친구 관계 등과 같이 오래도록 친밀한 관계에 있는 사람들은 대부분 이런 현상이 발생합니다. 따라서 감정대립이 자주 발생할 수밖에 없는 것입니다.

남자는 스트레스의 기본이 작용하기 때문에 다른 중독으로 쉽게 전환됩니다. 여자는 중독이 발생하면 마음 전체를 바꾸는 것과 같아서 한 번 중독이 발생하면 치료가 매우 어렵습니다. 그래서 중독증은 여자에게 매우 치명적인 심리 장애입니다. 남자의 습관은 바꾸는 데 오랜 시간이 걸리지만, 외부에서 보면 한 번에 바뀐 것처럼 보이고, 여자는 단계의 모습이 보입니다.

인간의 본질을 잃는다는 것은 얼마나 공허한 일인가요. 우리는 끊임없이 변화하는 욕망과 이상을 좇아 삶의 의미를 찾아갑니다. 이 여정에서 우리의 인간성을 지키는 것, 그것이야말로 진정한 삶의 과제가 아닐까요

2. 아픔을 외면(外面)하는 사람

　내가 나를 보기가 꺼려질 때, 내가 못나 보여서 나 자신이 나를 도저히 볼 수 없는 순간을 넘어 내 마음속 더 깊게 들어가기를 거부하고 외면합니다. 사람은 밝은 부분을 여러 사람에게 드러내기를 좋아하고 어두운 부분 그리고 빛이 전혀 들지 않은 곳은 감추어야 마음이 편안합니다. 우리는 습관적으로 어두운 부분을 외면하고 두꺼운 외투로 덮어 버려서 본연의 모습을 가리는 것에 익숙합니다. 그래서 자신의 좋은 모습까지도 외투에 가리어져서 마침내 그늘진 자신만이 남아 있게 됩니다. 외투에는 부끄러운 냄새가 가득 배서 항상 인간은 부끄럽게 살아갑니다. 그래서 그의 삶이 매번 부끄럽습니다. 살아 숨 쉬는 것도 밥 먹는 것도 공부하는 것도 모두가 부끄럽습니다. 오랫동안 걸어온 무거운 외투를 벗으면 본인의 모습을 보는 거울에 비친 나가 가장 먼저 부끄럽게 나를 바라볼 것입니다. 이것이 가장 부끄럽습니다. 두렵습니다. 그리고 이것을 극복하기가 쉽지 않습니다.

　따뜻한 마음을 품으면 두껍고 무거운 외투는 더 필요하지 않습니다. 그러기 위해서는 내면에 많은 상처를 스스로 치료하고 다독이는 방법을 알아야 합니다. 자신의 상처는 자신만이 알고 있으며 누가 치료해주기 어렵습니다. 당신의 세계는 당신의 것이기에 당신이 만들어야 합니다. 자신을 볼 줄 알아야 부끄러움이 무엇인지 알게 됩니다. 그 누구도 당신의 부끄러움에 관심이 없으며 스스로 자신을 짓누른 자신의 마음이라는 것을 그때 알게 될 것입니다. 따뜻한 마음으로 자신에 내면에 부끄러움과 대화하며 스스로 따뜻함을 전염시켜서 닫힌 마음을 열어 세상을 향해 등을 돌려야 타인과의 진정한 대화가 시작될 것입니다. 마치, 잠들었던 마음이 깨어나는 순간입니다. 깨어나면 무엇이든 할 수 있답니다. 당신의 인생에 봄이 온 것 같습니다. 그러나 사람은 고통당하면 그 고통을 외면(外面)하는 사람이 많다는 것을 우리는 알고 있습니다.

오래 알고 지낸 후배는 몸에 여러 번의 수술을 했습니다. 그리고 마음에도 과거, 많은 빚에 무게로 오랜 기간 고통을 당해왔었고 앞으로도 그 고통이 언제 끝이 나는지 모르는 상황이었습니다. 그래도 후배는 바뀌지 않았습니다. 대학 시절 행복했던 추억을 이야기하며 후배의 정신과 관심은 그때에서 성장이 멈춰 버렸고 과거로의 끝없는 회귀(回歸)와 나이에 맞지 않은 환상(喚想)과 이상으로 가득차 있으며 현실은 정말 외면하지 못해 죽고 싶은 상황인데도 말입니다.

사업의 꿈은 도박의 유혹에 휘말려 무너졌고, 남은 것은 무거운 빚뿐이었습니다. 한때의 실수가 15년이라는 긴 그림자를 드리웠습니다. 시간은 흘렀지만 과거의 짐은 여전히 어깨를 누르고 있습니다. 이제는 이 오래된 과오와 마주할 때입니다. 해결의 길은 멀고 힘할지 모르나, 첫 걸음을 내딛는 용기가 필요합니다. 과거에서 배우고, 현재를 직시하며, 미래를 향해 나아갈 때입니다. 사람은 어려움 즉, 신체적 고통, 정신적 고통을 당하면 변하게 되어있습니다. 나쁘게던, 좋게던 말입니다. 그러나 대부분은 나쁘게 변합니다. 그래서 눈동자가 흐릿해지고 자꾸만 정신이 부패합니다. 마침내 그 사람에게선 배울 것이 하나도 없이 집니다. 타락하고 바닥까지 갔었는데도, 쉽게 말해서 '가장 바닥에서 더 떨어질 때도 없다' 싶었는데 앞으로 올라갈 것만 남았을 것 같았는데, 후배는 오랫동안 바닥에서 벗어나질 못합니다.

배우지 않으니 자신의 위치를 모르고 벗어날 필요성을 느끼지 못하는 것입니다. 정신은 온통 향락과 돈으로 가득차 있으며 끊임없이 먹고 마시고 해서 몸은 통통 불어 있습니다. 돼지가 되는 것은 모든 것을 놓아버리고 철저히 자신을 외면하면 그런 상태가 됩니다. 또한, 후배는 40대에 어깨 근육이 다 파열되도록 몸을 지키지 못했습니다. 어깨 근육 파열은 보통 60대에게 많이 찾아오는 질환입니다. 마음, 정신, 육신 모두 온전한 것이 없습니다.

'변신(變身)'에서 말하는 바퀴벌레처럼 그렇게 되었습니다. 주위에서도 따뜻한 마음을 갖고 그를 보는 사람도 언제부터인지 몰라도 모두 사라지고 없습니다. 가장 바닥이면 배우기 가장 좋은 시점입니다. 자신을 돌아보고 점검하면 다시 배울 수 있으나 자꾸 술로 자신을 외면합니다. 벌써 여러 해가 지났습니다.[33)]

"공자가 같은 실수로 여러 번 매를 맞고도 깨닫지 못하면 방법이 없습니다."라고 했습니다.

저는 그의 오래된 지인으로 너무나도 편해서 '충격값'을 그에게 전해줄 수 없습니다. 그에게 필요한 것은 깨침을 줄 수 있는 스승일 것입니다.

3. 투자일까 혹은 투기일까!
인생이 투자일까 혹은 투기일까!

인생이라는 줄 위에서 균형을 잃지 않는 것, 그것이 우리의 과제입니다. 설령 흔들리더라도, 한 발로 다시 일어설 수 있는 회복력이 필요합니다. 이는 일상의 작은 순간들 속에서 꾸준히 단련되는 기술입니다. 흔들리는 줄 위에서도 중심을 잃지 않는 평정심, 그것이 우리를 지탱하는 힘이 됩니다. 삶의 균형을 유지하는 것, 그리고 넘어져도 다시 일어서는 것, 이것이 우리가 매일 연습해야 할 진정한 줄타기의 기술입니다. 이런 마음은 완벽함을 추구하지 않아도 되기 때문에 어려운 순간에도 쉽게 원래의 자리로, 상태로 돌아갈 수 있습니다.

저는 부모님의 '하지 말란' 말을 수도 없이 듣고 자라서 무엇을 해야 할지 모르는 인간이었으며 마음에 드는 것을 본능에 이끌려 따르다 보니, 한정되고 편향된 결과가 나왔습니다. 성장과 함께 혈연을 벗어났으나 진정한 소통이 그 누구와도 없었다는 것입니다. 혈연과의 소통은 대부분 일방적인 경우가 허다합니다. 그 구속을 벗어나 나만의 욕망에 따라 돈을 좇았다는 것입니다. 인간은 반드시 학습하면서 동시

---

33) 변신: 프란츠 카프카, 어느 날 아침 그레고르는 잠자가 편치 않은 꿈에서 깨어났을 때 그는 자신이 침대 속에서 한 마리의 엄청나게 큰 갑충으로 변해 있다는 걸 깨달았습니다.

에 성장하며, 공감대를 주제로 토론하고 생각할 수 있는 친구가 꼭 필요합니다. 이러한 연습은 아마도 많은 이들에게 낯설게 느껴질 것입니다. 소통이 아닌 학문과 학습은 이 세상에 존재하지 않습니다.

소통의 본질을 이해하는 것이야말로 이 시대가 요구하는 핵심 가치이자 평생의 학습 과제입니다. 진정한 소통은 평정심에서 비롯되며, 이는 마음을 열고 중심을 잡는 능력과 맞닿아 있습니다. 우리는 성경이나 불경과 같은 종교 텍스트도 한 편의 문학작품처럼 열린 마음으로 대해야 합니다. 그러면서도 동시에 특정 사상에 매몰되어 편협해지는 것을 경계해야 합니다. 인간의 본질은 다양성과 변화에 있기 때문입니다. 이를 잃으면 우리는 타인의 의지에 휘둘리는 수동적 존재로 전락하고, 탐욕의 노예가 되기 쉽습니다.

편견은 소통의 장벽을 높이는 주된 원인이 됩니다. 따라서 우리는 끊임없이 평정심을 유지하기 위해 노력해야 합니다. 이는 단순한 마음의 상태가 아닌, 지속적인 연습과 성찰을 필요로 하는 삶의 태도입니다. 결국, 진정한 소통 능력은 다양성을 인정하고, 변화를 수용하며, 편견에서 벗어나 평정심을 유지하는 데서 시작된다. 자신의 마음이 어느 한쪽으로 기우는 순간 세상은 달리 보이기 때문입니다. 일시적인 감정으로 욕망에 휩싸여 미래의 유용한 것들을 알지 못한다면 얼마나 안타까운 일인가요? 미래의 직관에 영역에서 크게 달라지지 않습니다. 즉, 꾸준한 행동이 수반되면, 직관은 확신으로 바뀌고 행동은 결과를 가져오게 됩니다. 이것도 역시 평정심이 있을 때 가능합니다.

또한, 평정심의 중심에는 공처럼 둥근 의식을 크게 크게 만드는 것뿐만이 아니라 회복 탄력성도 함께 증가시키는 것입니다. 특출한 자신의 능력치는 일부 특수분야에서 극히 적은 확률로 사용됩니다. 반면, 공은 튀어 오릅니다. 그리고 그 공을 오래 가지고 놀면 공의 방향과 힘의 크기를 조절할 수 있습니다. 평정심을 유지하며 연습하는 것과 그렇지 못한 것은 엄청난 차이를 만들어내며 인간만이 가질 수 있습니다. 욕망이나 습관적인 행동을 벗어나 존재가 주인일 때 가질 수 있습니다. 인간이 된 이후 공을 크게 만들고 꾸준히 가지고 연습하면 의식은 확장됩니다. 편협한 마음은 기울어진 세상에서 아무리 탈출하려고 해도 탐욕에서 벗어나지 못합니다. 편애하는 마음은 항상 반대편을 만들기 때문입니다.

깨친다는 것을 크고 어렵게 생각하는데 누군가의 말과 책을 듣고 읽고 마음에 받아들일 준비가 된 상태가 깨친 것의 초시입니다. 편향된 태도를 버리고 오뚝이처럼 중심을 딱, 잡아서 듣고 읽을 수 있는 치우침이 없는 상태를 만들 줄 아는 것이 깨친 것이고 이것을 좀 더 확대해서 생활 전반에 녹여서 행동화하는 것이 수행일 뿐입니다.

새벽 일찍 경주로 향했습니다. 팔공산 뒷길을 넘을 때 짙은 안개를 만났습니다. 안개가 몸에 부딪혀 눈앞이 흐려졌습니다. 일교차가 큰 산길에서 만나는 안개는 도로를 완전히 덮고 있었습니다. 구름이 깔린 듯한 산길 국도를 달려 경주 큰아버지가 계신 그 오래된 과수원에 도착하였습니다. 친지들이 하나둘 모였고 여기저기 흩어져 있는 묘지를 찾아 벌초하였습니다. 뜨거운 태양 아래, 매콤한 예초기 배기가스 냄새와 기계음이 멈추고, 헐떡이는 호흡이 내쉬며 땀과 풀 냄새가 범벅이 되었을 때 달콤한 얼음냉수를 앉아서 들이키니 저 멀리 시야를 둘 수 있는 여유가 생겼습니다. 이곳은 '산내'라는 곳이고 숲이 우거진 오지중 오지입니다. 가만히 앉아 저 멀리 보이는 반대편 묘지! 그사이에 봉우리가 보이지 않고 작은 비석 몇 개에 입구에 큰 비석 하나가 보였습니다. 경주시에서 권장하는 가족묘지 혹은 문중묘지로 변경한 것입니다. 여기저기 묘들이 흩어져 있는 우리 가문의 것과 비교되었습니다. 가장 넓고 진입이 쉬운 묘지가 있는 땅에 묘지 산봉우리를 평탄화하여 문중 묘, 가족묘를 변경하는 것이 옳습니다. 보기도 좋고 관리도 편하고 무엇보다 사람들의 관계가 나무의 **뿌리**와 가지들처럼 한 눈으로 볼 수 있습니다. 문중의 **뿌리**를 찾아서 하나로 모으고 먼저 살다간 나에게 유전자를 남겨주신 분들을 찾고 그 유전자를 공유하는 사람들과 사이좋게 지내는 것은 좋은 일임이 틀림없습니다. 우리는 근시안적으로 부모만 볼뿐이고 부모의 부모는 크게 관심이 없어 보입니다. 그래서 산속에는 버려진 묘들이 많이 있습니다.

멀리서 잘 보이는 묘들은 배산임수를 찾아 평지와 능선을 죽은 이의 그늘로 가득 채웠습니다. 거대한 비석들이 누구의 묘라 자태를 뽐내고 있습니다. 그 비석에 적힌 한자 이름들을 모두 읽을 수 있는 이는 또한 몇 명이나 있을까요? 살아계실 때 그들의 삶을 반이라도 살폈으면 합니다. 그러는 와중에 전원생활을 위한 전원주택은 또 웬 말인가요? 묘지를 바라보는 건물들이 예전보다 많이 보입니다. 사방팔방 묘지인데 집을 지어 산속으로 들어온 사람들을 이해하기 힘듭니다.

오늘 벌초를 하다가 정신승리가 생각났습니다.
아Q, 정신승리![34)

누가 묘지를 잘 가꾸어 어떤 이에게 잘 보여야 하나! 생각 없이 해오던 것이니 그냥 관습을 유지하는 것이 대부분 사람의 생각일 것입니다. 일본강점기 화장을 피해서 야밤에 시신을 지게에 지고 높고 깊은 산에 들어가 매장하여 온통 산이 묘지가 되고 말았습니다. 생각 없이 흔적을 남기려던 후손들의 무지로 인해 미신과 관습들이 산을 온통 묘지로 만들어 버렸습니다. 더욱 큰 문제는 큰아버지가 돌아가시면 우리 대에서 벌초도 끝이 납니다. 참여할 사람이 없습니다.

벌초라는 행사가 젊은 친구들에게 공감대가 형성되지 못했습니다. 경주에서 태어나 대구로 이사를 하였지만, 대도시에서 태어난 그 후세들은 유전자의 관계들이 선진교육이라는 이름으로 대부분 단절되었습니다. 유년기에 같이 놀아야 정이 싹 트여 모일 것인데 연결 고리가 산업화로 인하여 철저히 차단되고 말았습니다. 일 년에 한두 번 보아

---

34) 아큐정전: 중국 작가 루쉰(魯迅)이 1921년에 쓴 근대 소설, 청나라판 하층 인생. 주인공 아Q는 당시 중국인들의 패배 근성, 노예 근성을 대표하는 인물입니다. 루쉰이 중국 인민들을 계몽하기 위해 쓴 작품입니다. 청 말에 서구 열강에게 쥐어터지면서도 천조라는 타이틀을 고집하며 근대화를 거부, 중체서용이니 동도서기니 하는 허구성을 비판한 작품입니다.

무슨 정이 생기겠는가요? 모두 의미 없는 정신승리입니다. 그 정신승리를 하고자 온 산을 들쑤셔놓습니다. '모두 사람들의 욕심입니다.' 누구누구네 가문, 집안을 보여주기 위한 허세(虛勢)의 대표적인 정신승리의 대표가 아닐까 합니다. 이처럼 꼬여버린 연결 고리는 자본화가 되면서 누구에게도 의문을 품지 못하게 하였습니다. 말없이 소처럼 열심인 사람들만 원합니다. 이것은 나이 드신 분들의 이기심이고 그들의 정신승리인 것입니다. 저 멀리 정리된 가족묘를 보면서 뿌리와 가지를 실물로 남기고 이름 석 자라도 비석에 새기려면 가족묘지가 좋은 방안임이 틀림없는 일입니다.

묘지를 남에게 잘 보여 무엇을 할 것인가요? 죽은 이의 모습을 타인에게 보이지 않게 하는 것은 모두를 위한 배려입니다. 고작 잘해야 80년 가꾸고 400년을 버려질 것들에 온갖 집착입니다. 고인들의 이름을 불러보고 무엇을 했고, 무엇을 좋아했고, 생각은 어떠했으며….

기억할 것들이 많아야 합니다. 실상은 반대입니다. 살아계실 때 정성을 다하고 돌아가시면 온전히 자연으로 편히 돌려보내야 함을 알아야 합니다. 더 큰 묘지와 더 큰 비석은 살아 있는 사람의 정신승리 수단입니다. 이왕 벌초란 것을 추석 전에 할 것이면 합리적으로 모두가 동참할 수 있는 대화의 장으로 만들어야 할 것입니다. 마치, 벌초가 캠핑처럼 기다려지는 일정이 되도록 그 과제는 지금 산에 오르는 사람들에게 있어 크나큰 인식의 전환이 필요한 시점입니다. 기계 소리 요란한 전투 같은 벌초는 이 시대에 의미가 전혀 없습니다. 조선 시대 5% 미만의 원본 양반들이 하던 묘를 만들고 봉분을 세우는 일이 조선 말기가 되어 양반이 70%가 넘었습니다. 그 후 일본강점기, 6. 25를 겪은 우리가 매장해서 예를 갖춘다는 그 일련의 모든 과정을 다시 생각해 봐야 합니다. 산들이 온통 무덤뿐입니다. 허세와 정신승리가 만난 것뿐입니다.

그런 정신들은 변화하지 못하는 나이가 많이 드신 분들이 주류이나 젊은이들도 자유롭지 못하면 매한가지 이거나 더할 뿐입니다. 젊은 이들의 참석이 없는 이유를 다시 생각해 봐야만 합니다. 고인은 자연으로 가능한 한 빨리 돌아갈 때 그들의 영혼이 있다면 자유로워질 것입니다.

4. 인생을 반 이상 살았을 때 만연한 생각들

내 나이쯤에 만연한 사고 패턴과 익숙한 생각들은 가족, 직장 지키기 위해 끝없는 타협(妥協)을 이어나갑니다. 내 나이쯤에는 그들에게도 분명 전성기가 훨씬 지나 쇠락했습니다. 그러다 종점에 다다르고 더는 움직임이 없는 안정이 영원히 지속하길 바랍니다. 사람은 결혼과 직업은 변하지 않기를 바랍니다. 나와 모두가 변화하지 못하게 눈에 힘주어 강요합니다. 그래서 변화하지 못합니다.

결혼하고 정규직이라면 이 말들을 이해하지 못할 수도 있겠습니다. 세상의 관계에서 아주 크게 두 가지에 묶여 있습니다. 오랜 시간 묶여 있으면 길듭니다. 그래서 때가 지나가게 되고 그것들을 수정하려고 노력하지만, 헛수고입니다. 그래서 변화하지 못합니다. 안정을 바라는 것에서 나오는 것이므로, 관계가 좋은 쪽으로 변화할 수 없습니다. 머릿속에 생각이 물처럼 흐르지 못하고 연못처럼 고요하다면 때가 되면 큰비가 와서 범람하고 물천지가 되고 맙니다 그 수면의 높이와 경계를 알 수도 없게 됩니다.

변화하자! 계몽시대는 끝이 났습니다.

무언가를 단순히 알고 있는 것이 중요한 것이 아니라 그것들을 넘어서는 것이 더욱 중요한 시대입니다. 그래서 넓은 시야와 사고가 필요합니다. 우선 시대 흐름을 읽어야 합니다. 그래야 나의 태도를 알맞게 변화시킬 수 있습니다. 막연한 변화는 생각에 그치고 맙니다. 과거 쓴 인내를 너무 많이 먹어서 그놈의 보상 심리에서 도무지 벗어나지 못합니다. 그 열매 언제까지 핥고 빨 것인가! 모두 탐욕에 가득 차 눈이 뻘겋습니다. 지금은 쓴 열매를 많이 먹으면 끝도 씁니다.

아카데미의 본질을 생각해 본 적 있는가요? 그 기원은 고대 그리스의 올리브 나무 그늘 아래로 거슬러 올라갑니다. 그곳에서 사상가들은 모여 생각의 씨앗을 뿌리고 지혜의 꽃을 피웠습니다. 이는 단순한 귀족들의 한가로운 담화가 아니었습니다. 그들의 대화는 인간과 세상에 대한 깊은 통찰로 가득했습니다. 철학, 윤리, 정치, 예술을 아우르는 이 지적 교류는 문명의 근간을 형성했습니다. 그렇다면 왜 이 고귀한 전통이 대중화되었을까요? 지식과 사상의 힘을 깨달았기 때문입니다. 모든 이에게 열린 생각의 장을 만듦으로써, 사회는 더 풍요롭고 정의로워질 수 있다는 믿음이 있었습니다. 아카데미의 정신은 특권층의 전유물이 아닌, 인류 공동의 유산이 되어야 합니다. 이는 단순한 교육 기관을 넘어, 자유로운 사상의 교류와 인간 정신의 고양을 위한 장입니다.

문화를 창조해 나가는 것입니다.
그 중심이 바로 학교이고 그곳에 있는 학생들에게 여유가 있어야 합니다.

이 또한 우리 때와는 달라야 하고 지금에 우리도 달라져야 합니다. 우리 아이들에게 시간을 한정하며 급하게 닦달할 필요가 없습니다. 그들은 더 급변하는 세상에 살아야 할 것이기에 변하지 않는 것들을 스스로 알아가야 합니다. 그러나 우리는 모릅니다. 그러기에 어떤 대상을 향한 목표가 없는 것이어야만 합니다. 무엇을 하고, 무엇이 되는 것이 중요한 것이 아니라 평생을 배워야 하는 원리를 스스로 깨닫게 해주는 그곳이 되어야 합니다. 스스로 생각 놀이를 즐기려면, 그 사람에게 여유를 주어야 합니다. 처음에는 게을러지고 그러겠지만 그 게으름도 한계가 있지 않은가요, 언젠가 반드시 스스로 행동하게 되어 있습니다. 기다려 주고 여유를 주어야 합니다.

믿음을 주어야 합니다.
학생들이 즐겁게 놀면서 그 놀이에 참여하고 따르다 보면
알아서 무언가를 배우게 될 것이고 발견할 것입니다.

하나의 결의가 생기면 열심히 노력할 것입니다. 스스로 발견한 것을 자연스럽게 따르게 될 것이 분명합니다. 그래서 사람은 자유롭게 담화(談話)를 나누어야 합니다. 교류는 새로운 문화를 형성할 것입니다. 단 한 번의 호기심으로부터 성취를 얻고 그 과정에서 깊은 의미를 발견할 수 있다면 스스로 발전하는 사람이 된 것입니다. 이 미약한 첫 성취를 이루는 시간을 기다려 주지 못합니다. 스스로 사고하지 못하는 사람들이 자꾸 되어갑니다. 마른 가지 위에 까마귀가 되는 방법에는 두 가지가 있습니다.

내가 여유(餘裕)가 없는 것은
자본에 노예가 되어서 자녀들에게까지 여유가 전달되지 못합니다.
까마귀로부터 스스로 떨어져 나오는 것!

깨끗한 공간과 여유 그리고 사람들, 배움이 있는 곳은 있습니다. 언제까지 여유 없다 할 거니! 여유가 없으니 다른 사람의 말이 들리지 않습니다. 배움에 때가 있을까요? 여유는 마른 가지 위에 앉으면 생깁니다. 그 가지 위에서 무엇을 할 것인가가 중요합니다. 그리고 스스로 날아서 마른 가지에 앉아라! 강제로 어려울 때 홀로 앉지 말고….

5. 성악설(性惡說)

학교에서 직업을 찾으러 밖으로 나오면서 다른 세계에 대한 최초의 타협이 시작됩니다. 이 타협으로 사람 마음은 거대한 능구렁이가 되기 시작합니다. 그리고 그 그림자 아래 아주 조그마한 구렁이가 된 인간은 게으르고 악하고 모집니다. 스스로 성장하지 못하면 반드시 '악'하게 될 수밖에 없는 존재입니다. 그래서 성장하지 못하면 '죄'가 되고 맙니다. 과거 반강제적인 공부를 할 수밖에 없었던 우리는 해방과 전환에 대한 보상 심리로 가득 차 있습니다. 내가 본 평범한 인간은 이 범위에서 벗어나지 못합니다. 그래서 그 이후에는 어떠한 노력도 없습니다. 다른 것은 다 사라지고 탐욕을 향한 노력만이 예전보다 더합니다. 그래서 삶이 고달픕니다. 질서를 지키는 것과 탐욕을 부추겨 줄 세우는 것과는 다릅니다.

인간은 스스로 과제를 발견하여 그것에 몰두하고 있지 않으면 악하게 됩니다. 악하게, 독하게, 억척같이! 착실, 성실 이면에는 거대한 악함이 포함되어 있습니다. 여기에 배움으로 악함의 분노를 풀어주어야 하나 대부분 마음에 이르는 깊은 배움이 없어 악함이 깊어집니다. 그래서 의식의 크기는 소멸되고 좁은 마음과 좁은 마음보다 커버린 탐욕만 남은 인간이 됩니다. 축소된 인간은 타협이 없습니다. 선택이 없습니다. 이성을 사용할 여력이 사라집니다. 그래서 세상을 향한 마음이 악해집니다. 가만히 보면 게을러 자신의 의식이 소멸한 것입니다. 그리하여 상대적으로 탐욕이 크게 보이는 것뿐입니다. 내 마음이 탐욕과 구별되지 않을 때, 그 탐욕을 지키려고 노력하는 사람도 많습니다. 과거에는 탐욕은 한 인간에게 있어 의식의 작은 부분이었습니다. 그럼 왜? 의식이 소멸로 접어들고 오그라들었을까요? 인내하면서 무언가를 배운 보상 심리 때문에, 누리려고만 했기 때문입니다. 학교를 졸업하고 동시에 배움으로부터 영원히 졸업한 것이 죄입니다. 이는 곧, 신선함이 없으면 썩는 것과 같습니다. 수년이 흐르면 바닥에 내려앉으며 몸이 부패합니다. 그때쯤에서야 생각에 잠깁니다. 삶이 꿈꾸어 온 것과 너무나 다릅니다. "왜 그럴까요?"라고 질문을 던집니다. 무엇을 위한 분노였을까요?

의문에 답하지 못하는 인간은 모든 동적인 움직임을 감시합니다. 그리고 불을 끕니다. 고요합니다. 분노가 사라졌습니다. 드디어 무언가를 생각할 시간을 갖게 된 것일까요? 몸은 썩고 씨앗들이 남았습니다. 영혼은 남아있고, 씨앗들이 있고, 썩은 몸을 흡수한 마음이 있습니다. 과거의 실수는 다시 하지 않겠다 결의하고 다시 마음에 씨앗을 심습니다. 배우고 의식을 확장하고 탐욕으로부터 게을러지는 나 자신을 회복합니다. 세상의 순조로움을 받아들이고 그것에 대한 창조를 꿈꾸어봅니다. 모두에게 이롭지 않으면 하지 않음입니다. 그리고 이 서점부터 개인의 역사는 성선설로 쓰입니다. 이 과정이 없으면 인간은 악(惡)합니다. 그래서 자신의 위치 즉, 분수를 알지 못합니다.

교만함을 중화시키는 것은 배움을 행하는 것입니다.
그러나 썩은 사과를 계속 생산하는 나무는 베어버려라!

이것이 세상의 질서입니다. 그것을 살리기 위한 개인의 노력이 모두에게 이롭지 못합니다. 그것이 대다수를 지정하지 않은 악이나 지금 이 시대에 만연한 악의 보편성입니다. 세상을 향한 투쟁 이전에 그 길을 물어보아야 할 것입니다.

나는 언제부터인지 몰라도 '인간은 선합니다.'라는 가정을 믿기보단 인간은 '악하다'고 확신하게 되었습니다. 그 이유는 실패와 좌절은 인간에게 있는 타인에 대한 공감의 근원이고 어두운 쪽에서 싹 틔우기 때문입니다. 다수의 성공과 승리에 익숙한 사람은 반대편에 있는 사람을 공감하고 동정하기는 어려우나 반면에 '못된 이'가 다시 노력하여 그 위치가 바뀌면 충분히 공감할 수 있고, 설사 잘되는 일이 없더라도 최악의 것을 방지할 수 있기에 나는 이런 주장을 하고 싶어졌습니다. 실패와 좌절은 잘됨과 일어남을 끊임없이 부추깁니다. 그러나 연속적인 성공은 더 높은 고귀함(타인을 끌어내리는 힘)을 갈망합니다. 그래서 다분히 동정, 공감과는 멀어지게 됩니다. 그러나 우리는 대부분 시간을 무언가에 노력하지만, 대다수는 실패와 접하게 되고 다시 일어섭니다.

인간은 실패와 좌절에서 역으로 성공의 기쁨을 상상하고 꿈꾸며 그런 이들을 공감하는 법을 배웁니다. 성공이 많은 사람은 이 세상에 극히 드물고 대부분 실패에서 배우는 것이 큽니다. 밖으로 드러난 성공 신화를 좇다 보니 과장되고 확대하여 해석된 것뿐입니다. 실제 개인의 삶은 극소수의 성공이 있을 뿐입니다. 흔하지 않은 소중한 성공을 이루기 위해 집중하는 시간이 귀한 것이며, 이 과정에서 사람의 만남이 진실합니다. 대중은 성공을 흔하게 입에 달고 살아서 공감하지 못합니다. 성공은 경쟁에서 얻는 것이라는 생각이 흔해진 사회가 아닌가요? 실패와 좌절은 그 기분과 감정을 충만하고도 오래 느끼게 해주어 인간은 숙고, 반성이 욕망과 갈망을 초월하게 만듭니다. 그래서 '악'에서 좋지 못한 것에서 진실한 선을, 절대적인 선을 발견하는 것입니다. 절대 하지 말아야 할 것을 뼈에 새기는 것과 해야 할 것을 머릿속에 넣는 것의 차이입니다. 절대 하지 말아야 할 것들을 정리하면, 역으로 할 것들이 많아집니다. 할까 말까 망설임 없이 주관이 뚜렷해집니다. 이 말은 진실함에 가깝다는 것을 의미합니다. 이런 방식의 태도가 형성된 것은 인간은 모든 면에서 완벽한 존재가 아니기에 순전히 악을 새김으로써 인생의 오점을 예방할 수 있기 때문입니다.

'선은 모호하고 흐리나, 악은 분명합니다.'
복잡한 세상을 간결하고 명확히 살려면 어느 시점에는 결단이 서야 합니다.

단테는 지옥에 가기 전에 천국에 갈 것이라 믿었을 것입니다. 우리 대부분도 이와 다르지 않습니다. '법 없이도 살고 모두 선합니다.' 자랑하지 않던가요! 그리고 가끔, 이것을 양심에서 잘 반영하여 밖으로 표식 됩니다. 그러나 막상 때가 된 순간에는 이것들이 벗어납니다. 불완전한 존재의 인정보다 자신을 더 신뢰하는 교만한 동물이기 때문입니다. 이로써 악은 분명해지고 우리와 가까운 것입니다. '스미골[35)'이 늘 당신과 함께하는 것입니다. 이번에는 스미골을 미장원에 보내어서 몇 가닥 없는 머리카락을 따뜻이 만져줍시다. 인간의 폭발적인 가능성에 대한 힘의 원천은 스미골에게 있고 '나'는 중재자일 뿐입니다.
가지지 못한 자의 원한과 분노로 세상을 삐딱하게 살아가면 인간

---

35) 스미골: 골룸은 원래 글래든 필드에 살던 호빗과 유사한 종족이며, 이름은 '스메아골'이었습니다. 하지만 한 숲에서 낚시를 하던 도중 친구 데이골이 '절대 반지'를 찾으면서 데이골의 목을 졸라 죽이고 500년간 절대 반지를 갖고 있었습니다. 절대 반지를 끼자 사람들이 자신을 보지 못하는 것을 알게 되자 그것으로 악한 일을 하게 됩니다.

의 본질에서 멀어지게 됩니다. 이러한 감정에 억눌린 개인의 삶도 순조롭지 못하게 됩니다. 고귀한 삶은 원한을 품는 데에 그치는 것이 아니라, 오히려 그 원한을 풀어내는 과정에서 실현됩니다. 세상에서 이루지 못한 것들에 대한 깊은 후회는 우리를 기억의 저편에 있는 미완성 감정을 일깨우며, 이 자극은 우리의 의욕을 격렬하게 자극하여 최종적으로는 내면의 거부감을 넘어 원한으로 나타납니다.

인간은 실패가 많기에 원한은 쌓여만 갑니다. 그러나 그런 원한의 힘을 이용하여 세상을 살아가면 바른길과는 전혀 다른 길이 됩니다. 그러하기에 그 원한이 깊게 자리 잡기 전에 마음을 읽어봅시다. 세상은 큰 보편성에 가려져서 보이지 않는다고 하여 여기저기 붙어가며 각자가 모두 다르다고 주장하지만, 이것을 어디까지 정당화할 것인지에 대한 의문이 생깁니다. 더구나, 이러한 주장 또한 모순적인 말이며, 인간이 가져야 할 길을 명확하게 알고 있다면 이러한 주장들은 분명히 잘못된 것입니다. 인간이 가야 할 자신의 운명(運命)은 분명히 있습니다. 다만 당신이 그것을 알지 못했을 뿐, 분명히 길은 존재합니다. 당신이 모른다고 모두에게 흐리게 말하는 것 또한 원한에서 흘러나온 말들입니다.

세상에 양들은 이리저리 몰려다닙니다. 그러다가 그들만의 무리를 이룹니다. 양들의 털이 풍성해지면 인간에 의해 털이 깎이고 몸이 가벼워집니다. 만약, 양이 길을 잃어서 사람에게서 멀어지면 털의 무게가 자신을 능가하고 몸을 짓누를 것입니다. 그리하여 아무것도 할 수 없는 존재가 될 것입니다. 양이 길들어지듯 인간도 마찬가지로 구속된 상태로 천천히 변화될 것입니다. 무리에서 떨어진 불안한 마음에서 원한(怨恨)은 출발하기도 합니다.

누군가는 죽을 만큼 노력을 기울였음에도 결국 깨끗하게 포기하고 물러나면 앙심이 생기지 않을 것입니다. 그러나 대다수 사람은 죽을 만한 상황에 접근하기 전에 불안한 감정에 휘둘리며, 어려운 처지에서도 강함을 유지해야 할 때에도 쉽게 약해지며, 일상적인 소리에 마음을 빼앗겨 깊은 앙심을 남기기 마련입니다. 죽을 만큼의 노력을 선택하고 이루어 본 경험이 없는 사람들은 특히, 다름을 선택하는 것을 별남으로 가장하여 앙심을 품는다고 생각합니다. 그리고, 그 깊은 앙심을 어떻게 풀어내느냐? 이것이 그 사람의 성향입니다. 정말 속이 악하고 비뚤어져서 원한만 남은 사람은 죽을 만큼에 순수한 도전을 선택하지 않습니다. 그래서 그 운명에 굴레를 벗어나지 못합니다. 길은 분명히 있고, 지금은 외면할 수 있으나 끝까지 그럴 수는 없습니다.

안개는 사라지기 마련이고, 길은 나타날 것이고, 그들이 외면해도 길은 나타납니다. 다만, 그들은 마음의 길을 찾아 걷고 있지 않을 뿐입니다. 그들은 언젠간 큰길로 올 것입니다. 하지만, 시간이 오래 걸리겠지만 틀리는 문제를 매번 틀리듯이 몸에 밴 나쁜 버릇을 명확히 인식하지 못해서 그 잘못을 고치지 못하는 데 있습니다. 깨달아야 똑같은 잘못을 고칠 수 있으나 이것이 어렵습니다. 편하다고 해서 쉽게 움직이는 것이 바른 것은 아닙니다. 그래서 어릴 적 한번 이탈한 나쁜 익숙함은 쉽게 고칠 수 없습니다. 더욱 강한 의지 이상의 것이 정신과 혼에 연결되기 전에는 말입니다. 정신적인 부분에서는 옳고 건전한 가치관을 기르고, 몸에 익은데 불편한 측면을 노력으로 최소화하는 것이 학습의 핵심입니다. 옳고 건전한 가치를 기르고 몸에 익은 불편함 중 어느 측면에 중점을 둘지는 개인의 성향이 결정하며, 이는 그 사람의 태도가 외부에 드러나게 됩니다.

몸에 익은 나쁜 것을 발견하여 확인하고 고뇌를 통해 이것을 수정하여 즐거움에 다다르고 변천하는 과정은 정신이 고결해지는 것은 물론이며 마음에도 큰 평화가 찾아옵니다. 이처럼 끊임없이 아랫물을 끌어 윗물을 댈 적에 나란 존재가 맑아지는 것입니다. 이 모든 과정을 단계별로 나누고 철저한 인식을 통해 제어가 가능할 때 절차와 순서가 나타납니다. 그래서 현실에서 지속적인 노력을 투여할 수 있게 합니다. 바른 것은 키우고 몸에 익었지만 불편한 것을 줄이려는 의지는 존재의 측면에서도 자연스러운 변천뿐입니다. 이것이 나이든 자신에게 스스로가 던지는 질문이라 생각합니다. 그러나 물은 고여있으면 썩고, 인간은 멈춰있으면 지키려고 때 고집을 부립니다. 인간은 앞으로 나가지 못하면 그 사람과 연관된 모든 사람에게 몸에 익었지만 불편한 것을 권하게 되어 운명의 무게가 후자를 지지하게 되고 틀리는 문제를 매번 틀리는 것입니다. 그래서 점수가 오르지 못합니다. 지속적인 실패는 관찰의 부족! 즉, 현상을 정밀히 살피지 못함에 있고 마음이 천방지축이라 온순하지 못함이 큰 원인입니다.

돈오점수! 나는 뜻밖의 행운으로 단박에 깨쳤지만, 이후의 수행방법을 찾기가 녹록지 않다는 것을 몰랐습니다. 멀리는 보고 있으나 발 아래의 움직임이 정교하지 못함이 안타까울 뿐입니다. 다시, 큰 호흡 한 번에 정신을 끌어 앉히고 몸에 익었지만 불편한 것들에 대해 마음의 여유를 가져봅니다. 바른 것이 몸에 익어서 불편한 것이 좀처럼 나타나지 않을 때, 그때를 늘 꿈꾸어봅니다.

6. 피로(疲勞)

오후가 되어 피로가 밀려옵니다. 오늘도 밖으로 발걸음을 향했습니다. 잠자고 있던 나의 애마인 로드윈36)을 깨우고 망우당 공원37)의 그 벤치에 앉았습니다. 따뜻한 햇볕이 나뭇가지 사이로 듬성듬성 비추면 감았던 눈 위에서 아른아른 따뜻한 느낌이 다가옵니다. 지금 내 귀에는 음악이 들려오고 바람이 선뜻해지면 태양 빛에 금세 달구어주는 이런 감상은 이 계절이 주는 최상의 기분입니다.

이 시대 '시'는 노래입니다.
유혹하듯 빛나 나를 흔들려는 비바람 같은 맘이 어지러운 밤이
위태로운 순간 나를 변화시킬 맘의 조각들이 날카로울 테니

---

36) 로드윈 125: 대림 오토바이의 대표적인 네이키드 모델이며 이름을 그대로 직역한 '도로승'이라는 별명도 있습니다. 배기량은 125cc이며, 공랭식 엔진을 사용하고 있습니다.
37) 망우당 공원: 대구광역시의 동쪽 관문에 자리잡은 공원으로, 공원의 이름은 임진왜란 때 활약을 했던 망우당(忘憂堂) 곽재우 장군의 공을 기념하기 위해 그의 호인 망우당(忘憂堂)에서 따왔습니다.

기억 속에 맴돈 오랜 노래처럼 잊지 않을 모든 것 너를 느낄 때면
매번 기적 같던 그 빛은 날 비추고 We are so Timeless
내 맘속 가장 깊이

　나는 태연과 아이유가 있어서 일단 행복합니다. 이 둘은 번갈아
가며 좋은 노래들을 발표해주니 감사와 축복입니다. 노래 가사는 내면
을 그리고 있는데 평범하지만 나쁘지 않은 것이….

　듣다 보면 '아~!'이거구나 하고 슬며시 다가옵니다. 마음의 변화를
서정적으로 그립니다. 그런데 분명하다는 것입니다. 거기에다 추상적
인 것들의 관계 속 흐린 것은 더 흐리게 서로의 관계는 밀접하게 가
사들이 구성되어 처음 듣고, '무엇인지 알 것 같다'를 넘어섰다는 것
입니다. 오늘도 나는 벤치에 앉아서 영어공부를 하고 음악을 듣고 그
음악의 목소리를 따라 깊은 명상을 즐기며 간식을 먹고 로드원을 타
고 도로를 달립니다. 눈에서 거리에 온갖 것들이 스칩니다. 오늘은 기
억에 조금 오래 남을 것 같은 즐거운 생각이 듭니다. 그러다가 문 듯
'합리적인 것과 기회주의적인 것의 차이'는 처음부터 두 갈래의 길을
만들지 않는 원칙이 생각났습니다. 그러나 동네 놀이터의 시소는 어느
쪽으로 기울어질지 짐작할 수 없습니다.

사람은 본성의 소리를 따라갑니다
인간은 마음의 소리를 따라갑니다.
그리고 마음을 닦은 자는 정의를 벗어나지 않으려 합니다.

　본성의 소리는 위의 큰 명제를 분별하지 못합니다. 마음의 소리는
구별은 가능하나 치우침을 경계하지 못합니다. 그러나 마음의 소리와
정의라는 길을 명확히 구분할 수 있다면 얼마든지 합리적일 수 있습
니다. 이 두 가지 길을 정확하게 탐구하지 못하는 경우, 그 사람은 기
회주의가 무엇인지 이해하기 전에 혼란스러운 사고로 인해 두 가지
길을 분리하기 어렵습니다. 결과적으로 이기심과 기회주의를 구별하기
가 어려워집니다.

나는 꽤 오랫동안 쓴 것들을 먹어왔습니다. 그리고 쓴 것이 너무 익숙하여 단것을 잊었습니다. 과거에 쓰디쓴 삶을 바로 잡는 것은 현실을 열심히 사는 태도라 생각했습니다. 그리고 최선을 다하여 노력했습니다. 그러나 노력을 통해 몸의 에너지가 소멸할수록 더 쓴 것들이 나도 모르게 물려있었습니다. 이때에는 마음의 소리를 반만, 그것도 내가 믿고 싶은 것만을 들었습니다. 그래서 난 길게도 쓴 것을 단것으로 착각하며 살았었습니다. 그러다 누가 건네준 단것을 먹어보았습니다. 그리하여 내 삶이 잘못된 것을 알아차렸습니다.

인간은 마음의 소리만 경청하여도 충분한 에너지를 었습니다. 마음의 소리를 살핀다는 것은 타인을 향한 신의가 있다는 것과 같습니다. 억지로 지키는 신의와 자연스러운 신의는 차이가 크고, 어찌 되었든 최소한의 신의가 남아있어 타인으로부터 단것을 선물 받아먹을 수 있었습니다.

마음에서 가장 큰 소리는 탐하는 것을 가지지 못할 때의 분노입니다. 분노와 이기심은 마음에 소리를 듣지 못하게 하고 그리하여 정의에서 벗어난 삶을 사는 결과를 가져옵니다. 정의에서 벗어난 삶은 쓴 것들을 많이 먹는 삶을 말합니다. 마음의 소리와 정의의 소리가 서로 갈라지는 분기점에선 조금도 망설임 없이 정의를 선택하고 그 길을 따라가면 다시 마음의 소리와 만나게 되어있습니다. 한편, 분노와 이기심은 마음의 소리를 왜곡하고 정의의 길을 벗어나게 하여 큰 불화를 안겨줍니다. 이런 상태의 사람은 충실하고도 증폭된 본능의 소리와 이기심 그리고 대상 없는 분노로 가득 찬 상태가 됩니다. 이런 형세가 바로 지옥입니다.

본성은 배움으로 제어하여 그것을 충분히 하고, 마음이 작동한 배움과 수신(修身)이 같이한다면 충분히 감각을 밝혀낼 수 있고 그리하여 마음에 소리를 신중히 살필 수 있으면 뜻이 생기고 그 뜻이 정의를 밝혀주게 되어있습니다.

'길은 오직 하나다.'

본성의 소리를 듣고 충실하고 마음의 소리를 듣고 신중하며

인간의 길을 알고 어긋나지 않음이 오랫동안 단것들을 먹을 수 있고 품에 넘치는 단것들을 과거의 나처럼 쓴 것만 먹는 이에게 아무런 기대 없이 나누어 줄 수 있는 것입니다. 마음에 소리가 분명하고 길을 선명하지만, 내 몸 둘 곳이 없을 때 정치(政治)하는 것은 선정을 베풀 태도와 시기가 임박한 것으로 생각합니다. 본성의 욕구도 제어 못 하고, 마음의 소리도 왜곡하고 그런 사람이 어찌 정의의 길을 갈 수 있을까요? 그리고 마음의 길과 정의의 길은 인간마다 꼭, 일치하지도 않습니다. 그래서 마음의 길과 정의의 길이 분기(分岐)하는 지점에서 정의의 길을 선택하는 사람은 매우 드뭅니다.[38]

만약, 내가 내경험을 비약(飛躍)하지 못한다면 '지난 나, 나 자신, 다가올 나'에 인격은 경험이란 시간에 묻혀버립니다. 그리고 그것들을 두서없이 파내다가 인생을 모두 소모하고 말 것입니다.

나를 뚫고 세상에 출현하여 외부의 나와 정반합일 적에 이를 때 나의 역량은 객관화됩니다. 삶이란 여정에서 경험은 아주 크고 무거우며 큰 비중을 차지합니다. 우리는 시간에 비례한 경험이 있으며 이를 비교, 분석하여 당연함을 몸에 익힙니다. 이것들이 쌓여 '자신(自身)'을 느낍니다. 당연히 그렇게 된 자신의 상황입니다. 그러나 특정 시점 이후에도 우리가 경험을 비교, 분석하였던 패턴은 변화가 없다면, 만약 나와 같다면, 기억을 거슬러 올라가 보셔요. 최초에 작동한 나라는 인식과 사용법에 변경이 있었는지 자문해보아야 합니다. 어릴 적 세상을 저울질하기에는 충분하였을지도 모르겠으나 성인이 되면 그런 저울은 크기와 정밀도가 떨어집니다. 그래서 기억하지 못하는 시간(변화 없는 고정된 삶)이 발생합니다. 이것이 자주, 오래 발생하면 세상을 내면에 객관적으로 불러들이지 못하게 됩니다.

---

38) 성학십도: 퇴계 이황이 1568년 12월 선조에게 올린 성리학의 주요개념을 10개의 그림으로 나타낸 상소문입니다. 필자는 수년을 아침이면 경재잠도(敬齋箴圖)를 마음에 새기며 하루를 시작했었습니다.

우리에게 있어 삶의 본질적인 과제는 세상을 비교, 분석하는 도구를 업데이트합니다.

최소한에 내경험이라도 바르게 비교, 분석해야만 합니다. 이것이 작은 선택지가 되어 내면에 잠재해 있다가 어떤 사안을 결정할 때 작용하기 때문입니다. 그리고 그 선택지는 또 다른 고리가 되어 도움닫기에 구름판이 됩니다. 우리가 삶을 대면하는 진지한 태도의 도구는 다양해야 하고 최신의 것이어야 합니다. 과거에 누가 손에 쥐어 준 도구가 아니라 내가 직접 찾고 발견한 도구들이어야만 합니다. 시간을 비켜 잠시 손에든 오래된 도구들을 내려놓고 지금 시대에 맞는 도구를 찾고 연습해서 업그레이드합시다. 경험은 항상 신선하나 우리가 그 경험에 무뎌진 것은 도구가 몸에 너무 익숙해졌기 때문이고 도구의 새로움이 없기 때문입니다. 가끔 도서관에서 중학생들이 공부하는 것을 보다가 EBS의 교제를 사서 보아 왔었습니다. 제가 어릴 때와 지금에 수준은 너무나 다릅니다.

이 시대는 살아가면서 경험을 올바르게 비교, 분석하는 일은 매우 중요하며, 꾸준히 공부하여 도구가 날카로운 사람이 있는 반면에, 나처럼 공부에서 멀어진 사람의 도구와는 상당한 차이가 있을 것입니다. 지난 2년간의 공부를 통해서 내가 간접적으로 알아차린 것입니다. 일정량의 학습을 했으나 동일 시간에 숙달하지 못하는 것은 사고구조 즉, 문제 해결 알고리즘이 시대에 맞지 않아서입니다. 학문을 위한 사고구조에 원활함의 부족이지 경험의 부족은 아닙니다. 공부를 통한 경험의 사고 구조가 가장 최신의 것일수록 공부가 잘됩니다. 다른 어떤 과목에서 이것을 알아차렸습니다. 어린 시절 어떤 것에 깊게 빠져 필요한 사고 구조를 형성하지 못했기 때문에, 그 후의 삶은 평탄하지 못했습니다. 과거에는 단순히 선호하는 것에만 너무 집착하여, 반대편에는 전혀 사고 구조가 없었습니다. 시작과 멈춤은 나 자신의 진실에서 시작합니다. 다만, 과거에 마음에 들지 않으면 완전히 외면하는 태도가 나빴던 것뿐입니다. 단 한 가지 이것을 고치는 데 20년이 걸렸습니다. 학문의 완성은 좋은 사고구조를 갖는 것입니다. 구체적인 학문 이전에 사고구조를 점검하여 오류와 부제를 바로잡고 보충하는 일이 가장 우선입니다.

하나, 학습은 시간에 비례하지 않습니다. 도구가 구식일수록 집착의 강도는 높으며 지식의 습득보다 망각속도가 빠릅니다. 둘, 학습도 하나의 시간에 대한 경험입니다. 비교, 분석하는 도구는 개인마다 다르고 정도의 차이가 있습니다. 그래서 결과는 달라집니다. 셋, 도구들을 업데이트가 물 흐르듯 자연스러운 사람은 주도적인 학습하는 사람입니다. 도구를 업데이트하지 않으면 특정 시점에 경험이 도구의 능력을 초과합니다. 그래서 경험의 소중한 섬세함을 놓칩니다. 이 기간이 길어 수록 그것에 대한 집착으로 쉽게 이어집니다. 넷, 일상생활에서 사용하는 도구와 학문에서 사용하는 도구의 차이점을 모릅니다. 그래서 세상에는 2가지 부류가 있습니다. 도구를 잘 알고 있는 학문에 자유로운 자는 도구의 자발적 업데이트가 실시간으로 이루어지며 내면화된 도구와 변화하는 도구는 구별할 수 없으나 동시에 몸에 체화된 사람류, 마지막으로 아주 오래된 도구로 경험만 분석하는 사람류입니다. 이 사람은 도구 이상의 것을 알지 못하는 사람이라서 과거의 형태로 머물러 있으며 시간을 몸으로 저항합니다. 몸에 익어 그대로 시간을 부딪치면 '감각'하지 못하고 익은 몸은 못 변합니다.

어릴 때 사용하던 밥숟가락과 젓가락이 지금에도 변하지 않은 것처럼, 변화가 없을 것이라는 단정으로 항상 도구는 그림자가 되어 뒤처지며 동시다발적 실시간인 이 세계를 항상 버거워합니다. 무거운 삶은 상상하기 어렵습니다. 공부는 쉽게 내면에서 밖으로 뚫고 나오지 못합니다. 경험을 공부에 비춰 외부 세상, 즉 세상과 연결할 고리를 발견하면 공부는 능동적으로 변합니다. 경험을 탐험하고도 지치지 않을 불굴의 의지, 이성적인 도구의 다양함과 적절성, 이 모든 것을 펼쳐 놓을 수 있는 넓은 마음과 안목이 필요합니다. 사람은 이 중 한 가지는 반드시 부족합니다. 인격은 대부분을 평균선으로 만들고, 이후에 개성을 선택해야 하지만, 집착된 시간에 대한 경험의 흐름은 현실 세계에 대한 왜곡된 결과로 나타납니다. 현재 대중들이 부동산에 몰리는 현상이, 내가 젊은 시절 크나큰 확신에 찬 집착으로 하나만을 바라보며 반대편의 이면을 확인하지 않은 잘못과 유사합니다. 따라서 반대편의 이면을 살피지 못하고 외면하는 사람은 나와 유사할 것입니다. '그쪽에 사고, 생각 회로가 없다'라는 관계에서 외면이 먼저 작동하여 반대편에 사고구조를 생성할 시간을 주지 않기 때문입니다. 일정 수준 이상의 공부를 원한다면, 이는 큰 약점이 됩니다. 마지막으로, 모든 과목에서 공부의 효율성은 국어의 수준에 따라 상당히 지배받는 것이 분명합니다.

'지옥에 루시퍼는 바쁘다.'

왜냐면 인간은 매일매일 상상 이상의 극악한 것을 적은 비석들을 갈아치우기 때문입니다. 그래서 루시퍼가 가지고 있는 악의 순서 리스트는 매일 뒤죽박죽입니다. 악은 명시적이고 분명하며 나 자신을 속일 수 없습니다. 인간은 어떠한가요? '청개구리 삼신'이라서 구체적으로 적어놓으면 반대로 합니다. 곰곰이 생각해보면 인간은 선에 순간만큼은 내 존재를 확인받고 싶어 하는 것 같습니다. 청개구리 삼신들이 아닌가요! 반면에 루시퍼에 비석에는 악의 순서가 있습니다. 이것 이외에는 모든 가능성이 열려있습니다. 분명한 것은 루시퍼에 비석에서 청개구리가 되면 되는데 그 반대가 구체적이지 않으니 자유롭습니다. 그리고 이곳 지옥은 다시 말하지만, 본래의 '나'를 숨길 수 없는 곳입니다. 루시퍼에게서 인간에 극악함을 봅니다. 그리고 그 극악을 절제하면 됩니다. 내면에 갈등은 이곳에선 전혀 없습니다. 또, 말하지만 이곳에선 '나'를 숨기지 못하기 때문입니다.

인간은 선을 구체적으로 기록해두면 자신에 자유가 제한됨을 본능적으로 느끼고 존재를 부각하고자 거부하거나 탁월함에 과시를 위해 반대로 합니다. 참, 특이한 종이 아닌가! 자유에 방향이 어디로 가 더 넓은가! 인간은 자유롭지 않은가!

어머님은 자식을 사랑합니다. 그러나 나는 10대, 20대 때에 어머니의 말씀을 따르지 않았습니다. 무슨 이유에서인지는 저도 그때 내 맘을 정확히 모르겠습니다. 그렇게 반평생을 살아 머리가 희끗희끗해져서 보잘것없게 되었습니다. 이왕이면 어머님에게 말씀을 따랐으면 어땠을까 생각해봅니다. 이제는 어머니 말씀을 따르려 합니다. 이제는 어머니 말씀을 거역하지 못하겠습니다. 이제는 어머니를 설득하지 못하면 제가 따르는 것이 옳습니다. 과거에 실수를 반복하지 않기 위해선 어머니의 말씀을 지켜야 합니다. 세상에는 기운을 북돋아 주는 사람과 기운을 억눌러버리는 사람이 있다던데 나는 여전히 잘 모르겠습니다. 어머니는 날 누구보다 사랑하십니다. 나에게는 시간이 좀 더 필요하지만, 이것도 나에게는 주어지지 않습니다. 나에게는 아직도 자신을 어디에 묶는다는 구속에 절제는 본능적 방어와 거의 비슷하여 이것이 자유의 반대 감정으로 다가옵니다.

8. 개화기 조선

개화기 조선은 전제군주제를 지키다가 외세에 무너지고 개화를 맞이하였으며, 개화 문물의 일부 중 기독교도 같이 들어오게 됩니다. 저는 안창호, 이승훈 선생에게 집중하였고 이 두 분은 1900년대에 대성학교, 오산학교를 세우고 국내, 중국, 만주, 미주지역에서 다양한 독립운동을 하신 분이고 특이한 것은 안창호 선생의 강연에 참석한 이승훈 선생이 감명받아서 기독교[39]를 받아들이고 독립운동에 박차를 가하게 됩니다. 이 당시 유학, 성리학은 복벽 주위로 전제군주제로의 되돌림입니다만, 이런 정신은 중국도 실패하였고 그 어디에서도 성공한 역사기록은 없는 것 같습니다. 분명 우리의 임시정부는 3. 1운동 이후 세워졌으며 그때 만들어진 법들이 기초가 되어 아직 남아서 지켜지고

---

39) 한 권으로 읽는 한국기독교의 역사: 연구소 발간 한국교회 통사 다섯 번째 책으로 발간되었습니다. 이 책은 한동대학교 류대영 교수가 집필한 책으로서 한국기독교의 전래부터 2017년 최근까지의 한국 기독교사 전체를 통사적으로 집필한 책입니다.

있습니다.

책을 읽으면서 3. 1운동의 전후를 주의 깊게 살폈으며 이들 운동을 주도한 33인의 대표들의 독립운동에 원동력과 종교와의 관계를 어렴풋이 알게 되었습니다. 이 시절 평양은 동양의 예루살렘이였으며 영국에서 떠난 청교도들이 미국을 거쳐서 기독교가 한국에 들어왔고, 영국의 존 웨슬리 감리교도 들어왔으며 일부 호주 선교사들도 선교하러 들어왔습니다. 분명한 것은 기독교가 우리 독립운동사에 그리고 해방이후 이승만과 전쟁을 거쳐 군부독재를 거치며 지금까지 많은 영향을 준 것은 틀림없습니다. 그러나 현재 기독교는 여러 갈래로 나뉘어 있으며, 300여 개의 다양한 분파가 존재합니다. 이러한 분파 간에 갈등과 논쟁이 빈번하게 발생하고 있습니다. 서로 이단(異端)이라 그러니 말이 필요 없습니다. 교회 내에서도 너무 세속화되어 지금은 꼭, 고려말기 불교와 비등하다고 생각하시는 분들이 많습니다.

역사는 신화, 종교를 포함하고 문명을 담고 있습니다. 그리고 문자 발명 이후 구전되는 것들이 편집되어 글로 남게 됩니다. 우리나라에서 가장 오래된 삼국유사, 삼국사기에도 신령한 것들이 있습니다. 개화기 이후 조선의 문화가 아무리 쓸모없는 것이라도 그 이유를 한번을 살펴볼 필요가 있습니다. 우리 것을 먼저 이해하고 다른 것을 알아야, 차이점을 분명히 인식하여 편견에 빠지지 않고 중용을 지킬 수 있습니다.

'국민을 위한 종교지, 종교를 위한 국민은 필요 없습니다.'

오늘 문득 이런 생각이 들었습니다. '촛불(혁명, 시위)이 과연 6. 8 혁명이었을까요?' 하고 말입니다. 촛불시위가 혁명이 되지 못하고 나아가 6. 8 혁명적 전환점이 되지 못한 것은 건전한 자아를 가진 개인이 부족하기 때문이라 생각합니다. "자아가 강한 개인이 부족하다."라는 말에 공감합니다. 자아가 약해져서 개인의 희미한 면이 누적되어 투영되면, 그 결과는 더 불투명해집니다.

　　우리는 우리의 역사를 희미하게 알고 있습니다. 그러나 대부분이 알고 있다고 자부합니다. 사실은 대부분이 모릅니다. 누구의 책을 직접 읽지 못하고, 누군가가 정리해둔 것들로 대처하기 때문입니다. 근대의 역사는 개항, 전쟁, 군부 정치의 형태로 수많은 왜곡이 있었습니다. 다행히 종신 독재를 학생, 교수, 선생님들이 막아주었습니다. 그 당시 선생님들은 사명감이 있으신 선생님입니다. 과거 우리들의 혁명과 운동에는 참 선생님이 계셨습니다. 그래서 운동의 상대편들은 참 선생님을 제거하고 영원한 독재를 생각했었습니다. 독립 100년이 지났음에도 식민지 시절의 잘못들을 바로잡지 못했으며 그때의 기회주의자들이 여전히 건재하지만, 독립운동가들은 시신도 수습 못 하고 있다면 세상의 정의, 공정이 무슨 의미가 있을까요? 이처럼 잘못되었음을 바로 잡지 못하는 것은 인민의 자아가 약하기 때문에 그것의 '정도'를 객관화시켜 비판으로 끌고 가지 못하기 때문입니다. 비판은 여러 사람에게 다시 생각해볼 기회를 주는 것인데, 이것을 참 선생이 사라진 '직업이 교사'인 사람들이 교육을 막고 있습니다. 건전한 학생은 정상적인 비판을 할 수 있으나 이미 선생들이 직업화되었고 그들도 '비판이란 사고'를 오래전에 거세당했습니다. 그래서 가르쳐주고 싶어도 알려줄 수 없는 것입니다.

　　북의 김정은을 보세요! 내부에서 혁명이 일어나 프랑스 왕정처럼 그의 목이 기요틴에서 달아나도 충분한 시간이지만 그렇지 못한 것은 '비판의 씨앗을 완전하게' 제거한 땅에서 후손들이 자라기 때문입니다. 비판이 없으면 인민들은 북한처럼 굶주리게 됩니다. 왜냐하면, 독재는 퇴보에 가깝기 때문입니다. 99명이 지옥이고 1명이 지옥이 아닌 경우가 아닐까요? 한국 시민의 78%가 지옥이라고 합니다. 더 좋고 충분하며 편안한 삶을 위해 지옥의 대가를 치르는 선택입니다. 나는 그 78%에 속하지만, 지옥의 주요 원인인 물질적 탐욕에는 가담하지 않았습니다. 그 결과, 78%에 속한 것을 포기할 수 있었습니다. 물질적인 것이 아닌 다른 가치들도 행복에 상당한 영향을 미친다는 것을 깨달았기 때문에 생애 주도권을 잡고 '반드시'보다는 세상의 흐름에 따라 움직이고 있습니다. 그런 관점에서 볼 때 개인에게 비친 어떤 정권이든 무능하며, 이에 대한 비판은 무능이 '죄'에 해당한다고 할 수 있습니다. 단시간의 폭풍 성장은 많은 것의 변화를 의미하기에 즐기지 못하면 자신을 고통의 터널로 끌고 가는 것과도 같습니다.

제6부 믿음이 반성의 한계를 넘지 못하다

　　나에게 스승이란 존재가 무엇일까요? 가진 것도 없다면 즐겁게라도 삶을 살아야 합니다. 유쾌한 사람이 되자! 누군가의 말에 의해 줄서는 행위는 정말 멍청한 짓입니다. 세상에는 많은 줄이 있으며 사람들은 그 줄에 동참하고 서 있습니다. 홀로 가란 말에는 여러 가지 의미가 있는 듯합니다.

'마른 가지 위에 까마귀가 되는 것'.
'사막 위에 백골이 되는 것'

따뜻한 마음을 가지며 인간답게 사는 것이 쉽지 않습니다.
이것은 모두 그놈의 줄서기 때문입니다.

1. 관념(觀念)

우리의 의식은 무한한 세계의 일부분만을 포착하는 그물과 같습니다. 이 그물은 특정 관념들로 짜여 있지만, 우리가 더 넓은 시야를 가질 때 관념들 사이의 연결과 상호작용을 발견할 수 있습니다. 이러한 발견은 소통과 탐구를 통해 이루어지며, 이는 우리의 의식을 확장시키는 깨달음의 과정입니다. 관념들이 충돌할 때, 우리는 통제력을 잃는 듯 보이지만, 오히려 마음을 고요히 하면 새로운 통찰이 떠오르기도 합니다. 이러한 직관은 자유로운 정신 상태에서 비로소 나타납니다. 따라서 독립적이고 자유로운 존재가 되어야만 의식이 확장되고 마음이 넓어집니다.

인내심을 가지고 기다리면, 마음속에서 자연스러운 정화 과정이 일어나 사물의 본질이 더욱 선명해집니다. 자신의 고정 관념에서 벗어날수록 더 깊은 지혜가 우리 마음에 찾아옵니다. 이것이 진정한 학습의 결실이며, 자연스럽게 지혜에 이르는 길입니다. 우리는 종종 즉각적인 판단을 내리곤 합니다. 하지만 진정한 이해를 위해서는 판단을 유보하고 대상을 충분히 관찰해야 합니다. 이성의 논리가 아닌 마음의 직관으로 세상을 바라보는 것, 그것이 우리가 추구해야 할 방향입니다.

이 과정은 많은 이들에게 오해받을 수 있습니다. 그러나 우리의 무의식적 판단을 넘어서, 진정으로 사물을 바라보고 이해하는 것이 중요합니다. 이를 통해 우리는 더 넓은 세계관과 깊은 지혜를 얻을 수 있습니다. 판단은 이성이 하는 것이 맞지만, 불확실성이 높은 대상에 관한 판단은 마음이 하는 것이 맞습니다. 마음의 방향만 보고 그 방향이 틀리지 않는다면 행동하는 것은 마음을 이끄는 힘이 됩니다.

불확실성이 높은 경우 이성으로 판단은 보류나 포기를 선언합니다. 그러나 방향이 맞는다는 것의 나침판 역할은 마음이 그 역할을 하는 데 여기에 주된 것이 관념의 부딪침입니다. 관념은 대상을 포함하고 그것을 언어로 바꾸어 문자로 표기된 것을 서로 비교하고 판단하는 행위입니다. 그래서 본래의 대상과는 차이가 있을 수 있으나 인간이 의식을 확장하고 직관을 발휘하여 불확실성이 높음에도 불구하고 결정해야 한다면 유용하게 작용합니다. 그래서 관념적으로 사고의 형태를 만들면 관념과 관념 사이에 고리가 생기고 이것이 증폭되어 또 다른 관념을 불러옵니다. 이런 방식으로 사고가 확대되고 의식이 확장됩니다. 관념과 관념 사이에서 마음을 청결히 하고 공부하고 있다 보면 문 듯 마음에서 답이 찾아옵니다. 마음이 울리는 맑고 깨끗한 소리, 정확한 소리입니다. 눈에 보이지 않는 인간의 무의식과 세계 간의 소통에서 이루어지는 직관과 혼의 순리가 작용하는 것입니다.

알게 되어서 해방된 것인가요?
해방 되어서 내가 알 수 있는 것인가요?
앎은 무엇이고 해방은 어디로 이어지는 것인가!
한국의 학교는 학생들에게 한 사람의 시민, 직업인으로서 어떻게 살아가야 하는가에 대해 가르쳐줄 시간과 여유가 없습니다.

사람은 고난을 겪은 후에야 스스로 앞으로 나아가서 배웁니다.
그러면서 뼈저리게 흐느낍니다.
무엇이 부족한지, 무엇에 자만했는지, 무엇 때문에 자신에 분수를 잊었는지,
왜? 그렇게 되었는지, 자신을 놓아봅니다.
인간이 되어갑니다.

사람은 배우지 않으면 방종에 물들고 결국엔 자신과 멀어지고
나중에는 나를 잊어버린 사람이 됩니다.
사람은 인간에서 다시 사람으로 변화하는 과정에서 동일한 실수를 반복합니다.
그리고 죽음을 맞이합니다.
우리는 삶에서 무언가!

　　달라지는 것을 느껴야 합니다. 비록 그것이 고난이라서 고통일지라도 말입니다. 고통과 고난은 성숙한 인간에게는 배움으로 전환됩니다. 설사, 그 고난에 내가 꺾여서 아픔이 가득 차더라도, 아픈 반성의 기

록을 가슴 깊이 새기고 그와 같은 실수를 두 번 다시 하지 않는다는 믿음을 가지면 사람은 달라집니다. 배움을 멈추면 인간은 사람으로 변하는 존재입니다.

인간에게 마음은 흔들리는 갈대와 같아서 이러지도 저러지도 못합니다. 파스칼40)에 한 말 중에 이런 말이 생각났습니다. 인간이 아무리 뛰어나고 고상하다고 자부해도 결국 인간은 자신의 의지가 당신 자신을 뛰어넘지 못한다는 사실을 인정해야 합니다.

절대자라는 한계자 즉, 하나님을 인정하고 그 품에 안기라는 것입니다. 인식론에서 출발하여 회의주의까지 사고가 다 달아야 파스칼의 말들에 귀를 귀 울릴 수 있습니다. 그가 하나님의 관점에서 논리적으로 기술한 파스칼의 말들이 떠올랐습니다. 난해한 부분은 성경에서 답을 찾아야 합니다. 성경의 큰 흐름이나 자주 인용되는 구절을 알고 있으면 읽기가 훨씬 수월해집니다. 다행히 성경에서 자주 인용되는 구절은 특징이 있고 널리 알려져 있습니다.

그가 자만하면 나는 그를 낮추고 그가 낮아지면 나는 그를 추어올립니다.
그리고 계속해서 그와 반대로 말을 합니다.
마침내 그 자신이 불가해한 괴물임을 깨달을 때까지.

자신 안에 생명의 근원이 없으므로 그는 길 잃고 방황할 뿐이며, 또 자기가 몸이 아님을 느끼되 한 몸의 지체임을 보지 못하므로 자기 존재의 불확실성에 놀랍니다. 마침내 자신을 깨닫게 될 때는 마치 자기가 집에 돌아온 것과 같아서 오직 몸을 위해서만 자신을 사랑합니다. 그는 지난 날에 탈선을 한탄합니다. 우리 지상에서의 인간의 과제는 얼마나 빨리 이를 직면하느냐입니다. 세상에는 세 부류의 사람들만이 있습니다. 신을 발견한 다음 신을 섬기는 사람들, 신을 발견하지 못하였기에 온 힘을 다해야 신을 찾는 사람들, 신을 찾지도 발견하지

---

40) 광세: 블레즈 파스칼은 1623년 6월 19일 프랑스의 클레르몽페랑 지방에서 루앙의 세무감독관 에티엔 파스칼(Etienne Pascal)의 아들로 태어났습니다. 어렸을 때부터 수학의 신동이라는 이름이 아깝지 않을 정도로 특출난 재능을 드러냈습니다. (출판사:민음사)

도 않은 채 살아가는 사람들, 첫째 사람들은 합리적이고 행복하고, 마지막 사람은 불합리하고 불행합니다. 중간 사람은 불행하지만 합리적입니다. '무신론은 이성의 힘을 보여줍니다. 그러나 다만 어느 정도까지만.'

'본능과 이성, 두 본성의 표시'

217-(민음사 348) 페이지 '생각하는 갈대' 내가 나의 존엄성을 찾아야 하는 것은 공간에서가 아니라 나의 사유의 규제에서입니다.

욕심에 가득 찬 마음은 기울어져 있습니다. 기울어진 마음에서는 개념을 바르게 생성할 수 없습니다. 왜곡된 개념 속! 삶은 도(道)와는 거리가 먼 삶입니다. 그래서 세상에서 삶이 삐걱거리며 무너져 내립니다. 인간은 미련스럽게 다시 추슬이고 나아가려 하지만 매번 무너지는 속도가 빠릅니다. 그 경계를 살피면 세상을 관찰할 수 있고 교차하는 세계를 분석하려면 어떤 기준이 필요합니다.

바로, '자'가 필요합니다.
세상에 물질로 존재하는 자가 정교할까요? 아니면 마음속 자가 정교할까요?

초기 단계에는 물질인 자가 정교하지만, 나중에는 마음속 자가 매번 정확하고 빠릅니다. 이 개념이 두 세계의 교차하는 속성이고 이것을 분석해보면 개념이 먼저인 것을 알 수 있습니다. 달인이 되는 것은 개념을 경험으로 초월하는 것입니다. 개념은 처음부터 시작해서 마지막까지 추상적입니다. 사람들은 개념을 구체화해 단어로 묶어서 사전에 등록해두었습니다. 수많은 단어가 있지만, 개인은 그것을 모두 알지 못하고 자신이 인식한 개념의 '지도'를 추적하지 않기에 알지 못합니다. 한 인간의 의식 분포를 지도로 비유하자면 한쪽으로만 개념들이 치우쳐 그 줄기들이 자라고 있고 점하나 없이 깨끗한 공간들이 무수히 많이 존재합니다. 개념을 사고에 적용하여 영역을 발견하는 상상을 이루어보지 못했기에 세계는 질서도 없고 불안하며 몸은 웅크려집니다. 그런데도 세계를 추상화시켜 나의 내면세계에 투영하는 과정은 필요합니다. 스스로 투영하지 못하면 외부에서 질서와 체제가 형성되고, 이로써 나의 세계에 내 것이 아닌 세계가 존재하게 됩니다.

　우리는 마음속 최초의 우주를 단순화시켜 생성해야 자신에 삶이 시작됩니다. 우주는 처음에 필연적으로 시간의 흐름에 떠밀려 억지로 생성되었습니다. 그러나 우주의 생성과 소멸에 대한 모든 권한은 당신에게 있습니다. 우주를 생성시킬 당시에 마음이 그 생의 모습을 결정지을 수 있습니다. 길을 잃으면 마음은 거울과 같아서 기울어진 거울은 개념의 시작과 끝을 바르게 반영하지 못합니다. 잘못된 학습 방식으로 인해 외부에서 주입된 개념들이 적절한 위치를 찾지 못한 채 무의식에 쌓이게 됩니다. 이러한 개념들은 개인의 내면에 이미 존재하는 사고와 믿음 체계와 충돌하게 되며, 그 결과로 내적 저항이 발생합니다.

　욕심 가득한 마음과 외부의 주입으로 인한 저항심은 인간을 바보 멍청이로 만들고 맙니다. 결국, 바보는 한쪽으로 치우친 생각을 버리지 못하고 철저히 고수하는 행위를 하는 인간입니다. 삶에서 많은 개념이 필요한 것은 아닙니다. 정확한 개념을 세상에 투영하여 내 것으로 만드는 이해의 과정이 중요합니다. 이해한 개념들이 모여서 다양해지고 풍부해지면 움직임이 생기고 저절로 논리적인 사고가 가능합니다. 그 개념들의 운동능력이 더욱 활발해지고 마침내 변화하여 진화한 것이 세상을 향한 알고리즘이고 이를 활용하여 삶에서 만나는 새로운 문제를 직면하고 풀어가야 합니다. 세상을 향한 능동적인 태도 또한 여기에서 발생하고 현실 세계를 추상화시켜 이해하는 것이 삶입니다.

　한편, 어떠한 개념을 이해 없이 바로 기억 속으로 강제로 끌고 들어오면 고통스러우며 그 흔적도 얼마 가지 못하며 가장 중요한 사고 과정에서의 인출(引出)이 일어나지 않습니다. 사고의 중심인 정신세계에 출입하지 못하는 개념들로 인해서 항상 부족한 사고가 됩니다. 즉, 알고리즘에 바이러스가 침입한 것처럼 큰 오류가 존재하게 됩니다. 무의식 속 내재한 개념들과 단어들은 사고 시에 즉각 피드백되어 정신

활동에 적용되어야 하나, 암기(暗記)란 것이 대부분 이해가 없으며 특히 피드백 작용 즉, 마음에 비춰서 반영된 결과들이 아니기에 정신영역에 접근하기 더욱 어렵습니다. 사고 영역에 들어오지 못하는 개념들이 많을수록 그 사람의 사고 체제, 즉 알고리즘은 발달하고 융합되지 않습니다. 반대로, 암기한 것의 효과로 인해 정적인 편견이 증폭됩니다. '왜?'라는 질문 없이 이루어지는 암기는 단순한 노력에 불과하기 때문입니다.

의식의 확장과 성장 측면에서 우리 인간은 시간에 비례하여 정신세계, 즉 내면의 우주가 무한히 증폭되고 확장한다고 볼 수 있습니다. 이제 우리는 더 크고 다양한 내면의 세계에서 뛰어놀 수 있습니다. 정적인 개념에 운동성을 부여하는 것이 내적 나와의 소통과 대화입니다. 연습을 통해 우리는 작은 '길'을 찾아 나갈 수 있습니다. 외부의 개념이 우리의 무의식에 각인되었지만, 사고를 통해 이를 정교하게 가다듬지 못한 경우, 책을 읽는 것처럼 개념을 읊기만 하는 사람들은 창조의 영역에 도달하지 못할 것입니다. 사람들은 종종 순서가 뒤바뀐 잘못된 개념과 이해를 사용하며, 저 또한 깨어 있지 않다면 다르지 않습니다. 그러나 개념을 역으로 끄집어내어 사고 과정에 활용하면, 개념의 축소가 일어나면서 숨겨진 유사 개념들이 드러납니다. 이로 인해 반대 개념이 나타나고, 비슷한 개념들도 함께 떠오릅니다.

전혀 알지 못할 것 같은 우주 속 한 공간에 팔을 펼쳐서 한 번 안아봤을 뿐인데 다양한 개념들이 나타나는 것은 생각을 구체화하는 힘입니다. 중요한 것은 이해가 충실한 개념은 사고 과정에 무의식으로 역으로 정신세계로 진입하여 그 역할을 할 수 있다는 것입니다. 개념들이 서로 부딪치고 엉키는 행위가 소통과 대화이며, 이러한 강도와 규칙을 다양한 방법론에서 규정해 두었습니다. 나와 다른 사람과 마음을 나누면 비슷해지는 이유는 세계 속 반영된 모습이 서로 닮아있기 때문입니다. 전혀 다른 속성을 가진 사람들과 소통하려는 노력의 태도는 당신에게 철저한 균형의 불꽃을 선물해줄 것입니다. 소통과 대화가 즐겁지 않을 때는, 마음이 어떤 것에 치우쳐 있는지 돌아봐야 합니다.

당신의 내면세계를 스스로 불을 끄는 것도 좋은 방법입니다.
그리고 다시 등불을 켠 이들도 이 세계에는 상당히 많습니다.
자전거 타는 법을 잊는 방법이 있을까요?

　어느 누군가는 자전거 타는 법을 배워 벚꽃이 만개한 길을 봄바람 맞으며 달리려 합니다. 그러나 어떤 이는 자전거 타는 법을 잊으려 합니다. 이것이 가능할까요? 잠시 책상에서 벗어나 벚꽃 길을 걸으며 위의 것을 생각해보았습니다. 과연, 잊는 법이 있을까요?

벚꽃 길은 사람들로 가득했습니다.
두 발로 걷는 사람, 두 바퀴 자전거, 꼬마들의 3바퀴 씽씽이, 모두가 벚꽃 아래서 가려진 얼굴들 그 마스크 아래에는 밝은 미소가 가득합니다.

　얼굴 없는 사람들 속, 벚꽃은 하나의 상징처럼 마음속에 다가옵니다. 벚나무 아래 사람들이 자리를 깔고 앉아 시간을 보내고 있습니다. 가끔 바람불어 꽃잎들이 날리면 마음을 금세 동심으로 돌아가 버립니다. 그리고 한없이 깨끗해지곤 합니다. 이런 느낌에 벚나무 아래에 사람들이 오손도손 모여 앉는 것입니다. 그동안 흰 마스크가 사람들에게 새로운 만남을 막아버렸었습니다. 자전거는 달립니다. 몸에 익어 쉼없이….
　'의심하지 말고 진리를 발견했다면 좀 더 진리를 믿어라.' 그렇게 말해도 믿지 못지 못하는 것은 의심 때문입니다. 이 의심(疑心)을 비판(批判)과 호기(好奇)심으로 분리하고 구별이야 합니다. 수행을 하루 기준으로 명상과 공부 혹은 공부와 명상이 필요한 이유입니다. 공부는 개념을 보이게 하고 명상은 개념과 개념의 관계를 고리로 이어주는 역할을 합니다. 공부에서 수행(修行)이 되려면 명상으로 이 고리들을 생성해 주어야만 공부한 것이 실로 내 것이 됩니다. 그래서 사고에서 그 개념과 고리가 작동하여 자명한 선택의 기초가 됩니다.

"스승과 인맥", 언제부터인지 몰라도 이것들을 고민하기 시작했습니다. 마치 무언가가 마음을 억눌러서 그로 인해 답답함은 독서와 사색으로도 분명 한계가 있고 무엇보다 그 속도가 더딥니다. 느린 속도는 힘을 잃으면 방향성이 상실됩니다. 추운 날만 되면 안개가 드리우는 마음속, 그의 마음 또한 편치 못합니다. 수많은 사람이 당신의 깊은 마음을 보지 못했기에 누가 되었든 그 대상이 잊히기 마련입니다. 내 스승은 내가 찾아가야 하는가요? 글방에 머문 지 3년이 되었습니다. 연락 온 이는 손에 꼽힐 정도입니다. 그러나 이것에 서러워하진 않습니다. 세속적인 인맥은 보이지 않고 연락이 뜸해지면 잊히는 것입니다. 하지만 스승은 어디서 만나야 할까요? 동네 한자를 가르쳐주는 글방일까요? 동네 할아버지들이 모여있는 슈퍼마켓 앞일까요? 아니면 일광욕 나온 동네 할머니가 많이 모여 계시는 양지바른 곳일까요? 이 시대 스승이 없다는 것은 불운한 것입니다. 배움에 임하는 자에게 지혜를 나누는 이가 정말 드뭅니다.

우리가 말하는 신, 신화, 성인이 아니라 좀 더 이 세계와 가까이에 있는 서로 감정을 소통할 수 있는 스승이 필요합니다. 세상의 막연한 고통과 불확실성을 벗어나고자 세상에 흔한 신앙의 믿음이란 말을 붙이기도 아까운 세속적인 믿음을 선택하지는 말아야 합니다.

인류는 인간의 두뇌를 모방해서 컴퓨터를 만들었습니다. 단순한 계산기가 발전하여 현시대의 인공지능이 되었고 인간과 컴퓨터 그 두 사이 경계가 모호해 지려 합니다. 컴퓨터를 공부해보면 반대로 인간의 사고 과정이 드러납니다. 현실 세계를 개념으로 받아들이고 이것들을 구조화시키고 그에 적당한 이름들을 붙이고 논리화시켜 이름으로 엮어 두었습니다. 이것들을 우리는 사전에서 찾고 기억하고 배우고 있습니다. 여기에 또 다른 관계를 찾기 위해, 혹은 증명을 위해 그 말들을 사용하고 있는 것입니다.

컴퓨터는 많은 발전을 이루고 있지만, 인간 사고는 일정한 성장 후에 정체되는 경향이 있습니다. 컴퓨터와 인간을 비교할 때 저장 능력에서의 엄청난 차이가 있지만, 단순 기억 능력만으로는 모든 성능을 결정하지 않습니다. 높은 성능을 위해서는 하드웨어의 능력뿐만 아니라 그 하드웨어를 효과적으로 운영하는 알고리즘이 중요합니다. 예를 들어 구구단을 만드는 프로그램을 작성할 때, 한 사람은 10줄의 코드로 완성할 수 있지만, 다른 사람은 동일한 결과를 얻기 위해 50줄의 코드를 사용할 수 있습니다. 결과는 같지만, 내부적인 사고 과정에서 많은 차이가 있습니다. 프로그램을 작성한 사람의 사고 방식이 그대로 드러나는 과정이기 때문입니다. 삶도 비슷합니다. 우리는 삶에서 예측할 수 없는 다양한 문제들을 직면하고 해결하는 과정에서 각자의 사고체계를 드러냅니다. 그러므로 우리는 각자의 방식으로 삶을 살아가며, 단순한 비교로는 이를 정확히 이해하기 어렵습니다.

복잡한 세상을 단순히 정의하여 살지 못한다면 그것을 행동으로 나타내기 어렵습니다. 세상에는 절대적인 100%의 일방적인 경우는 없습니다. 그럼에도 불구하고, 우리는 가진 능력을 최대한 활용하여 구체적인 형태로 만들기 위해 사고하고, 그 결과에 따라 행동하며, 신념을 실현하기 위해 노력합니다. 다만, 이러한 행동이 합리적인 사고와 논리에 기반해 결정되었는지를 고려해야 합니다. 이제 50줄의 코드를 10줄 이하로 줄이기 위해서는 어떻게 해야 할까요? 코드 줄 수를 줄이는 주된 이유는 주로 시간 절약 때문입니다. 높은 비용을 지불하는 이유도 마찬가지입니다. 이를 위해 다음과 같은 방법들을 고려할 수 있습니다.

현실을 개념으로 이해하려면 관찰이 필수적입니다. 정확한 관찰은 명확한 개념을 찾아가는 기반이 됩니다. 이는 추상화 과정 이전에 절대적이며 개인적인 전제조건입니다. 우리는 세계에서 다양한 속성을 발견하고, 이를 하나로 묶어 개념화하여 이름을 붙입니다. 그리고 이러한 개념을 기존의 논리적인 구조에 대입하여 오류를 찾고 수정하며 검증합니다. 검증된 개념은 사고체계에 오랜 시간 머물렀기 때문에 자동으로 기억 상태로 저장됩니다. 무의식 속에 잠재된 개념은 필요할 때 언제든지 역으로 도출될 수 있는 상태에 놓이게 됩니다. 이러한 과정을 통해 우리는 개념을 인식하고 사고 과정에서 필요할 때 적절히 활용할 수 있습니다.

'차라리 공백으로 있었으면 혼란이라도 없었겠습니다.'
이것을 알면 공부하지 않은 삶을 생각하지 않습니다.

개념을 정확하게 이해한다면, 우리의 사고를 더욱 정교하게 발전시킬 수 있습니다. 이는 더 능동적으로 삶을 살게 할 수 있습니다. 코드 수를 줄이면, 이러한 변화가 행동으로 나타날 가능성이 큽니다. 다양한 개념과 정확한 개념의 균형은 우리의 운명을 형성할 수 있습니다. 공교육에서는 개념들을 스스로 받아들이지 못할 경우, 외부에서 이를 주입하게 될 수 있습니다. 또한, 평가의 결과가 나쁜 점은 지식을 기반으로 하는 사고 행위의 힘과 방향, 그리고 알고리즘을 테스트하는 것이 아니라는 것입니다. 우리의 교육은 자발적으로 개념을 찾아가고, 그것을 활용하여 능동적으로 사고하는 능력과는 거리가 있습니다. 때때로 개념이 부족하거나 편향된 개념만을 가지게 되거나, 개념을 스스로 내면화하지 못해 무의식적으로 직접적인 사고로 전환하지 못하는 경우가 있습니다. 이런 경우, 사고 과정이 원활하게 작동하지 않아 알고리즘이 제대로 기능하지 못합니다.

지식이 저장되는 방식은 동일하지만, 사고 과정에서 사용하는 단어의 다양성은 다를 수 있습니다. 이러한 다양성이 생각들의 뿌리이며, 이러한 생각들이 서로 부딪치는 관계에서 상상력이 발휘됩니다. 다양한 개념들이 사고에 참여하고, 이를 구체화하여 관계를 분석하려면 더욱 세분화된 개념들의 속성을 고려해야 합니다. 이러한 개념들을 고정된 완전한 상태로 두는 것이 아니라, 끊임없는 비교와 사고를 통해 더욱 움직임을 부여하여 개념들끼리 서로 교차하게 만들어야 합니다. 이러한 교차가 더 많을수록 다양성이 풍부해지게 됩니다.

'단순한 알고 있느냐?'의 질문은 기억하고 있느냐와 구분이 모호합니다.

외부에서 주어진 개념과 당신이 알고 있는 개념을 구별하는 방법은 주로 소통과 대화를 통해서만 가능합니다. 이해의 수준을 끌어올리지 못한 개념은 당신이 사용하지 못하는 개념이며, 이러한 개념이 많을수록 정적으로 고착될 수 있습니다. 개념을 암기하는 것이 중요한 것이 아니라, 개념을 충분히 이해한 후 자신의 마음에 맞게 정교하게 다듬는 과정이 필요합니다. 이후 개념을 받아들인 후에는 사고 과정에서 그 개념이 내면에서 목소리를 내며 자리를 차지하게 됩니다.

또한, 내면에서 독재자의 강한 목소리만 들린다면, 치우친 개념만 강화된 것입니다. 부족한 개념에서라도 사고의 기본은 내면에서 여러 목소리를 공정히 인정하며 발언 기회를 주고 잘 듣고 정확히 결정하거나 보류하는 것입니다. 이것은 소통과 대화의 행위와 매우 유사합니다. 내면은 독재자의 특징을 가지고 있으면서도 정상적인 소통이 가능한지 스스로 자문해보았습니다. 그래서 독재자의 목소리를 줄이는 방법을 연구했습니다. 그 목소리의 근원을 찾아가 보면 대부분 외부에서 주입된 개념임을 발견했습니다. 즉, 세상에 대한 충분한 이해가 없을 때 외부에서 누군가에 의해 주입된 것이었습니다. 이러한 개념들을 개선하는 것도 삶의 중요한 피드백입니다. 정확한 관찰! 즉, 거울이 평평한 상태에서 개념을 투영하는 과정을 연습해야 합니다. 다시 말하지만, 세상의 100% 가능성은 정확히 거짓말입니다. 마음에서 이러한 수치의 힘이 작용할 때 가장 크게 삶에서 오류를 만들어내는 것으로 생각됩니다. 이러한 과정을 충실히 수행하지 못하면 삶은 점진적인 고착보다는 힘의 의지를 조금씩 인식하여 외부로 향한 변화를 선택해야 합니다. 그렇지 않으면 삶은 파수꾼이 되어 지키기 위해 거짓말을 자주 하는 존재가 될 것입니다. 큰 세계에 관한 관심은 두려움을 극복하는 것에 있습니다.

그래서 관문에 '더 픽션들'이 있습니다. 좋은 또 다른 신세계[41]가 있습니다.

그 경계를 살짝 보고 와서….
필요한 몇 가지를 챙기라고! 신세계다.

더 넓은 세계 속 미로에서 인간들이 신세계를 발견하면 축복을 얻는 것입니다. 그렇지 못하면 더 큰 세계로 빠지고 맙니다. 그리고 마지막에는 더 큰 지하 세계에서 빛을 찾으려 합니다.

2. 道(도) 그리고 아름다움

세상에는 많은 소리가 있습니다.

1 도레미파솔라시도
2 도레미파솔라시도
3 도레미파솔라시도는 새의 노래이고,
4 도레미파솔라시도
5 도레미파솔라시도는 우리들의 노래가 되어야 합니다.

기억을 찾아보면 초등학교 시절, 위의 두 번째 줄의 道(도)를 처음 배운 것 같습니다. 일반적 말의 톤과 비슷한 영역이며 쉽게 접근할 수 있기 때문일 것입니다. 道(도)를 배우고 그 음의 강약에 정도를 배우며 특성을 익힌 후, 우리의 발성 기관으로 소리를 내어보며 그 진동이 뇌에 전달되고 익숙해지면, 다음 음인 '레'를 배우게 됩니다. 이렇게 '미파솔라시', '도'가 완성될 무렵 다음 줄이나 이전의 道(도)를 다시 만나서 또다시 道(도)를 배우게 됩니다. 무엇이 달라졌을까요? 영역에 큰 변화가 생긴 것입니다. 이상하게도 그 시작과 마지막은 항상 道(도)입니다. 우리가 이렇게 쉬운 '도레미파솔라시도'를 얼마만큼 선택하고 분리하여 부드럽게 오르내리며 최종 결과인 말의 아름다움에 이를 수 있을 것인가요?

---

41) 1984(소설): 조지 오웰의 디스토피아 소설입니다. 1949년 집필 당시 기준으로 먼 미래인 1984년을 지배하고 있는 가상의 전체주의 독재국가 오세아니아에서 주인공 윈스턴 스미스가 겪는 사건을 다룹니다.

　　말은 노래와 같고 그 악보는 당신에게 쌓인 개념의 교차에서 나오는 음정이며 이것이 인격의 기품입니다. 한편, 4단계 이상의 道(도)는 쉽게 발성하기 어렵습니다. 우리가 일반적으로 사용하는 영역이 아니므로 학습하고 사용법을 충분히 익혀야 합니다. 그리고 일부 소수만이 이러한 영역을 자유롭게 사용하는 것으로 보입니다. 그 이유는 여기서부터는 가르침을 받아서 깨치는 것이 아니라 스스로 깨쳐서 즐기는 영역이기 때문입니다. 강조하여 다시 말하고 싶은 것은 지금까지의 모든 道(도)는 시간에 흐름에 혹은 사용의 빈번함에 따라 조율이 필요하다는 것입니다. 정확한 소리의 발성은 명확한 개념을 의미하고 각각의 음은 정확하고 명료한 최신의 개념을 업데이트되어야 아름다운 말소리를 낼 수 있는 것입니다. 개념과 의미의 연결선이 어떤 도를 지칭하면 정확한 절대음감 도를 가리켜야 합니다.

　　대화는 '도'로 시작하여 도로 끝나고 다시 도로 시작합니다. 사람의 생각과 의지의 표현은 이처럼 명확한 개념을 자신의 리듬에 맞추어 말을 할 때 그 말이 아름다워집니다. 새가 말을 할 때 노래를 합니다. 우리 인간도 새보다 더 많은 도를 알고 있고 학습과 연습을 이어간다면 정확한 도에 이를 수 있습니다. 많은 도 가운데서 내가 지칭하는 도의 강약의 범위를 자유롭게 조절하려면 스스로 깨치는 방법밖에 없습니다. 절댓값을 이탈한 도와 그 밖의 음들은 소음이 되고 맙니다. 그래서 정확한 도에 몸, 정신, 마음을 모두를 일치시키는 것이 가장 중요합니다. 마지막으로 악기의 울림통은 대부분 자기 자신입니다. 그곳은 어떠한가요? 비어있습니다. 정확한 도의 발현 능력이 있더라도 내 몸을 통해서 울려 퍼지지 못하면 그 말은 아름다움을 잊어버려 타인을 끌지 못해 공감에 이르지 못합니다. 지난날 그래서 공간을 강조했습니다. 당신의 목소리를 듣고 싶은데 울림통에 무언가로 가득 차서 소리가 울리지 못하는 형국입니다. 이 상태에선 당신을 통한 세상의 비명만 들립니다. 과거 나도 이와 다르지 않았습니다. 울림통의 쓰레기를 비워가면서 음을 조율 중입니다.

도, 도, 도, 道(도).
입으로 정확히 어린아이처럼 하루에도 몇 번씩 도 도 도

　우리의 소리는 정확한 진동으로 상대방의 마음을 가장 먼저 울려야 마음이 더워지고 그 열기로 문이 열리지 않을까요.

사고의 틀을 깨다. 알을 깨다. 변화는 무엇일까요?

　그 행위의 본질을 살펴보면, 파괴(때려 부수거나 깨뜨려 헐어 버림)라는 단어의 의미에서만 보면 부정적일 수 있으나 사실은 그렇지 않습니다. '그릇, 틀, 알'이 모두는 스스로 만든 것이 아닌 시대(時代)가 만들어 인간에게 강제하는 반 자유의 것들입니다. 사람들은 그릇, 틀, 알을 반질반질하게 닦고 정성들여 견고히 합니다. 그리고 이것을 좋은 일, 그 부분의 일부를 긍정하고 선하다 합니다. 그러나 '어떤 때'에 삶이 이르게 되면 그것들을 꼭, 철저하게 깨트려야 합니다. 이것이 인간의 숙명(宿命)입니다. 꼭, 인생은 우리가 사는 집과 같아서 그 형식은 영원할 수 없으니 슬럼가가 되기 전에 스스로가 파괴해야 합니다. 젊은 청춘의 정신으로 평생을 그 형식으로 살 수 없지 않은가요?

　우리가 사는 집뿐만이 아니라 어떤 것이든 사용기한이 있습니다. 어떤 대상에 대하여 부드럽게 변화하는 주체가 되면 그 변화로 인하여 성장하고 슬기로운 사람이고 반면에, 반 주체가 되면 외부의 환경이 변화한 이후에 수동적으로 고립되어 인생이 고달파집니다. 그리고, 무엇보다 고정된 그 형식에 오래 머물러 있으면 인간은 반드시 타락하는 존재가 됩니다. 즉, 정신이 슬럼가가 되는 것입니다. 슬럼가는 아무리 닦아도 슬럼가입니다.

　떠날 준비가 없는 이는 스스로 그곳을 떠나지 못합니다. 강제로 그 집들을 부수면 생쥐와 바퀴벌레들이 가득히 쏟아져 나옵니다. 이런

벌레들은 파괴의 변화를 부정적으로 본, 실제 긍정을 알지 못하는 존재들입니다. 한가지 신기한 것은 이런 미숙한 존재들로 변화되면 인간의 몸과 정신은 이런 신호를 감지해서 무의식 속에 던져줍니다. 그러지 말라고, 경고와 우울감을 발동하여 자신을 살피라는 위험 신호를 보냅니다. 감이 발달한 사람은 이 말의 뜻을 이해할 수 있습니다. 그래서 자신의 존재를 구원(救援)하는 탐험을 시작합니다. 이 모든 작용은 자연적인 질서이며 도에 벗어난 것을 바로잡을 기회가 온 것입니다.

어제는 봄인 양 따뜻해서 강변에 산책하러 나갔더니 매서운 강바람에 깜짝 놀랐었습니다. 오전에 잠깐 밖으로 나왔을 때 따뜻한 것으로 착각했습니다. 물끄러미 강을 바라보니 얼음이 완전히 녹았습니다. 또한, 그늘진 절벽에 붙어있던 고드름이 거의 녹았습니다. 그리고 작년 벚꽃이 만발하던 그때 저기 보이는 건너편에서 다과를 먹던 기억이 떠올랐습니다. 벌써 벚꽃은 가까이에 온 것 같습니다. 태양 볕은 봄인데 바람은 아직 겨울입니다. 방구석에서 굳어버린 몸의 근육들을 풀어봅니다. 그렇게 강둑을 따라 걸었습니다.

열심히 사는 것은 좋은 일입니다. 과거에 나! 역시 다르지 않았었습니다. 그러나 당신의 열정이 완전히 소진되고 당신의 숨소리가 거칠다 못해 저 아래 핏기까지 호흡이 닿고 그 음흉함마저도 끌어 올려 모든 것을 활활 태우고 나면 긴 하루가 지납니다. 그리고 그 흔적이 마음에 남는다.

이때가 인간 나이가 보통 40대입니다.
정확히 말해서 의심이 열정을 넘어서 회의에 사로잡히는 시점입니다.

열정적으로 살다 보면 인간은 이곳에 꼭 다다릅니다. 그리고 잃어버린 '자기'를 찾기 시작합니다. 당신의 얼굴인 거울은 벌써 저 창 너머로 던져져 산산 조각나고 말았었습니다. 스스로가 음산한 곳에 있는 자신을 발견하고 빛과 거울을 갈망합니다. 오랜 숙고와 반성 속에서 지내던 어느 날, 깨진 유리 조각에 반사된 밝은 빛을 보게 되면서 어두웠던 그곳이 밝은 곳으로 전환됩니다. 그리고 망설입니다. 톨스토이는 이것을 분기점이라 표현했습니다. 인간의 이해를 위한 이성, 끝까지 부인하는 죽음, 경계에 맞물린 종교와의 갈림길입니다. 그중 하나를 선택해야만 합니다. 타락한 한 사람의 미래가 대전환이 일어난 시점입니다.

톨스토이도, 도스토예프스키도 모두 이 대전환을 이야기하는 것입니다. 어떻게 보면 대전환을 맞이하지 못한 사람은 진실하지 못하고 또한 용기까지 없는 사람이라고 말합니다. 이렇게 말하는 이유는 인간은 삶을 안개 속에서 살면 타락할 수밖에 없는 존재이기 때문입니다. 반성과 숙고가 열정을 능가한 때, 자신에게 물어보면 답을 찾을 수 있을 것입니다. 수많은 또 다른 자신의 모습, 애매한 상태로 자신이 머무르면 악(惡)에 가까운 것이고 언제든 다른 대상을 탓하고 이내 정당화시켜버립니다. 시간이 지날수록 얼굴이 많아질수록 교활함이 커지니, 이는 인간에게 만연한 교만이다. 교만적인 합리화! 즉, 위안(慰安)입니다. 물론 이런 경험은 사람에 따라 선후가 다를 것입니다. 하지만, 인간은 죽음을 초월하여 다시 삶을 얻는다면 이전과는 다른 삶을 살겠다는 서약하고 비석에 세기는 데 이것은 종교에 가까운 행위가 되고 맙니다. 나는 내 안에 갇힌 내 마음의 말들을 풀어내고 싶었습니다. 그 누구에게도 하지 못할 말들을 풀기 위해선 강한 서약이 필요했었고 이런 체험은 자신의 삶을 다시 바라보게 했습니다. 그러기 위해선 '자신'을 수많은 관점의 절대적인 시야로 바로 볼 이유를 요구합니다.

경험과 체험은 같으면서도 다릅니다. 경험은 직접 몸으로 겪는 것뿐만 아니라, 간접적으로 보고 듣고 느끼는 것도 포함됩니다. 이러한 경험 중에서 자신이 실지로 몸으로 겪는 것만을 체험이라고 합니다. 그리고 사실과 진리는 실제로 또는 객관적으로 있거나 있었던 일이나 현상이라는 점에서 같습니다. 하지만 사실은 정해진 시간과 공간에 한정되어 인정되는 반면, 진리는 시간과 공간을 초월하여 변하지 않는 것과 관련됩니다. 그리고 이것을 지속해서 밝혀나가지 않고 대전환 이전에 위안만 받는다면 그 뿌연 안개와 같은 미래는 위험처럼 다가올 것입니다. 인생은 그러함에도 불구하고 무언가를 꾸준히 선택하여 심신의 위안보다는 진행의 상태를 위한 것이고 이것이 좀 더 위안보다는 좋은 것을 끌어내는 것은 분명한 사실입니다.

짧은 인생이지만 위안을 다음 생으로 미루지 말고, 이번 생에서 그 궁금증을 풀어봅시다. 톨스토이, 도스토예프스키 등의 제가 읽었던 수많은 작가의 말들도 이와 다르지 않았습니다. 인간은 그냥 막연하게, 애매하게 선하게 살 수 없습니다. "착하게 살아라"라는 자의적인 주체를 규정하지 않으므로 교활한 본성의 인간은 편의적으로 해석합니다. 여기에서의 다양성은 나쁜 다양성입니다. 진리(眞理)를 추구하는 사람과는 충돌되는 부분입니다. 그래서 어떤 이는 이 단계에 이르지 않은 사람과 이것을 구체적으로 논하지 말라는 충고도 듣기도 하였습니다. 그러나 혼자 가기에는 그 길이 너무 외롭다고 느낄 때 이 글을 쓰는 것일지도 모릅니다. 어떤 이들은 자살을 선택하기도 하고, 어떤 이들은 종교에 의지하기도 합니다. 아무튼, 그 악함의 끝을 알게 될 때, 반성과 숙고가 열정을 앞설 때, 자신과의 서약을 마음에 새기고 철저히 악함을 제어의 범위에 두고 그 수 많은 선을 그대로 받아들이는 일입니다. 모두가 위안을 먹으며 현실을 살면 모두 위선입니다. 그래서 악을 철저히 알았다면, 진실함으로 이 모든 것을 전환하여 모두가 마음속에서 악한 것에 마침표를 찍는다면, 진정한 사랑은 자연스럽게 그 사람에게 묻어나게 될 것입니다.

자연스러운, 당연한, 이치에 합당한 선(善)은 저절로 이루어지지 않습니다. 몸에서 자연스럽게 되려면 몇 번의 대전환이 필요합니다. 나는 첫 번째 대전환을 맞은 것뿐입니다. 회사에 취직하면 평사원에서 직급이 올라 평사원을 면한 것뿐입니다. 직급이 오른 다른 것은 많은 사람과 서로의 고충을 진실하게 들어주는 사람이기도 합니다.

이성과 감성은 인간 존재의 내면을 구성하는 핵심 요소입니다. 차가운 이성과 뜨거운 감성을 모두 갖추었을 때 온전한 인격체로 성장할 수 있습니다. 인생은 짧지만, 수련 시간은 깁니다. 저는 삶의 고난과 같은 지하실에서 20년[42]을 살아보았습니다. 그리고 온몸의 세포가 체험했었습니다. 우리가 직면하는 모든 세상의 문제를 오랫동안 해결하지 못하고 쌓아만 둔다면 그 문제가 곪아 터져서 멀쩡하던 정신도 차츰 흐려지게 되고 어느 순간 자신의 주도권을 잃어버린 의심하는 '나'가 급격히 팽창하여, 큰 존재가 되는 순간 이후에는 세상을 온통 원한의 눈빛으로 보게 될 때 온전히 영혼이 부정적으로 변합니다. 그러나 이때에도 인간은 본능적인 방어프로그램이 작동하고 이 국면에서 탈출을 다방면으로 시도합니다.

종교.
40, 50대 할 일.
은퇴 이후 할 일은 각종 일탈.
여행과 나태.

3. 의식주의 한계선
의식주에 확고한 한계선을 결정해야 하는 이유.

Fortune 특히, 사람의 삶에 영향을 미치는 '운(행운)'이므로, 오랫동안 노동을 한다고 해서 모두가 행운을 누리진 못합니다. 가만히 직장에서 일만 하는데 큰 부가 올 것이라는 막연한 기대는 자본주의의 노예들이 쉽게 걸리는 정신병입니다. 땅따먹기가 끝나기 전에는 물질적 풍요함은 단순히 운에 가까운 것입니다. 그렇다 하더라도 물질에 인간의 모든 노력이 매몰될 필요가 없습니다.

---

42) 지하 생활자의 수기: 유례가 없는 긴 독백 형식으로 쓰여진 놀랄 만한 작품입니다. 도스토옙스키의 대작들에서 발견되는 예술적 모티프의 밑바탕을 내포하고 있습니다. 작품의 주인공은 사회 어디에도 적응할 능력이 없는 사람입니다. (문예출판사)

학교에서도 1등은 한 명입니다.
돈으로 줄로 서면 1등도 한 명일 것입니다.

인간 성향은 다양하므로 어디서든 가장 낮은 단계에서 오래 머물 필요가 없습니다. 세상은 돈 말고도 다양한 것들이 있으니 굳이 돈에 줄을 서지 말아야 합니다. (학교 다닐 때 어디서든 1등만 했다면 내 말을 들을 필요는 없습니다) 그리고 부는 철저히 '운'이라서 내가 아무리 노력해도 그 운이 찾아올 가능성과는 상관없습니다. 그래서 만족의 범위 즉, 내가 원하는 만큼을 정확히 알아야 합니다. 이 말은 만족의 기준이 미리 확고히 정해져야 한다는 것입니다. 많이 쓰고 크게 소비하면 오래 일해야 합니다.

우리가 적게 버는 것이 아니라 소비가 큰 것입니다. 소비가 제어되면 노동시간을 조절할 수 있습니다. 그리고, 내면에 잠재된 것들을 공부를 통해 발굴하고, 지식을 획득하고 유지하려고 노력합니다. 이렇게 하려면 만족과 불만족의 경계를 찾아야 합니다. 마음속에 질문을 던지고 기다려보세요. 베이스라인과 범위가 정해지면 내가 일할 노동시간이 나타날 것입니다. 이 노동시간이 삶에서 적을수록 건강한 시민이 될 가능성이 큽니다. 노동시간이 줄어든다는 것은 물질적인 만족이 줄어든다는 의미이며, 결과적으로 물질에 얽매이지 않고 더 넓은 시각을 가질 기회를 얻게 됩니다. 이는 '객관적인 시각'을 갖게 되는 것입니다.

돼지우리에 돼지는 먹을 것이 풍족하고 넓고 푹신한 건초들이 즐비하여 걱정이 없더라. 그러나 돼지들은 자신의 오물을 덮어쓰고 다닙니다. 그리고 몸이 토실토실 살이 오르면 인간의 식탁에 오릅니다. 물질에서 탈출하려면 돼지우리를 뛰쳐나오면 됩니다. 객관화는 자신을 멀리서 무심히 바라보는 시야를 말하는 것이고 바라봄에 관조하는 힘이 생긴 것을 의미합니다. 돼지우리 안에서 돼지들은 모두가 돼지라서 절제가 없습니다. 단 한 번만, 내면의 공부가 나를 뚫고 나와서 세상에 적용되려면 무엇이든 진실한 마음으로 변함없이 세월을 버텨내면 자연스럽게 통달 됩니다. 다만 그 기간 연구하는 태도를 잃지 않는다는 조건이 필요하겠지만 말입니다.

한 번만 기(氣)가 통하면 공부가 외부에 적용됩니다. 이것이 깨달음입니다. 내면에 경험만 분석해서 될 일이 아닙니다. 경험을 간추려 압축하고 단번에 이해할 수 있도록 외부세계와 연결되면, 무언가를 깊이 탐구할 자본을 축적하는 계기가 됩니다. 이성을 탐구하는 과정에서 수련하고 경험에 강한 제동을 걸어 외부세계에 대한 비판이 자유로울 때 이성은 경험을 능가해서 세계 간 비교, 분석할 준비가 됩니다. 이것이 진정한 의식 확장입니다. 나를 인식하고, 불필요한 것을 버리며, 나 자신을 정의하고, 나를 지워 나 자신이 자연스럽게 되면, 깨어있는 정신은 다차원의 세계 간 이동이 자유로워집니다.

목소리를 따라서 걷고 있습니다. 강요와 억압을 이겨낸 목소리입니다. 목소리는 나를 끌어들입니다. 그 소리에 또 한 번 놀랍니다.

'민중의 경제적 기본권은 부의 생산과 분배에 대한 시민의 평등에 있습니다.'

인간은 철저히 신체적 존재이면서 철저히 정신적이고 영적 존재입니다. 만약, 하늘의 거룩함을 체험한 사람은 창조적 자유와 힘을 가진 주체입니다. 그런 체험을 완성하기 위해선 인간교육은 자아를 잃고 종살이하는 인간에게 창조적 주체임을 자각시키는 일이여야 합니다. 그것이 주체에서 대상으로 전환될 때, 종살이가 전통이 되어 성격을 이룹니다. 이를 깨뜨리지 않으면 자유도 평등도 있을 수 없습니다. 어떻게 보면 우리 인간은 균형을 만들고 지키기 위해서 이성의 힘을 키워야 하는 숙명을 갖고 있으며, 그 이성을 부단한 노력으로 훈련하면 어느 순간 '분간'이 생깁니다. 그래야 세상일을 멈출 수 있습니다. 멈출 수 있다는 것은 나를 벗어나 우리를 생각할 수 있음을 의미합니다. 육신의 욕으로만 움직이는 인간은 당연히 극도로 이기적입니다. 이 이기심은 생에 본능이며 자기방어이므로 욕할 것은 없습니다. 그러나 이

욕의 정도와 범위를 잘 살펴야 합니다. 이 시대 사람들은 과한 욕으로 본능적인 자세에 고정되어 자신을 방어하고 남을 쉽게 해치고 착취합니다. 자신의 욕을 멈추지 못하고 생애 에너지를 자신의 안위에만 쏟아버리면 살아 있을 때 이성의 힘을 길러 뜻을 세우지 못합니다. 이 뜻이 없으면 인간은 '혼'과의 교감에 장애가 생깁니다. 그래서 영원히 자신으로 살아갈 수 없게 됩니다. 혼의 정기를 찾고 자신을 녹여내지 못하면 혼의 폭발적인 에너지의 우월성을 현실에 투여하지 못합니다. 그러면 그 문화는 법에 의지했으며 빠르게 쇠퇴했었습니다. 내면의 목소리는 우리의 혼이요, 본심입니다.

생리적 욕구, 안전 욕구, 소속과 사랑의 욕구, 자존감의 욕구, 인식의 욕구, 심미적 욕구, 자아실현 욕구, 초월·영적인 욕구가 있습니다. 우리는 주로 생리적인 욕구와 안전한 환경을 추구하여 편안하고 안정된 삶을 선택하는 경향이 있습니다. 그러나 진정한 인간성을 발휘하기 위해서는 이러한 생리적 욕구와 안전 욕구를 조절하고 극복해야 합니다. 이를 통해 우리는 더 높은 단계로 나아갈 수 있습니다.

또한, 우리가 인간으로서 성장하려면 생리적 욕구와 안전 욕구를 넘어서야 합니다. 이러한 욕구에 영원히 얽매여 있다면 우리는 '사람'으로서 삶을 마감하게 되며, 인류와 세상에 긍정적인 영향을 미칠 수 없는 삶을 살게 될 것입니다. 우리는 이 세상에 그저 사용되기 위해 태어난 것이 아니라, 더 큰 목표와 의미를 추구하기 위해 존재하는 존엄한 존재입니다. 이를 느끼고 깨달음에 이르는 것이 중요합니다. 마치 산을 등반하는 인생의 여정과 유사하게 사람은 자신의 목표를 향해 노력하고 높은 곳을 향해 나아갑니다. 그러나 이 여정에서는 성공한 사람, 도전을 포기한 사람 그리고 노력했지만, 끝끝내 정복하지 못한 사람이 있습니다. 어떤 이든 공통점은 어떤 시점이 되면 이들은 산에서 내려와야 한다는 사실입니다. 산을 정복한 사람이든, 노력한 사람이든, 포기한 사람이든 이들이 산에서 내려올 때도 여전히 사회와 세상에 이로움을 줄 기회가 있다고 믿으셔야 합니다. 어떤 상황이든 누구나 다른 이들에게 도움이 되고 긍정적인 영향을 미칠 수 있는 능력을 갖추고 있습니다. 따라서 우리는 어떤 상황에서도 이로운 사람으로 남을 수 있도록 노력해야 합니다. 산에서 내려오면서 처음으로 등반하는 도전자들에게 도움을 주는 것이 인간의 본연의 의무이고 길입니다.

과거 저의 삶은 노력했지만 아쉽게도 성과는 미미했었고 높지 않은 산에서 내려와야 할 때를 찾아서 내려오는 삶을 살아가는 사람이 되었습니다. 열정이라는 산을 오르는 원동력이 사라지고, 반대로 침착히 몸의 균형을 잡고 반대 방향으로 돌아서 몸에 힘을 빼면 자연스럽게 내려올 수 있습니다. 높은 곳에서 내려오는 삶은 자신을 철저히 낮추기 때문에 누구든 존중할 수 있습니다. 그래서 가장 아래에 있는 사람이 됩니다. 그 장점은 이루 말할 수 없을 정도로 많습니다. 일차원적인 인간이 다차원적인 인간이 되는 길은 내려오는 삶을 사는 것입니다. 내려오는 삶을 살아야만 인간(人間)이 될 수 있습니다. 그리고 삶이 평화롭고 진실합니다.

세상이 나에게 바라고, 원했던 길은 무엇일까요?
난 그렇게 그 길에서 살고 있는 것일까요?

4. 반성이 숙고를 넘어 일차원 세계를 붕괴시킬 때

나는, 그림자를 딛고 서서 태양을 바라보며 그 그림자 속으로 뛰어들었습니다. 태양은 삶을 등진 세상의 이면을 모두에게 보여주지 않습니다. 만약 '기감(氣感)'이 예민하다면 그림자 속, 태양의 그림자를 발견할 수 있으나 대부분에 사람은 자아 도취하여 그냥 지나칩니다. 나는 예민한 기감 때문이 아니라, 나이에 비해서 너무나도 쇠퇴했던 마음 때문에 그것의 변화를 크게 느꼈을 뿐이었고, 덕분에 이를 쉽게 감지했었고 보다 크게 인식했었습니다. 이것은 보통 생애주기에 변화의 틈에서 찾아오며 개인의 인생에는 대략 3번 정도 찾아옵니다. 소위 내가 튼튼하고 잘나가면 그 힘에 가려서 이것을 절대 알지 못합니다. 그러다 대부분은 인생에 후반 부, 노년에 눈과 귀가 다 먹고 보잘 것없이 약해지면 그때야 운 좋은 일부 사람들에게 드물게 4번째 기회가 주어지는데 이때가 되어야 알아차립니다.

'나는 운이 좋은 사람인가 봅니다.' 빛과는 너무도 오래 떨어졌었어도 그들을 아파하며 성실히 살았었습니다. 조금도 어긋남이 없는 미련한 고집이 빠른 쇠퇴를 불러왔었습니다. 그리하여 세상은 다시 나에게, 세상을 배울 기회를 주셨습니다. 작아지던 나가 죽고 능동적인 나로 살아갈 기회를 한 번 더 주셨습니다. 그러나 나는 세상을 다시 살아갈 힘이 없었습니다. 어린이가 되어야 했으며 모든 것을 다시 배워야 했었습니다. 마침 2. 28 도서관, 나의 중학교 모교가 2의 삶을 도서관으로 변신 중이었고 나는 그 변화에 동참했습니다. 학교에서 도서관으로 변한 모교는 책들이 여기저기 쌓였습니다. 가끔 이곳에 있으면 어릴 적 뛰어놀던 기억이 새록새록 떠오릅니다.

꼬마 시절 선생님께서 읽어주시던 책을 비슷한 공간에서 읽습니다. 신비한 느낌마저 듭니다. 내가 책을 읽어 세상을 살아가겠다는 원초적 의지는 내 것이 아닙니다. 즉, 책을 찾고 세상을 알아가는 공부하게 만든 것은 내면의 빛이었습니다. 이후 오랫동안 내가 겪은 것을 읽고 있는 책에 표시된다면, 만약 그렇다면 얼마나 기쁜 일인가요! 그 후 부지런히 책들을 읽었습니다. 마음속 지독한 고요함 속에도 느껴지는 이 동요! 이것이 각성일까요! 만약 각성이라면 이토록 길고 오래 갈 수 있는 것인가요! 내 공부는 여기서 싹을 틔웠고 독실한 수행으로 이어졌습니다. 그리고 마음이 천천히 움직여 세상을 비추었을 때 읽을 대상이 하나씩 나타났습니다. 그러다 '이반일 리치의 죽음'과 '지하생활자의 수기'가 교차하면서 마음에 강한 무언가를 남겼었고 그래서 톨스토이의 책을 검색해보았습니다. 그리고 그의 자서전을 읽게 되는데, 내가 경험한 마음에 변화가 글로 표현되어 있었습니다. 그것도 지금 내가 가진 이성으로 충분히 가슴 깊게 공감할 수 있을 정도로 사실 나는 이것들을 글로 표현하고자 수많은 노력을 기울였으나 매번 이성의 만족을 넘지 못했습니다. 그리고 톨스토이는 나에게 이성을 넘어 그 이후에 이야기를 들려주었습니다. 그 후 이성의 한계를 넘어선 동경에 관한 관심으로 종교학자를 찾아보니 이들 학자는 다양한 학설과 이론은 알고 있으나 예상대로 체험은 하지 못했었습니다. 그러나 내가 겪어온 과정에 대한 절차들에 대한 설명은 그들이 아주 탁월했습니다.

나는 이성을 극복한다는 개념 없이 이성 너머를 몇 번이고 다녀왔었습니다.
나도 모르게 나는 나를 떠났었습니다.

그래서 체험이 앞섰었고 결과적으로 그 빛이 나를 이끌었습니다. 마음이 움직여서 체질의 성격은 바뀌었으나 외부로의 표현은 또 다른 벽에 막혀있었습니다. 그리고 이때쯤 선생님을 만나 공부가 더욱 가속화되었습니다. 사람이 마음공부를 하는 것은 자신의 욕구에 당위성을 따져서 증명하는 일이 됩니다.

이성에 균형을 찾는 일.

경험에 짓눌려 죽은 이성을 부활시키고 하나의 사고에서 경험과 이성의 균형을 찾는 일, 그리고 마음과 물질세계에서의 경험에 치우친 대표 관념을 적당히 선험적으로 수정하는 일은 중요한 과정이었습니다. 사람에 사고라는 것이 배움의 자극이 약하면 경험의 관념들에 비중이 증폭되어 당신 사고의 대부분을 차지하게 되어 한쪽으로 치우칩니다. 이는 감각에 누적되어 사고가 좁아지는 방식으로 번져나가게 되어 신비함을 유추하거나 추론하지 못합니다. 반면에 선험적 지식을 기르는 것은 신비의 대상이 됩니다. 경험의 반대에선 선험적 지식에 의한 사고에서 빠진 부분을 찾아서 보충하는 일이고 또한, 여러 잘못된 관념들 때문에 비뚤어진 절차를 바로잡는 일입니다. 세상이 소멸하는 사고의 방향은 마치, 경험만이 남은 이성에 의한 사고의 방향과 같습니다. 이성도 경험과 그것을 벗어난 탈주가 있으려면 경험이 쌓은 사고의 벽을 허무는 일입니다. 선험적 지식이 표상적 지식을 뛰어넘거나 비중이 비슷해질 때 이성을 넘어선 곳에 갈 수 있는 것으로 판단됩니다. 이렇게 되면 어느 순간에 사고가 실제를 앞서는 경험을 이성이 할 것이라 추측됩니다. 그러므로 배우지 않으면, 배움이 간절하지 않으면 영혼은 고귀해지지 못합니다.[43]

배우는 것은 물질세계의 당위를 밝혀서 정당한 사유를 획득하고 이해의 수단으로 극복해나가는 과정이기 때문입니다. 만약, 어떤 인간이 구속된 노예의 상태에 있다면, 그 인간이 스스로 노예를 벗어날 방법이 무엇일까요? 가령, 주인이 그 노예를 해방해 주어도 그 습성은 남아 또 다른 주인의 노예로 살게 될 것입니다. 그러면 그 노예가 왜 노예로 사는 것인지 알려주어야 노예 자신의 상태를 즉시하고 자력의 길을 택하여 힘쓸 수 있습니다. 노예의 관점에서 노예가 아니라 '당신에 습성이 노예라서 노예였구나'를 먼저 아는 일입니다. 이것을 알면 그 노예는 세상살이를 알아가는 것이 재미있어집니다. 무언가를 알아서 내 처신이 변하고 그래서 정신이 변화면 고귀해질 수 있다는 사실을 알았다는 것은 그 노예를 딱히 여겨서 베푼 또 다른 고귀한 사람의 경건한 마음이 있었기 때문입니다. 이 고귀한 사람이 우리 주변에 많으면 물질세계의 경쟁에서 뒤처진 이들을 충분히 보살피고 남음입니다. 물질세계 경쟁의 패배자들은 노예에 가까운 자들이기에 그들을 노예의 상태에서 해방하는 것은 고귀한 자들의 의무가 됩니다. 노예는 물질세계의 끝없는 탐욕이어서 벗어나지 못하는 자를 말하며 그물질을 얻기 위해 영혼을 파는 것을 마다하지 않는 자들입니다.

노예의 속성을 간파한 인간은 물질경쟁의 폐단을 알게 되고 물질세계에 대한 기대감과 만족도를 낮게 가지게 됩니다. 그리고 물질은 크게 갖기 위해선 또 다른 자신과 같은 많은 패배자가 필요함을 알고 있습니다. 그래서 그들은 자신이 탁월한 쪽이 물질 쪽이 아니라 정신

---

43) 인식론: 인간과 사회, 사물에 대한 이해와 인식을 아우르는 물음에 대한 해답을 찾는 시리즈 『믿음 지식의 정원 철학편』. 이 시리즈는 추상적인 개념이나 이론이 아닌 일상적인 물음에서 출발하여 자연스럽게 인문학적 사유에 도달할 수 있도록 돕는다.

그 이상의 것임을 직감합니다. 그래서 물질의 숙고가 정신으로 향하고 고귀해지는 첫걸음을 합니다. 그 시작이 배움입니다. 이는 깨달음과 정확히 일치합니다.

'적절히 먹었으니, 적절히 공부하고, 적절히 사랑하리라.'

　　나는 물질세계에서 패배자입니다. 그러나 이 세계의 패배의 경험을 교훈으로 삼아 더 고귀한 정신세계에서는 이와는 다를 것입니다. 내가 잘하는 차원은 물질세계가 아니었습니다. 우리의 삶에는 다양한 차원이 있습니다. 그 다양한 차원에서 서로가 다르게 다양한 능력이 발휘되어야 합니다. 단, 하나의 충족을 위해 필요한 만큼만을 빠르게 획득하고 스치듯 지나야 할 물질세계에 매몰되어있으면 다른 차원의 개발에 참여하지 못하는 불우한 인생을 살게 됩니다. 배울 이유를 찾지 못하는 것은 그 차원에서 공부가 자신의 처지를 변화시킬 수 없음을 알기 때문입니다. 어떤 욕구에는 반드시 적절한 제한이 있어야만 만족으로 이어지고 감사함이 충만케 됩니다. 심신이 물질세계에 노예가 되었고 잠시 다른 차원의 유흥을 즐긴다면 방탕한 삶이 되고 맙니다. 이것은 내가 생각하기에 지독한 정신승리가 되고 이는 연옥의 심연에서 루시퍼와 장기놀이할 운명입니다. 왜냐하면, 개인의 '이기'에서 단 한 번도 벗어나지 못한 자신이기 때문에 선한 영향력을 발휘한 적이 없는 당신 본연의 운명에서 마이너스이기 때문입니다.

　　사람들이 궁극적 차원의 존재의미를 자각게 하고 심성을 밝히는 장치가 요구되며 이 역할을 종교가 담당할 수 있으나 지금은 기능을 상실하였습니다. 그래서 물질세계의 패배자들이 자살해도 우리 사회는 개인의 책임으로만 돌립니다. 그들을 다른 차원으로 끌어 올리다 보면 탁월한 수평선을 만날 수 있다고 나는 믿고 있습니다. 물질세계의 깡패들이 많을수록 다른 차원으로 이동하지 못한 패배자들은 더욱 깊은 원한으로 빠져듭니다. 물질적 풍요와 반대로 빈곤은 일차원적인 수평이라 이 세계에선 절대로 모두가 만족할 수 있는 상태를 유지할 수 없습니다. 물질은 한정적이기 때문임은 누구나 알고 있습니다. 과도한 물질 추구에서 탈출하여 적정량을 취득하고 고귀한 성품으로의 빠른 전향이 필요합니다. 그래야 빈약한 자들도 빨리 회복합니다. 그러기 위해선 배움이 가장 낮은 곳을 찾아서 어둠을 다시 밝혀야 합니다. 우리는 이미 생존을 위한 기술에는 충만하니, 정신의 가치에 삶을 투영합시다. 물질로 채워지지 않은, 물질을 얻기 위한 무리한 경쟁은 당신의 공허함도, 패자들에게 어떤 동정도 개인이라는 이기에 압도되어 행동으로 나타나지 못합니다.

5. 신비

내 그릇은 한 번도 빈 적이 없었습니다. 항상 그릇에는 생명수가 담겨있어서 살아갈 수 있었습니다. 만약, 생명수가 없다는 것은 죽음입니다. 내면 깊은 곳으로부터 졸졸 흐르는 생명수는 그렇게 그릇에 담기고 있었습니다. 어려운 고난을 만나면 그릇이 흔들거리고 생명수가 이리저리 넘칩니다. 그러다 크나큰 역경을 만나면 그릇이 뒤집힙니다. 그리고 떨어져서 깨져버립니다.

지금은 그릇이 없습니다. 단, 한 번도 이런 일은 없었습니다.

생명수는 그래도 흐릅니다. 그릇이 없이 그냥 작은 샘처럼 흐릅니다. 그릇은 내 혼자만을 위한 것이었지만 지금은 예전과 다릅니다. 한때 내가 가장 강했던 때가 있었고 지금은 '나'라는 모습이 가장 희미할 때입니다. 그래서 공부합니다. 그릇이 없으니 담을 것이 없으며 물은 그냥 졸졸 흐릅니다.

본론으로 들어가서 '신비(神祕)'가 무엇인지 모르겠으나 분명히 삶에 지대한 영향을 미치는 것이고 저마다 이를 감지한 사람들은 각자 행동하며 살아갑니다. 한가지 이 시점에 슬며시 찾아드는 의문은 신비에 방향을 어떻게 찾느냐는 것입니다. 모든 행위는 깨어있는 수련을 동반할 때 의미가 생겨납니다. 오랜 역사에 권위 있는 교리를 담은 책인지, 아니면 인간에 의해 소박하게 쓰인 문학인지는 분명하지 않으나 선생님에 직관이 탁월하신 것을 오늘 알게 되었습니다. 지금에서야 나는 문학에 보편성과 그 강함을 다시 한번 깨닫습니다. 균형미가 없었던 내가 이렇게 빨리 자신을 회복하고 세상에서 이해의 실마리들은 가져와 문학에서 또 다른 차원의 이해로 발견한 것이 분명하기 때문입니다. 나처럼 균형미를 잃은 사람에게 '교리'는 너무도 높은 벽이라서 가슴에 다가오지 못합니다. 그러나 문학은 균형미 없는 사람에게 더 쉽게 다가설 수 있는 이야기입니다. 이는 완벽하지 못한 인간의 실질적 이야기를 포함하는 문학의 다양성에서 발견하는 또 다른 자신입니다. 세상을 살면서 풀지 못하는 문제들, 내 의식 밖의 문제를 막연한 신비에 투영하여 구원을 바라거나 혹은 높은 교리에 비추어서 신비 자체가 완성됨을 바라는 것이 아니라 능동적으로 인간의 이야기를 탐구하여 나와 비슷한 흔적을 발견하고 경우의 수를 늘려서 현명한 선택을 지속해서 이어가는 것이 어쩌면 문학입니다. 문학은 경험과 이성 그리고 신비를 포함하고 무엇보다 균형미가 있는 이야기입니다. 오래된 고전 400여 권 중 나에게 길을 뚫어줄 책은 분명히 있습니다. 그 어떤 교리보다 작지만, 작은 나를 단번에 관통하여 나를 직관하기에는 '고전 문학'이 최고입니다.

문학은 작은 사람이 딱 한 번에 먹기에 적당한 분량만큼 부담 없이 담겨있습니다. 반면에 교전은 우리가 세상을 온전히 이해하지 못하는 것과 별반 차이가 없습니다. 그러니 고전 문학 400여 권을 읽어 나를 관통한다면 교전의 교리에 내용도 쉽게 풀릴 것입니다. 우리는 책을 읽음으로써 그 문제를 해결하고 대처하는 형태의 인간들입니다. 인간은 세상의 문제를 다양한 방식으로 해결할 수 있으나 독서만큼 효과적이고 정확한 방법 또한 없을 것입니다. 어려운 시기에 읽어둔 한 권의 책이 당신의 운명을 바꿀 수 있을 만큼 위대한 유산이 됩니다. 다만, 독서가 습관화되지 못한 분들은 다른 방식으로 문제를 풀려고 시도하지만, 딱히 뚜렷한 방법은 없을 것입니다.

독서에서 기쁨을 느끼지 못하는 이유가 무엇 때문일까요? 우리는 6.3.3의 정규 교육을 받고서도 독서가 습관화된 사람은 많지 않습니다. 생이 모두 달라서 똑같은 경험이 없는 것처럼 당신의 문제는 모두와 다릅니다. 그래서 당신만이 그 문제를 능동적으로 풀어야 하고 명확히 처리할 수 있습니다. 어려운 문제를 능숙히 잘 풀고 다음 문제를 충분히 예상할 수 있으면 그 사람의 생은 즐거울 것입니다. 우리는 수많은 선택과 그것 자체를 하지 않으므로 뒤섞여 있습니다. 이러한 삶을 경험하면서 "이것이 바로 인생이다."라고 인식하는 순간, 배움은 새로운 차원으로 확장됩니다. 내 삶과 배움을 연결할 힘이 생깁니다. 연결하는 힘이 생길 때, 문제의 정답을 찾기 위한 독서가 자연스럽게 이루어집니다. 이런 과정의 현실성을 경험하면 독서는 또, 다른 행복이 됩니다. 독서는 어떤 목적에서든 시간이 지나면 추구하는 것은 하나의 진리에 이르고 각자의 신념에 일치시킬 수 있을 것입니다. 책과 나의 세계를 연결하는 고리를 발견하고 그것과 연관 지어서 내면으로 끌어들이는 사고방식의 유연함과 그것들을 크게 궁리하는 힘이 중요합니다. 문제를 푸는 것은 내면에 수많은 질문을 던지는 것과는 다릅니다. 내면은 평정의 상태를 유지하고 관찰에는 적극적이지만 이것은 문제 풀이와는 또 다릅니다. 사고의 정교함은 배움, 독서 그리고 피드백뿐입니다. 그런데 독서가 배움과 피드백 연줄보다 앞섭니다.

한편, 독서는 책의 내용이 서로 겹치고 누적되어 그 책이 다음 책을 소개하고 작가의 관계들도 이어주는 것 같습니다. 이것은 개인적인 생각이지만 작가들이 큰 그림을 정교히 그리려는 노력이 깊을수록 관계가 무한하며 그들의 의식은 분화되어 우리에게 조각으로 다가오는 것으로 짐작됩니다. 그들의 내면에 생각들을 글로 한 번에 표현할 수 없으니 풀어가는 지혜를 발휘할 것이고, 그것들을 읽어 내가 탐구하는 세상의 문제를 풀 수 있는 알고리즘의 핵심 엔진으로 사용하면 됩니다. 정의만 분명히 내릴 수 있다면 그들의 주요한 생각과 사상들을 내가 마음껏 시험하고 탐구해볼 수 있습니다.

　　톨스토이는 '기억에 의한 것이 아니라 사색(思索)에 의한 지식만이 참된 지식입니다.'라는 말의 뜻은 바로 이와 같은 것입니다. 그것들을 표현하는 과정에서 즉, 토론과 대화에서 느낌을 정리하기보다는 사색으로 넘어가서 이 형식을 '부숴버리자.' 정신적인 긍정은 자발적인 파괴에서 새로운 변화를 개척하는 것입니다.

제7부 동굴에서 자신의 목소리 증폭

ONE HEART

모욕을 당하고도 한을 품지 않을 용기 Forgiveness(courage가 아니라!)
"나는 문제 없다"라는 것은 자만입니다.

　마음을 연구하는 대신 치료만을 목적으로 하는 사람들이 많습니다. '교'을 탐하는 사람들은 자신을 과대평가한 경우가 많습니다. 이들은 '내면을 살펴라'라는 말을 부정적인 기억을 치료하라고 잘못 이해합니다. 그래서 자신의 내면을 관찰할 수 없고 알지 못하게 되며, 그 결과 외부의 교에 더 매달리게 됩니다. 사람은 내면과 외면이 있으며, 내면은 마음을 연구하고 밝히는 것이고, 외면은 과정과 기술을 습득하는 것입니다. 이 둘이 마주쳐야 됩니다.

1. 열정(熱情)

무릎이 깨지고 다시 일어나며, 또 깨지고 일어나며, 딱지가 반평생 동안 그런 상태가 계속되다 보면, 딱지가 무릎과 같아 더 아픔을 신경 쓰지 않게 될 때가 있습니다. 인생은 때로는 여러 차례 넘어지지만, 아픔을 느끼면서도 어떻게 넘어갈지 찾지 못하는 순간이 있습니다. 이러한 악순환을 끊는 방법을 찾는 것은 중요합니다. 생명은 희망과 열정으로 가득 차 있으며, 이 열정은 종종 한 가지에 집중되고 불타오르게 됩니다. 그러나 이 열정이 편협해지고 다른 측면을 소홀히 할 경우, 누군가에게 이용당할 가능성이 큽니다. 특히 부정적으로 각성한 사람들이 특출나게 이런 현상을 자주 보입니다. 따라서 평정심에 이르는 방법을 익혀 이러한 악순환을 끊는 것이 필요합니다.

우리는 자주 넘어지지만, 그 아픔을 통해 배우고 성장할 수 있습니다. 열정을 다양한 측면으로 분산시키고, 다른 사람들과의 연결을 강화하여 편협한 감정을 줄이는 것입니다. 어떤 일을 꼭 해야 할 때, 그 이유를 시간을 내어 진지하게 생각해야 합니다.

열정은 급함과 만나면 어떻게 보면 '어리석음'입니다. 단순히 살펴보면 자신을 아끼는 이기적인 마음은 열정으로 가득합니다. 자신을 이기적으로 객관화시키면 자신의 존재가 돋보이게 되는데 이는 사람을 자아 만족에 빠지게 만듭니다. 그래서 이러한 마음이 들 때는 잠깐 크게 숨을 들이마셔 이기적인 마음을 다스려야 합니다. 산을 오르는 사람은 열정으로 오릅니다만, 산에서 내려오는 삶을 사는 사람은 열정은 거의 없습니다.

자신의 운명에 구속되어 누구와도 소통이 원활하지 못하면, 그 운명은 고통으로 가득하게 됩니다. 나 자신과의 소통이 어려울 때, 나 자신을 찾아내지 못하고 외부에서 자신이 비친 모습을 타인에게서 발견하고 싶어집니다. 그래서 욕망과 욕구 그리고 욕심이 뒤범벅되어 인생이 초라해지게 됩니다. 어느 정도 인생 바닥으로 내려가면 사람의 무의식은 자신을 보호하기 위해서 내면에서 자신을 정당화시키는데 이것은 타인을 아주 힘들게 만들어 버립니다.

이런 사람들의 주된 특징은 주변인의 에너지를 갉아 먹기 시작합니다. 누구에게 얽매이고 달라붙고 그래서 진드기처럼 삶을 살게 됩니다. 자신은 철저히 모르지만 이런 것이 습관화되어서 몸에 배어 버리면 남들에게 의지하는 삶이 일상화되어 주변 사람들에게 엄청난 나쁜 기운을 풍기는 사람이 되어 버립니다. 이런 사람들의 내면에서는 자신만을 위하는 '나만 아니면 돼'라는 오만한 생각들이 가득 차게 됩니다. 이런 사람들이 둘이 부딪치면 치고받고 경찰서에 가게 되어 온갖 지저분한 행동으로 이어지게 됩니다. 진정으로 마음이 나쁜 기운으로 가득 차서 마음의 정화가 필요한 사람들입니다. 나 또한 예전에는 그런 상태에 빠져 있었고, 깨달음을 통해 마음을 정화해야겠다는 필요성을 느꼈습니다. 공부를 통해 마음을 수양하며, 조금씩 좋은 에너지로 변화시켜 나갔습니다.

5년 동안 약 수백 권 정도의 책을 읽은 것 같습니다. 특히 즐겨 읽은 몇 권은 5~12번까지 여러 차례 읽어왔습니다. 책은 나에게 소중한 마음의 에너지를 전하며, 때로는 충격을 주기도 합니다. 그래서 책과의 소통이 나의 성장을 이끌어가는 핵심이 되었습니다. 책과의 소통을 통해 나 자신과의 대화가 시작되고, 이를 토대로 타인과의 대화도 더욱 의미 있게 이루어집니다.

자신을 불통에서, 고집에서, 의지에서, 열정에서, 편견에서 마음이 굳히지 말고, 확증하지 말고, 분노하지 말고, 의심하지 말고 밝은 쪽으로 나와서 책과 소통하고, 자신과 소통하고, 주변의 사람들과 소통하고, 나와 불통인 사람들의 말을 들어주고, 그리고 나와 같은 의견인 사람들의 기운을 북돋아 주면 스스로가 존중받는 것입니다. 첫째가 책과 소통이 이루어져야 자신과 소통하는 법을 배우게 되고, 자신과 소통이 이루어지면 그 어떤 대상과도 소통이 이루어질 수 있습니다. 이를 위해선 '깨달음'을 체험(體驗)하여 마음에 깊은 충격을 주어야 합니다. '이성'은 때로 회의를 일으키며, 이성이 약하면 잘못된 '믿음'에 사로잡히게 되어 종종 오류를 범하게 됩니다. 마음이 올바른 상태에서는 이성의 제어가 유연해지고, 그 방향을 올바르게 이용할 수 있습니다. 마음이 곧고 올바른 상태에서는 이성, 지성, 지혜가 모두 빛나며 주변 사람들에게 긍정적인 영향력을 행사할 수 있다고 믿습니다.

마음을 닫지 말며 그렇다고 무언가를 너무 믿어서 마음을 모두 빼앗겨 버린다면 그 또한 문제가 됩니다. 마음을 닫은 이는 어떤 사람에게 에너지를 과하게 빼앗겨서 자신의 기운이 소멸하여 마음에서 에너지 보호 작용이 발동하여 일시적으로 자신을 회복하기 위한 것입니다. 이때 회복하는 과정에서 사람들은 쉽게 무엇에 위로를 받기 위해서 잘못된 믿음에 쉽게 빠집니다.

마음은 '공'입니다.

내 주변의 모든 생각은 끊임없이 나타나고 사라지기를 반복합니다. 죽을 때까지 이 현상은 똑같습니다. 다만 의지가 작동하여 어떤 생각의 시발점을 잡고 의식이 이를 끈질기게 따라가면 결국 좋지 못한 행동으로 나타납니다. 이때 잘못된 생각을 붙잡게 되면 그 생각을 흘려보내야 하는데 그러지 못하고 생각이 상상되고 결국은 망상이 되어 곤란한 경우에 이르게 됩니다. 이렇게 되지 않으려면 항상 '공' 상태로 돌아오는 연습을 해야 합니다. 그래야 수많은 생각 중에서 바른 생각을 내 것으로 만들어 운명에 맞게 살게 됩니다. 운명대로 살지 못하는 것은 나쁜 생각과 유혹을 뿌리치지 못하기 때문이고 이것은 나만을 위한 이기적인 생각과 마음 때문입니다. 그래서 명상이 필요하고 명상을 훈련해야 하는 필연적인 이유가 됩니다. 그래야만 업무 중에도 잠깐 멈칫하여 짧은 순간에서 깨어나서 못된 생각을 떨쳐 버리고 바른 행동을 할 수 있게 됩니다. 아니면 희미한 깨어남에서 상태만 아~이런 상태구나 하고 인식만 하고 흘려보내면 나중에 그것이 무엇인지 알게 됩니다. 이때 주변에 있는 사람들과는 나중에 대화로 그때의 상태와 이후 판단에 관해서 이야기한다면 좋은 대인관계를 유지할 수 있을 것입니다. 다시 말하지만, 자기 생각을 멈추고 잠시 '공'한 상태로 있으려면 명상이 필요하고 반드시 이를 훈련해야 합니다.

한편, 인간이 피해야 할 두 극단(極端)이 있습니다. 하나는 '향락(享樂)'에만 몰두하는 것이고, 다른 하나는 '고행(苦行)'에만 몰두하는 것입니다. 흔들리지 말고, 동요하지 말고, 오직 오늘 할 일을 열심히 합니다. 목적을 두고 모인 우리가 동등한 입장에서 각자가 자신의 업무를 분담하고 '공평'이란 것에 근접(近接)하면 좋겠지만, 매번 현실에서는 그것이 잘 이뤄지지 않는 것을 우리는 모두 잘 알고 있습니다. 오래가고 길게 가는 사람은 인내하며 노력하는 사람입니다. 어떤 노력이냐면, 중간 정도의 실력을 갖추기 위해서 공부라는 고행을 멈추지 않고 교만하지 않은 어리석은 사람입니다. 자신의 정점을 최대한 뒤로 미루는 사람입니다. 지금 당신이 현재 세상에 대한 이해의 표현에서 정점을 찍었다면 미래는 그 정점을 내려오는 길뿐입니다.

반면 어리석고 미련할 정도로 천천히 그 정점을 향해 오르다 보면 주위에 모든 사람이 사라지고 없습니다. 세상 사람들은 인내심이 없습니다. 화와 열정을 향락이라는 기준에 두고 왔다 갔다를 반복하는 사람이 많이 있답니다. 당신만 남았는데 그 똑똑했던, 그 열정으로 가득 찼던 대부분에 친구는 지금 다른 일을 하고 있을 것입니다. 잘해서 정상에 서는 것이 아니라 배움을 꾸준히 지속하며 당신의 정점을 바보처럼 뒤로 미루고, 묵묵히 인내한다면 당신은 그들 모두를 뛰어넘습니다. 이처럼 공부와 노력은 인내심을 기르고, 자만심을 철저히 버릴 때 오래갈 수 있습니다. 어떤 분야든 정점을 찍으려면 공부와 수행을 통한 인내심은 기본입니다. 이 3가지를 시간의 흐름에 따라 조화롭게 당신의 삶에서 녹여내지 못한다면 당신은 매번 출발하는 처지에 다시 서게 됩니다.

마라톤을 뛰다가 100m 단거리를 뛰면 '순간'일 것입니다.
우리는 마라톤을 뛰는 사람입니다. 삶이란….

　　다시는 열정으로 살지는 못합니다. 마음에 생각들이 흰 백지에 새겨져서 책이 되기도 하고, 때 묻은 것을 닦아 내리는 휴지가 되어 버려지기도 합니다. 아침이면 흰 백지가 되어야 함에도 지난날에 흔적이 묻은 누런 종이가 되어 그날의 시작을 맞이합니다. 인생이 점점 회색빛이 되어서 나중에는 더 굵고 더 검은 지워지지 않은 굵은 매직으로 마음에 글을 적어야만 알아볼 수 있게 됩니다.
　　마음이 무감각해지고 세상의 것들이 모두 싫을 때 그때 마음이 딱 위와 같은 상태입니다. 걸레는 빨아도 걸레라서 그래서 걸레는 버려집니다. 그렇다고 마음을 버릴 수는 없는 일이나 세상 사람들은 마음을 많이 버립니다. 그래서 서로 소통이 불편하다고 말합니다. 마음의 작용을 이해하고 마음의 것들을 적당한 때에 비우고 글을 적으며 작성된 글의 내용을 행동하여 아름답게 만들어 간다면 인생 또한 그 아름다움을 따라갈 것인데, 마음을 지우개로 지우는 법을 모릅니다.
　　우리가 사용하는 연습장을 보면 이면지, 혹은 다시 활용한 종이는 색이 누렇고 질이 좋지 못하지만 그래서 엷은 회색빛이지만, '노트'라 칭해지고 얼마든지 글을 작성하고 볼 수 있습니다. 먹으로 적은 한지를 빨래 빨듯이 빨아서 다시 종이가 되어 그곳에 누구의 새로운 각오와 마음의 상태를 작성합니다. 아침이면 흰 백지가 되어서 그곳에 다른 사람이 나를 향해서 한 말들을 기록해 보셔요.

2. 삶을 살아가는 방법
　　부모님은 사랑으로 이 세상에 날 이끌어 놓으셨습니다. 그러나 성장기 같은 한국 경제의 빠른 변화로 삶의 방법은 가르쳐 주시지 못했습니다. 부모님 세대들은 그들만의 한계가 있기에 세상에 있게 해준 것만으로 감사하고 인정하는 마음이 큽니다. 부모님의 품을 벗어나 밖에서 삶을 배운 적이 없는 것 같습니다. 아쉬운 말 같지만, 사실인 걸 어쩔 수 없습니다. 못난이 세 명만 모여도 배울 것이 있다던데 그 대상이 도무지 기억나지 않습니다. 문득 이런 생각이 들었습니다. 날 따스하게 대해주며 삶을 가르쳐주며 방향을 제시해준 그 누가 있었던가요? 우리가 모두 마음 열어 따뜻해질 수는 없단 말인가요? 화합하고 협력하는 방법이 있을까요? 반대로, 모두가 몇 천 년 동안 녹지 않을 것으로 보이는 얼음덩이와 같이 서로 어울리지 않는 존재들입니다. 그들은 무지하게 욕심이 많아서 남에게 진다는 것을 절대 인정하지 않습니다. 차츰차츰, 삶은 어떤 대상을 향한 전투로 변해갔습니다.

언제부터인지 모르겠지만 스승과 동료들이 사라지고 홀로 길을 걷기 시작한 것 같습니다. 얼마나 답답하고 우둔한 인간의 모습입니까요? 그러나 한 인간의 삶에서 젊음은 이것들을 이겨 기리고도 남습니다. 나만 그런 것이 아니라, 비슷한 시대를 살았던 이 시대의 사람들도 마찬가지 모습을 보입니다. 결국에는 각자의 개인 참호에 깊게 파고들어 머리가 보이지 않게 되었습니다. 안정을 찾았지만, 세월이 비껴가는 운명에 놓인 것입니다. 우리는 행복하게 살기 위해 바삐 살았고, 더 많은 일을 하기 위해 더욱 기계 부품처럼 되어야 했습니다. 그 결과로 물질적으로는 풍요해졌지만, 그 결말은 요원한 상태와 내구성의 결여를 보여주었습니다. 불안한 환경을 버틸 수 없는 지점에 이르러서, 그런 상황을 더 이상 겪고 싶지 않았습니다.

세상을 바르게는 아니어도 잘 살아온 것일까요? 그런 생각들이 밀려올 때쯤 문득 어머니의 흰머리들이 보였고, 거울 속! 나는 아재가 되어있었습니다. 아재라는 말이 입에 착착 감겼습니다. 그렇구나! 아~ 젊음은 어떻게서든 상승을 가져오는구나! 그러나 그 끝은 짧은 청춘과 함께 사라지는구나! 바로 이것이었습니다. 젊음이 모든 것을 이끌어 올렸었고 상승이 있으면 하락이 있는 것이었습니다. 그 후 저절로 세상을 향해 원했던 것에서 내려오는 삶을 직면하게 되었습니다. 아등바등 버텨봐야 고통만 있을 뿐이고 또한 의미 없는 일입니다. 홀가분한 마음에 간소하게 챙기는 것이 현명한 일입니다. 내리막길을 걸어 평지에 다다라 여러 산을 보았습니다. 그리고 평지에서의 훈련이 시작되었습니다. 그러나 난 훈련이 끝나더라도 산을 오르지는 않을 것입니다. 평지에 발을 딛고 있으면서 저기 산과 산사에 계곡을 보았습니다. 그 계곡에는 맑은 샘물이 있었습니다. 물길은 어느덧 나에게 꿈을 주었고 그것을 등지고 먼바다까지 나갔다가 다시 올 것입니다. 그래 맞아! 내가 산속에서 가파른 길만 등반하다 바다를 잊었습니다. 나는 예전부터 바다를 훨씬 더 많이 동경하던 소년이었습니다. 낚시하고 그물을 치는 방법도 잊어버렸습니다.44)

바닷가에 가서 살결도 태우고 붉은 놀을 바라보며 맥주도 마시고 손을 꼼지락거려서 소리 나는 무언가를 만들기도 했으면 좋겠습니다. 산을 앞에 두고 준비 출발! 이렇게 외치고 오르기만 하면서 그렇게 단순하게 한 방향만 보고 살아서 다양한 길을 몰랐던 것입니다. 이곳저곳에서 다른 사물들을 접하고 가까이서 혹은 멀리서 볼 수 있는 깊은 심안에 이르고 싶습니다. '도'는 길이며, 그 길의 다양성을 발견하는 공부를 하며 사고 과정에서 오류를 찾아 고치고, 더 나은 사고 체제로 진화하는 일입니다. 한편으로는 구식이 된 예전 사고 체제가 나의 한계를 규정하는 것 같아서 몹시 슬프게 느껴집니다. 오래되고 묶은 쓰레기 같은 것들을 버려도 끝이 없습니다.

우리가 권위와 직위에 눌려 억압을 당하고 그 억압 도덕적으로 비약해 자신의 자유를 억압하면 사람은 마음을 닫고 명령에만 복종하는지 생각하지 않은 인간이 되고 이 상태에서 오랫동안 조종당하면 그 사람은 영원히 길을 잃은 존재가 되고 맙니다. 중요한 것은 스스로가 자신의 자유를 더욱 강제하는데, 이로 인해 일차적으로 문제가 발생하고 이차적으로는 그런 상태로 세상을 보면서 자신도 모르게 주변인의 자유를 빼앗는 경우가 자주 발생하는데 이런 상태에서 고착되면 사람

---

44) 노인과 바다(The Old Man and the Sea): 미국의 소설가 어니스트 헤밍웨이의 중편소설입니다. 1952년에 쓰였으며 낚시가 취미였던 저자의 해박한 지식이 배경입니다. 1953년 픽션 부문으로 퓰리처상을 수상하였습니다.

은 외부에서 도움을 받을 방법도 상당히 제한적이라는 것이 또한 가장 큰 아픔입니다.

　모든 관계의 본질은 나와 너의 마음을 살피는 일입니다. 이는 권위와 직위가 아니라 의사소통 능력을 말합니다. 마음에 일정량의 비워 둠이 있어야 다른 이의 말도 담을 수 있고 서로가 충돌되는 부분도 완충지의 역할도 할 수 있습니다. 마음에 대상을 담지 못하는 것은, 다른 말로 욕심이 마음의 크기를 넘어 혼란으로 가득 차 여유(餘裕)가 없다는 것입니다. 당신의 그 말을 마음에 담지 못하면 대화에 참여하지 못하고 스스로가 그 행위를 이탈합니다.

책을 읽다가 대상 b가 보입니다.
나의 인식의 범주에는 b가 없습니다.
당황과 부끄러움은 일시적입니다.
내 가지에 b가 없는 것을 알아차려야 합니다. 그리고 인정합니다.

　b가 새로운 것이라서 나에게 없는 것이라면, 가장 근접한 a, c를 이용하여 지적 공감으로 b를 유추해 봅니다. 공부하고 있기에 어느 순간 b는 분명해집니다. 그리고 다음에는 a, b, c를 이용하여 d를 더 쉽게 유추하고 학습해나갈 수 있습니다. 이것이 의식과 지적 공감의 확장입니다. 이런 작용이 일어나려면 마음에 공간이 클수록 더 쉽게 일어납니다. 마음에 욕심과 화가 가득하면 이런 수치적 관계의 연산(지적 공감)이 일어날 공간이 없어 관계를 밝힐 수 없습니다. 인간은 본능적으로 현상을 즉각적으로 파악하지 못하면 혼란의 영역이 넓어지고 현실을 회피하며 의식이 다른 세계로 향하게 됩니다. 그래서 결국 대화에서 멀어집니다. 다시 말하지만, 마음에 공간이 넓을수록 상대의 말을 많이 담고 말을 넘어 생각과 의도까지 담아 올 수 있습니다. 그 이후에 여러 가지 조건을 부여하여 내가 직접 조작해볼 수 있고 개인적인 답을 내려서 독서로 검증할 수 있습니다. 그래서 다음 대화가 즐거운 것입니다. 한편, 어떤 이는 b를 지속해서 a, c로 착각하

는 일, 끝까지 자신의 내적 범주에 포함하려고 억지 분류가 집착입니다. 세상의 b는 b이지 a이거나 c가 아닙니다. 이런 일이 중복되면 세상을 바로 읽지 못하여 복은 멀어집니다. 그리고 의사소통 능력이 떨어지게 됩니다. 이 상태가 세상에 누적되어 약자가 되고 착취의 구체적인 대상이 되는 일입니다. 어림짐작으로 모호하게 분류하면 인생이 안개처럼 되어 위기가 닥치면 한순간에 사라지고 맙니다. 그래서 마음을 비우고 대화에 참여하여 상대방의 말과 마음을 많이 담는 행위가 우리가 말하는 공감입니다.

위와 비슷하게 조직의 리더는 권위와 직위가 아니라 의사소통 능력이 중요합니다. 즉, 마음에 비워둔 공간의 크기를 말하는 것입니다. 마음이 넓다면 욕심과 화는 큰바다에 조약돌에 지나지 않습니다. 정신은 공간을 발견하는 일이며 마음은 그 공간을 다른 이의 것으로 내어주는 일이 되어야 합니다. 내 마음이 여러 사람의 운동장이 되어 그 사람이 뛰어놀고 운동하면 그 위의 모든 사람은 내 사람이 된 것입니다. 내 사람! 그리고 그들 중 내 사랑이 있을 것입니다.

3. 퍼스낼러티

외부에서 주어지는 것을 비판 없이 받아들이면, 인격은 사라지고 대중, 군중이 남게 됩니다. 외부의 세상은 정교해서 누구도 모르게 조작되어서 보편적인 인간을 강제합니다. 일정한 조건에 제한을 두고 이들을 줄 세게 만들어 경쟁시킵니다. 목표를 향한 성장과 발전은 중요합니다. 그러나 인격은 고귀한 것입니다. 따라서 사람들은 항상 더 높은 수준을 추구하지만, 그 과정에서 종종 자신의 한계를 잊어버리기도 합니다. 위태롭다 합니다. 인간은 비교판단의 동물입니다. 그래서 본능적으로 남을 능가하고 우위를 점하려는 경향이 있습니다. 자신의 능력보다 항상 과한 것을 원합니다. 위태롭다 합니다. 너와 내가 같다고 할 때는 내가 못할 때고 너와 내가 틀리다 할 때는 내가 너보다 나을 때입니다. 이 둘이 배움이 닿지 않아 흐려지면 다르다고 합니다. 위태롭다 합니다.

당신은 대중적인가요? 남의 눈치와 가식에 쩔어서 말과 행동이 다른가요? 일시적 행동에만 이르고 목표를 멀리 잡지 못하지 않은지! 이것은 대중적입니다. 이것에서 벗어나기 쉽지 않습니다. 대중에게서 멀어지면 세상은 당신을 바보로 취급합니다. 가족은 물론 친구들까지도 외면합니다. 대중교육은 대중을 길러내는 것이지 그 이상의 인간을 목표에 두지 않습니다. 항상 대중교육은 수동적입니다. 그리고 환상으로 가득 차 있습니다. 인격은 대상을 바라보는 방향성입니다. 즉, 하나를 얼마나 오랫동안 바라보는가입니다. 그리고 당신이 누군가를 끌어 방향성을 강제할 수는 있어도 그 대상의 행위를 지속하지 못합니다. 누군가를 끌고 갈 거면 평생을 끌어줄 각오를 해야합니다.

'짐'짝이라 생각해라! 바위를 산비탈 위로 나르던 그들과 같다.[45]
어떠한 기대도 하지 마라!
당신 아래 있는 인간은 당신의 존재를 넘지 못한 빈약한 인간이기 때문입니다.

이 형세를 보고 모두가 위태로운 지경에 이른다고 합니다. 기필코! 이 지경이라고 후회합니다. 인격은 대중과 군중에게서 철저히 멀어지는 일입니다. 줄 서지 않으면 됩니다. 합당한 이해를 끌고 오기 전에는 당신은 분명히 줄을 서게 될 것입니다.

욕심을 버리고 마음을 비우면 자신의 진정한 모습을 마주하게 되고, 그 과정에서 진실이 드러나 혼란은 사라집니다. 목표가 분명해지고 결심할 기회가 생기며, 다른 이의 말을 경청하면 주변이 정리됩니다. 당신이 마주하는 세상에서 교감과 감각이 발달하여 상대방의 시선을 이해할 수 있을 것입니다. 그러면 믿음은 무한대로 늘어납니다.

미래를 그와 같이 보고 가능성을 믿어라! 한 인간이 다른 인간을 얼마나 오랫동안 믿어주는가가 인격입니다. 인격은 어떻게 보면 고독

---

45) 시지프 신화: 알베르 카뮈가 1942년에 쓴 에세이. 그의 철학 전반을 보여준다는 점에서 대표작으로 여겨집니다. 산꼭대기를 향한 투쟁만으로도 인간의 마음을 채우기에 충분하다. 우리는 시지프가 행복하다고 상상해야 합니다.

한 것입니다. 자식을 더 높은 곳으로 떠밀기 위해 억지 몸부림은 위험한 것입니다. 그 시간에 자신을 공부시켜라! 누군가를 불완전한 인간이 완벽하게 이끈다는 상상을 포기하라! 그것은 어리석은 일입니다. 외부 세상은 나의 마음에서 새롭게 형성되어 또 다른 세계가 만들어집니다. 이 세계가 복잡할수록 대상의 관계를 쉽게 파악할 수 없습니다. 반면, 대중의 세상은 똑같은 복제품입니다. 여기에서 철저히 멀어지는 연습이 '고독 속으로 걷기'입니다. 최초의 모든 융합이 일어나는 마지막 장소는 마음입니다. 그래서 마음 챙김이 아니라 마음 비움입니다. 이것이 그대의 인격이 되리라고 나는 확신합니다. 나를 향하는 모든 기운을 받아들이며, 나를 스치는 기운에 움직임에도 어떠한 저항 없이 통과할 때, 나로 인해서 소실점이 되지 않기를, 마침표가 되지 않기를….

사람에게 있어 정신이 중요한 것은 계몽을 이룰 수 있기 때문입니다. 우선, 올바른 정신은 자신을 지속적인 계몽의 상태로 몰아갈 수 있는 의식이 함유하기 때문일 것입니다. 그리고 자신 혹은 타인을 위한 그러한 노력으로 가득찬 의식은 마음과 배움을 저절로 균형의 상태에 이르게 하고, 그리하여 철저히 방관자가 되었고 보이지 않은 조력자가 되었습니다. 영혼이 있다면 그 관계에 가장 가까운 대상이 될 것입니다.

어쩌면 배움 또한 세상의 경계를 모호하게 합니다. 왜냐면, 동시대의 사람은 사랑에 있어 그 어떤 대상에 관련된 절대적 공평, 평정을 이룰 수 없기 때문입니다. 그러나 지금에 마음, 정신, 의식은 서로 얽히고설켜서 굴러가는 세상과 같은 모습입니다. 서로가 떨어질 수 없는 관계 속에서 그것들은 깊숙이 자리 잡고 무의식 속에 살아 있습니다. 새로움과 망각은 서로 어깨를 맞잡고 먼지 가득한 흙바닥을 뒹굽니다. 더러워진 얼굴을 서로 바라보며, 상황을 매번 다르게 인식한 자들은 자신의 흙먼지를 닦아냅니다. 흙먼지를 닦은 얼굴이 밝아집니다. 당신은 존재를 교육하는 자입니다.

사람은 눈동자에 또 다른 우주가 있습니다. 그 우주와 빠르게 연결된 블랙홀과 같은 비탈길이 바로 인간의 마음입니다. 보이는 우주 속에서 마음을 얻은 자는 상대방의 세상을 이해하게 됩니다. 초대권을 받습니다. 선물을 받습니다. 감정은 절대적 지배자로 교감을 원합니다. 교감의 통로 즉, 길을 발견한 의식과 정신은 강력히 그 길을 내달립니다. 눈동자에 비친 당신의 오솔길을 따라 당신에게로 달려갑니다. 배움은 당신과 당신 세계에서 꽃가루가 되어 축복의 꽃잎들이 휘날릴 뿐입니다.

당신 세계에 진입한 대상에 대한 분별과 동시에 세상을 나눌 수 있는 것은, 당신은 의식이 있기 때문입니다. 이는 우리 세포가 가지고 있는 생존 본능의 최종적인 결과에 가까운 것입니다. 그리하여 당신 세계의 흐트러짐에, 변화에 무심하면 오히려 더 잘 나눌 수 있습니다. 정신을 바로잡아 마음과 배움의 중재자가 된다면, 넓은 마음에 크기를 의식이 따르고, 이윽고 배움이 그 뒤를 따라 저절로 정신이 성장합니다. 마음에서 가꾸는 꽃들에 따뜻한 정성으로 물을 줄 수 있으면 된 것입니다.

고대 철학자들과 영적 스승들은 긍정적인 것과 부정적인 것, 낙관주의와 비관주의, 성공의 보장을 위한 노력과 실패, 불확실성에 대한 개방의 균형을 유지할 필요성을 이해했습니다. 스토아학파는 '악을 미리 생각하기' 즉, 최악의 상황을 의도적으로 시각화하는 것을 권고했습니다. 이것은 미래에 대한 불안감을 감소시키는 경향이 있습니다. 현실에서 상황이 어떻게 악화할지를 냉정하게 상상할 때, 당신은 대개 대처할 수 있다고 결론짓습니다. 게다가 그들은 당신이 현재 누리고 있는 관계와 소유물들을 잃게 될 수도 있다고 상상하는 것은 지금 그것들을 가지고 있는 것에 대한 감사함을 증가시킨다고 언급했습니다. 이에 반하여 긍정적인 생각은 항상 현재의 기쁨을 무시한 채 미래에 기댑니다. 그래서 행복이 올듯말듯하면서 영원히 오지 않습니다. 만일이라는 가정이 없다면, 상상은 불가하고 단편적인 어떤 이의 사실과 권위 있는 누군가가 소유한 지식을 쫓게 됩니다.

인생은 '불확실성을 얼마나 자신의 방향으로 놓아 볼 수 있느냐'인 것입니다.
개인의 삶에서 불확실성이 악(惡)이 되지 않기를….

  성장과 시간의 관계를 사람들은 외면하기 시작했었습니다. 그래서 애용 받다가도 기한이 되면 한정된 상태로 둡니다. 과감히 잘라버리는 결정이 고착된 상태의 탈피이고 이는 곧, 더 좋은 상태로의 전향입니다. 세상의 움직임보다 늦게 움직이면 시대를 막론하고 그 사람은 주체성은 발현되기 어려웠습니다.

4. 교과서(敎科書)

  학교를 졸업하면 다시는 들추어보지 않는 책(冊)들이었다가 자식이 자라서 부모들에게 물어볼 때쯤에서야 그때 다시 보게 됩니다. 지금에 우리 세대들의 자녀들이 배우는 것을 부모가 모른다고 생각하면 어떤 기분이 들까요? 자식은 교과서로 부모의 공부를 뛰어넘습니다. 그 시기가 어리고 빠를수록 부모는 자식에 대한 믿음만 보여주는 것이 전부라고 생각하지만, 사실은 부모의 막연한 믿음만을 자녀들이 원했던 것은 아닐 것입니다. 또한, 자녀들은 그런 부모와는 다르게 나를 발견하고 내가 가장 많은 시간을 투여하는 공부가 세상 전부라는 부모의 주장에 강하게 의문을 품습니다. 그리고 화제의 대상이 부모로부터 선생으로 옮겨가는데, 이를 선생님들에게 말하는데 일관되게 무시당합니다. 나의 말을 무시한 선생들의 말들을 그때부터 나는 흘려보냈었습니다. 학교에서 배울 것들이 모두 사라졌습니다. 그 후 교과서는 여기저기 나뒹구는 종이 뭉치에 불과했습니다. 빨리 어른이 되어 공부로부터 해방되고 싶었습니다. 그렇게 성장한 어른은 공부습관이 바르게 형성되었을 가능성이 적습니다. 그래서 자식의 공부를 길게 끌어줄 수 없습니다.

현실에 집착하는 부모는 시간이 지날수록 돼지의 모습으로 변하는 중입니다. 교과서 이후에 만나는 책들은 더욱 돼지에 충실한, 질 좋은 음식을 많이 먹는 방법에 관한 돼지를 위한 책입니다. 의식주를 완전히 해결하고도 남음에도 끝없는 배고픔에 시달리다가 발견한 굶주림을 위한 책들이 기다리고 있습니다.

억척스러운 돼지가 되는 방법부터 각종 꼼수까지….

유혹의 향기로 가득 찬 책들이 비법이라 소개하며 꼬셔댑니다. 세상에서 때가 가장 많이 탄 돼지우리 구석에서 굴러먹은 책들입니다. 그래서 그 책은 금방 더러워집니다. 도서관의 책들 중 일부는 돼지의 몸처럼 살이 쪄서 부풀다가 터져서 금방 사라집니다. 책도 오랜 시간 동안 시간의 단련을 견디다가 정말 필요한 사람이 그 책을 펼쳤을 때 서로의 눈빛이 교차하며 독자는 그 간절함의 느낌을 알게 됩니다. 고귀한 책은 오래되었어도 책장들이 빳빳합니다. 돼지들이 접근하지 않기에 그런 기품을 유지할 수 있습니다. 유행에 무심하며 때 타지 않은 책이 여기에 속합니다. 돼지들도 돼지들의 책을 읽다 보면 그 악취를 금방 알아차리고 돼지우리를 벗어나듯 읽을 것들도 돼지의 것들에서 차츰 멀어집니다. 반은 인간, 반은 돼지가 되었으면 일단은 인생의 반은 성공한 것으로 생각합시다.

최소한 스스로 읽을 책을 찾을 수 있으니까! 그러나 돼지의 고통과 그 고통이 이끄는 탐구는 지금부터 시작입니다. 자유로이 마음 닿는 곳에서 만나는 오래된 책들이 있습니다. 그리고 자신의 이야기를 써 내려갑니다. 그러다 자신도 모르게 뻣뻣한 책의 주인공으로 바뀌는 것을 느끼고 알게 됩니다.

수년 만에 한 명만이 그 뻣뻣한 책장을 넘겨서 읽어주는데, 그 책은 그렇게 오래가는 것입니다. 책은 돼지 같지 않습니다. 그러나 그 책은 돼지 같은 인간에서 비롯된 것입니다. 돼지들이 읽는 책과는 조금 다릅니다. 잠들어 있는 책들도 있습니다. 도전은 어려울 수 있지만, 완숙의 이해에 접근하면 흥미로운 것들이 있습니다. 각성은 책을 읽으면서 내용을 이해하는 것뿐만 아니라, 사고의 뼈대를 찾아내고 생각하는 방식을 배우는 것입니다. 생각이 이렇게 다양하고 활기차면서 여러 방면으로 만나 흐름의 자유를 깨닫게 되면, 그때부터 다양성의 가능성을 발견하게 됩니다. 잠들어 있는 책들은 사고의 뼈대가 돋보이는 책들이 많습니다.

'예전에 도덕이 뭘까'하고 정의를 내린 적이 있습니다. 과거 내가 생각한 도덕은 자기검열과 관련되어 있었습니다. 목소리가 양심에 닿기 전에 모든 판단을 정신에 맡겨버리는 것입니다. 그 정신에는 과거의 모든 강제가 묻어있었고, 도덕은 대부분 이 시대의 책임이었습니다. 양심과 도덕의 차이를 도무지 알 수 없었던 시절에 고민은 시작되었습니다. 그들은 아무도 모르게 우리 정신에 비석을 세우고 글들을 새겨두었습니다. 그 글들은 의식의 이면에서 우리를 끊임없이 조종합니다. 아니 조작합니다. 양심은 거대한 비석 뒤에서 나에게도 대면할 기회를 달라고 울부짖습니다. 그러다 인간은 결정적인 잘못을 범하게 되고 첫 번째 비석을 치우고 또 다른 비석인 법(法)에 맡겨버립니다. 그래서 첫 번째 비석에 의해 양심은 영원히 소외당하며 두 번째 법이란 비석에 의해 손발이 묶여버립니다. 그 후 양심은 개인의 이면으로부터 영원히 잠자는 존재가 되어 버렸습니다. 우리가 양심을 설명하지 못하는 것은 커다란 두 개의 비석으로 가려져 있기 때문입니다. 그 비석을 니체는 망치로 깨부수라는 말을 남겨두었습니다. 인간은 자기 내면의 양심의 소리에 따라 움직여야 인간이란 존재가 가장 행복해집니다.

양심의 소리를 듣지 못하는 현대인은 첫 번째 비석에 적혀진 방법으로 삶을 삽니다. 전혀 행복하지 않은 방법들이 가득 새겨져 있습니다. 그리고 아이러니하게도 그렇게 법, 법하지만 중국에 진시황제가 법으로 수호하며 번영을 추구한 나라는 대를 잊지 못할 만큼 짧았습니다. 사람이 양심이 작동하고 양심의 소리가 커지면 직관적으로 변합니다. 그래서 독자적인 길을 갈 수 있습니다. 이 길이 나의 길이며 인간의 길이라 생각합니다. 그럼 두 개의 비석은 어디서 온 것일까요? 전자는 부모와 선생에게서 받았고 후자는 그들을 둘러싼 우리가 우리에게 준 것입니다. 두 개의 비석을 한 인간이 어찌하지 못하면 비석에 글처럼 고정됩니다. 이것이 지극히 평범이란 말의 함의입니다. 그리고 양심은 마음과는 다릅니다. 나는 개인적으로 위의 두 가지 이야기들을 너무 좋아합니다. 직관의 부재는 추론의 활동인 상상의 나래를 펼치지 못함이고 비석들의 글에 무게추가 쏠리기 때문일 것이 분명할 것입니다.

5. 자기 중심성(中心性)에 대하여

인간은 안정성을 중시하는 존재입니다. 처음 만난 사람들에게 자유로운 선택권이 주어진 좌석의 선택에 있어 오늘 별일 없었다면, 그 사람은 내일 또다시 그 자리에 앉을 가능성이 상당히 큽니다. 자유로운 선택권이 주어졌어도 매번 똑같은 자리에 앉아있습니다. 그래서 도서관 좌석은 거의 고정 되어 갑니다. 이처럼 어제 움직였던 방식대로 움직이는 특성이 있습니다. 우리 뇌는 위협을 느끼지 않았다면 안전으로 인식하고 예전의 행동을 고수(固守)합니다. 이 행동들이 잘된 것이든 잘못된 것이든 관여하지 않습니다. 새로운 관점이 생성되지 않으면 이 것은 더욱 굳어집니다. 나중에는 변화할 수 없는 상태가 됩니다.

　사람들의 행동은 안전을 위해 자신을 프레임에 가두는 상태에 이르게 됩니다. 흐름과 그 흐름의 다양성을 거부하고 지키려는 생각만을 하게 됩니다. 이 상태가 감정에 적극적인 반응을 보일 때가 있습니다. 이런 감정은 나도 모르게 행동으로 곧잘 표현됩니다. 욱하는 감정에 몸싸움이나 언쟁들이 많습니다. 세상은 언제나 오뚝이처럼 쓰러져도 바로 중심을 잡을 줄 아는 현명한 사람들에 의해 돌아갑니다. 그 균형을 유지하지 못한다면 세상과 당신의 분쟁들이 끊이지 않을 것입니다. 대부분 사람은 비대하게 감정이 너무 무겁습니다. 그래서 늘 감정을 앞세우다 보니 변화와는 더욱 멀어집니다. 감정은 게으르고 좋은 것만 받으려는 이기적인 속성 즉, 안정성과 쾌락만을 추구합니다. 감정에 치우치면 타인과의 소통이 나를 원망하는 것 같고 모든 불행이 나로 향하는듯한 착각에 빠집니다. 이성과 감정의 균형을 유지하고 심신을 보살피는 일이 최우선입니다.

　사람들은 당위를 말하지만, 그 당위가 높은 차원인 것처럼 느끼는 사람들도 있습니다. 당연한 것을 간과하며 말하는 사람들은 그 깊은 의미를 인지하지 못하는 것 같습니다. 그래서 나는 그들에게는 사랑의 존재를 찾기 어려운 것으로 보입니다. 가장 낮은 차원에는 당위가 존재하지 않습니다. 사람이 사랑하기 위해선 당위가 있어야 하지만 그 당위를 저처럼 전혀 모르는 사람도 있습니다. 그 당위를 한 번도 당연하다고 생각해본 적 없기 때문입니다. 너무 솔직해서 못하면 아닌 거입니다. 세계에는 이해할 수 있는 것과 알 수 없는 것이 공존하지만, 나는 최대한 많은 것을 이해의 길로 향하고자 합니다. 이 과정에서 완전히 상관없는 길들이 교차하면서 신비로운 발견을 경험하리라 믿습니다. 나 자신이 변화함으로써 그 신비도 새로움을 가지게 되며, 그 순간에 나타나는 신비로움을 기쁘게 받아들일 때 사랑이 시작된다고 생각합니다. 내가 나에 대해서 자신 있게 말할 수 있는 것은 한때 마음속 모든 욕망과 욕구들이 큰불이 휩싸여 모두 타버렸었기 때문입니다.

마음이 황폐해지면 온통 까만 세상에 까만 재들이 날리고
눈물이 비가 되어 검은 비가 내립니다.

세상에는 온통 검은 비가 내리고 까만데 저기 반짝이는 한 아이가 보입니다. 그 아이는 나의 눈을 보고 말합니다. 나는 줄곧 여기에서 당신을 바라보았다고 말합니다. 나 자신을 알지 못한 채 거대한 욕구에 가려져 소통이 차단되어, 결과적으로 몰락을 맞이하게 된 것이라고 말하고 있었습니다. 몇 달 동안은 힘들었고 슬펐습니다. 그러나 황폐함의 존재가 '무(無)'가 되어 감사함으로 마음과 연결되면, 작은 선행을 통해 자연스레 기쁨을 느끼게 됩니다. 더 나아가 자신의 품성이 점차 향상되는 것을 깨닫게 됩니다. 다른 누군가를 살려주지 못한 사람은 한 인간을 비참하게 만드는데 예전에 저의 삶이 그랬었습니다. 누굴 탓하랴. 나는 이번 기회로 누군가를 살려주는 사람이 되기로 다시한번 맹세합니다. 사람을 잃기는 쉽지만 얻기는 어렵습니다. 특히 어려운 시기에 내게 도움을 주었던 사람은 마음속에 간직되어 있고, 그 사람에게는 내가 어려울 때 반드시 품어주게 될 것이라 믿습니다. 이러한 신의와 믿음이 삶에서 가장 믿을 수 있는 것들일 것입니다.

이기심에서 벗어나기 위해서는 잠들어 있는 혼(魂)이 깨어나야 합니다. 이는 스스로 배우려는 의지를 가진 사람들이 모여 공부하고 대화하는 것을 의미합니다. 그 과정에서 자신과 다른 사람 간에 말씀을 마음에 담는 훈련을 하고, 그 담은 말씀들을 내적으로 어떻게 처리하는지에 대한 정성이 필요합니다.

한때 마음 챙김을 했었고, 어떤 때는 마음 비움도 했습니다.
그리고 지속하는 이 둘의 선순환.

흔히 일상적으로 사용하는 단어들의 개념을 우리가 깨달음에 이르

지 못하고 사용하기에 저는 실천적 지혜에 이르지 못하고 생각하며 그런 이유로 사람이 성장하지 못한다고 생각합니다. 기초적인 개념들 예를 들어 '절제와 자제력' 같은 단어들도 어떻게 보면 모호하고 개인 마다 기준이 다릅니다. 우리의 신념과 가치관은 복잡한 모자이크와 같 습니다. 학교에서 배운 지식, 직접 경험한 일들, 그리고 주변 환경에서 얻은 다양한 개념들이 독특하게 융합되어 형성됩니다. 이렇게 만들어 진 개인의 세계관은 깊이 뿌리박혀 있어 변화시키기 쉽지 않습니다. 이런 수동적으로 받아들인 개념을 지우고, 내적 고민을 통해서 스스로 깨달아 완성한 능동적인 개념들로 바꾸어야 합니다. 능동적이란 하나 의 개념에서 다른 개념으로 좋은 성질들이 쉽게 전파되어 능동적인 에너지가 이동할 수 있다는 개념입니다. 처음에는 새로운 개념을 발견 했을 때 주의를 기울여 기록하고 암기하는 것이 중요합니다. 이런 노 력을 통해 경험이 쌓이면서 능동적인 학습이 이루어지고, 그 결과로 수동적인 이해와 변화가 차츰 나타날 수 있습니다. 책을 읽고 능동적 (수동적인 것이 능동적인 것으로 변화가 필요한 시점) 그러나 배운 것을 고집하여 문자로만 남은 개념은 능동성이 부족하여 실천할 수 없습니다. 그러나 한 번도 능동적으로 구체화한 적이 없다면, 그것이 가능하도록 노력해 보는 것이 중요합니다. 가령, 책을 읽다가 특정 부 분을 구체화할 시점에 도달하면 수동적인 개념을 고수하는 것이 아니 라 오히려 버리고 비워야 합니다. 이렇게 함으로써 수동적인 개념이 더 나은 방향으로 능동적으로 변화하게 될 수 있습니다.

능동적인 개념들이 모여서 그 사람의 사고 체제를 형성하게 됩니 다. 이것이 지식의 빛 받음 '지혜(智慧)'는 실천적 지혜가 됩니다. 그 리고 수동적 개념과 능동적 개념이 형성되는 곳은 마음이며, 이 마음 에서 균형과 적절함을 유지해야 합니다. 그러나 인간은 이기적이고 변 화를 거부하는 천성을 가지고 있기에 그럴 수 없다면 '마음비움'이 최 선의 선택이라고 믿습니다. 인간은 종종 이기적이며 자신의 안위에만 주목하는 경향이 있으므로, 항상 자신의 주장과 방향을 내면으로 돌려

성찰해야 할 필요가 있습니다.

'좋음이 무엇인지 이해하려면 인간의 혼을 연구해야 합니다.'

인간은 혼자 있으면, 선에 가까우나 사람들과 관계되면 끝없이 악한 존재가 됩니다. 그런데 행복과 사랑은 관계에서 발생합니다. 내면을 탐구해보시면 분명합니다.

6. 혁명은 어디에

조선의 절대왕정은 일본에 무너졌었습니다. 이전에 조선인이 시대에 역행하는 후퇴를 보고서도 스스로 절대왕정을 무너뜨리지 못한 이유가 무엇일까요? 나는 이 부분이 무척 궁금했습니다. 일본의 식민지가 되기까지 절대왕정을 고수하고 시대의 흐름을 읽지 못한 판단의 잘못을 모든 인민(人民)은 분담해야 했었습니다. 지금까지 분단된 조국의 모습도 그 판단과 다르지 않습니다.

조선과 중국의 마지막 황제들을 떠올려보세요. 아마 기억하는 이가 드뭅니다. 한편, 메시지 유신을 단행한 일본은 현 체제를 부정하고 정신과 물질을 모두 갈아엎었습니다. 자신을 따져서 살펴보니 보잘것없다는 결론에 도달하였고 이를 1886년에 스스로 정부 주도로 혁명하였습니다. 한편, 조선과 중국은 정신은 지키며 물질만을 받아들이는 여러 운동을 하였었습니다. 그리하여 중국은 속박되었고, 조선은 식민지가 되고 말았습니다. 수많은 전쟁으로 많은 피를 흘리고 중국은 마침내 신해혁명을 이루어냅니다. 그러나 여전히 조선인민공화국에는 아직 혁명이 없습니다.

절대왕정 시절에서도,
식민지 시절에도,
전쟁의 시절에도,
군부독재 시절에서도….

다시, 절대왕정 시대로 돌아가면, 태국은 이때쯤 여러 나라의 합의를 받아들여 중립을 선언합니다. 중립선언은 절대왕정을 폐위하고 공화정의 시행을 말합니다. 이는 자유시장 체제로의 전향입니다. 그러나 조선은 두 번이나 중립선언을 강력히 권고받으면서도 거부하게 됩니다. 주변 강대국들은 조선을 먹겠다고 하여 여러 전쟁으로 이어지고 그러다가 마침내 패권이 일본으로 기울어졌습니다. 일본은 강대국들과의 합의를 이루어내고 조선을 식민지로 얻게 됩니다. 자신의 상황을 잘 살피는 것은 모든 일의 기본(基本)입니다. 변화의 시점에 그 변화를 주도하지 못하면 그림자가 됩니다. 인생도 이와 유사합니다. 개인은 100년의 역사를 어떠어떠한 조선인민공화국 위에다 쓰는 것입니다. 밑바탕이 좋다면 행복할 가능성이 큽니다. 만약, 밑바탕이 온통 혼란이라면 어떻게 할 것인가요? 식민지를 벗어나는 것도 일본의 멸망 때문에 우연히 독립을 얻게 되었습니다. 그러니 강대국에 의해 또다시 지배당했었고 결국은 내분으로 나뉘고 말았습니다. 이것까지는 좋습니다. 서로의 이념이 다르다는 이유로 민족 간 전쟁이 벌어졌고, 이후 지독한 군부 독재로 이어졌습니다. 한반도에선 절대왕정 시절에도 혁명이 없었고, 군부독재 시절에도 혁명은 없었습니다. 그러나 나는 혁명을 보았습니다. 바로 박정희를 처단한 중앙정보부 '김재규'의 저격입니다. 한국사에서 크게 다루지 않습니다. 그러나 절대왕정과 군부독재는 시민을 외면한 정치라고 볼 때 김재규의 저격은 칭송받아야 한다고 나는 생각합니다. 왜냐하면, 유신으로 박정희는 조선인민공화국의 종신 대통령이 되려고 한 사람입니다. 우리 인민들은 과거 일본이 정신과 물질을 한 번에 모두 바꾼 이유를 생각해보아야 합니다. 시간이 많이 흐른 뒤 박근혜 대통령 당선이 아주 먼 과거가 되었을 때 우리 후손들이 이 두 가지 사실을 좋은 시각으로 보기 어려울 것입니다. 그리고 만약, 전두환 대통령이 프랑스에 살았다면 5. 18의 희생자의 원한에 의해 흔적도 없이 수십 년 전에 사라졌을 것입니다. 권력을 개인의 이득을 위해 사용한 지도자는 아무도 모르게 인민에 의해 처형

당했었고 이를 인민들은 묵인한 유럽의 역사가 아니던가요. 그러나 전두환은 마지막까지 '29만 원'을 외치며 자연사하지 않았던가요? 정치적 고결함을 기대할 수 없는 군인(軍人) 집권은 당연히 부패로 이어지고 군법, 정치법 모두에 해당하는 범죄가 분명하지 않은가요? 그러나 침묵한 피해자는 그에게 면죄부를 줍니다.

혁명할 수 있는…

아직도 말을 정확하게 못 하는 이유가 뭘까요? 저는 과거 독립운동의 방법으로 폭력 민중혁명을 선택한 운동가들이 높아 보입니다. 그래서 신채호와 김원봉을 좋은 관점으로 바라보고 있지만, 김구는 선호하지 않습니다. 그의 글은 위에 두 분의 의지에 비하면 나약한 평계에 불과합니다. 시대가 그들에게 혁명의 중심이 되도록 했습니다. 붓(筆)과 총기(銃器)는 인간의 의지를 표현하는 강한 수단이며 적절히 사용되어야만 합니다. 평화의 시대에도 인민은 이 둘의 사용에 능숙해야 합니다. 한 시대가 바뀔 땐, 인민들이 계몽되었고 그들의 폭력혁명이 무서워 부패한 권력은 벌벌 떨었습니다. 조선인민공화국은 붓은 있었으나 총기가 없었습니다. 그러나 극심한 군부 탄압에서(5. 18) 사용한 총기에 대해서 인민들은 다시 생각해 볼 필요가 분명히 있습니다. 시대가 변화하면 인민은 자신을 지켜야 한다는 명제를 언제까지 우리라는 범위로 묶어두는 것도 자유라는 것에 반하는 것입니다.

제8부 마음공부

내 반평생이 누군가의 꿈속에 갇혀 살아온 것 같은데, 우연한 계기로 동굴 밖을 향해 천천히 발을 내딛게 되었습니다. 그 순간, 마치 플라톤이 말했던 동굴 속에서 삶을 살아가는 사람들의 이야기를 이해할 수 있었습니다. 실제로 우리는 모두 각자의 운명에 얽매여, 어떤 사람이 휘두르는 윤곽이 현실임을 오해하고 그 그림자를 따라 삶을 미로처럼 헤매며 깊은 후회에 빠져 일그러진 삶을 살아왔습니다. 저도 예외는 아닙니다. 자신의 내면을 자세히 들여다보며 엉켜있던 생각들을 풀어내고, 과거의 선택과 행동을 마음 깊이 되새기면서 무엇이 중요하고 의미 있는지를 깊게 고찰할 것입니다.

끝없는 의심이냐, 믿음이냐, 아니면 비판적인 사고냐의 경계는 정말 아슬아슬하고도 내가 어디에 있는지 매일매일 성찰해도 알 수 없는 고독한 참담한 마음을 저에게 돌려주곤 합니다. 지난 몇 년간 일상을 뒤로하고, 독서와 공부를 통해서 내 마음과 내가 우선 잘 소통하고 그래서 나 자신을 누구보다 잘 설명할 수 있는 자신이 되기 위해서 노력했습니다. 하지만 동굴에서 나와서 겪었던 마음과 감정의 변화의 실타래는 너무나도 복잡하고 어지러워서, 어떻게 풀어내야 할지 갈피를 잡기가 너무나 어려웠던 것뿐이었습니다. 동굴을 탈출했던 순간 나의 실체(實體)를 겪었습니다. 그런데 나의 이성은 나의 실체에 그 과정을 설명할 수 없었습니다. 잘 설명하고 이해해서 분리되고 싶지 않았습니다. 또다시 분리된다면 과거와 똑같은 삶을 살게 될 것이라는 강한 확신이 들었기 때문입니다.

오랫동안 책 한 권을 읽지 않았던 사람이 어느 날 갑자기 방 안이 책으로 가득 차게 되었습니다. 그런 저에게 있어 그런 믿음에서 탈출할 수 있게 된 계기와 벗어난 이후 어떤 변화가 있었는지 이야기해 보겠습니다.

1. 나는 다신 높은 산을 오르지 않는다

현재 저는 높은 위치에서든 낮은 위치에서든 내려오는 삶을 살고 있습니다. 저에게는 화(火)의 기운이 있을 수 있겠지만 극히 소멸한 상태에 있습니다. 무엇을 바라거나 열망하지 않아 무심해지고, 그러므로 관조하고 기다림에 익숙해져 사고의 그물에 매달려 있다가 어느 순간 공부의 결실로 그물이 하나 더 늘어납니다. 그래도 저는 끝까지 관조하려 합니다. 인간의 마음은 끊임없이 움직이는 것이니 무심함으로 마음을 바라볼 뿐입니다. 내 마음이 이렇게나 저렇게나, 아! 이런 마음이구나. 그렇게 무언가를 열망하기를 그만둔지 오래되었습니다.

그래서 저는 내려오는 길을 걷게 되었으며 저를 세상에서 가장 아래에 두려고 합니다. 어디까지 내려갈 수 있을지…

과거의 잘못들로 모든 것을 잃었다고 생각하며, 그때의 비바람이 몰아치는 마음보다 더 비참할 수 없을 것입니다. '시지프' 신화를 보면 바위를 굴려서 올리면 다시 떨어지고 다시 올리고를 반복하지만 저는 한번 올린 바위를 천천히 처음보다 더 낮은 위치로 몰고 갈려 합니다. 삶이란 그런 것 같습니다. 내가 얼마만큼 돋보이냐가 아니라 얼마 만큼 낮아질 수 있는지를 증명하는 일입니다. 마음을 들여다보며 오늘도 내가 무엇인지 살펴봅니다. 그리고 내 맘과 소통하는 나가 이 글을 작성하고 있을 뿐입니다. 진실한 마음을 표현하면 좋은 글이 될 수 있을지 알 수는 없지만 사고 방향의 끝을 추적합니다.

天命之謂性 率性之謂道 修道之謂敎(하늘이 명한 것이 성이고, 그 것을 따르는 것이 도이며, 도를 닦는 것을 교라고 한다.46))

매번 다시 익히고 살피지만 새롭게 다가오는 것은 내가 변한 증명일 것입니다. 잊어버린 지난 시간은 소멸한 시간입니다. 그 수많은 소멸의 시간 속에서 나에게 남겨진 증명이 과연 무엇일까요? 지속적인 성장의 곡선을 그릴 수 있는 상태만은 아닐 것입니다. 억지로 넘고, 때론 다시 오르고, 때론 떨어지며, 갈등을 겪으며, 그리고 다시 일어서는 과정이 아마도 우리 삶의 일부가 아닐까요? 이러한 과정에서 우리는 의미를 발견하고, 우리의 결의를 다지게 됩니다. 시간은 우리의 의지와는 달리 흘러가지만, 우리는 그 과정에서 더욱 강해집니다.

개인의 욕심은 한세대를 뛰어넘지 못합니다. 근시안적인 태도의 어리석은 관점입니다. 욕심이 많으면 거짓말을 서슴없이 하게 되는 것과 같습니다. 그런데 세상의 환경은 거짓말들을 강제하는 듯 다가옵니다. 욕심과 욕망이 무엇인지 사람들은 깊이 생각하지 않은 것 같습니다. 그래서 이 말들을 이해하지 못합니다. 그 욕심을 조금씩 벗어나면 다

---

46) 중용: 조선의 왕과 선비들이 가장 사랑한 책입니다. 이 책은 『중용』이라는 한 권의 책이 조선의 역사에 어떻게 기여했는지를 구체적으로 실례를 통해 밝히고 있습니다.

양한 세계를 접할 수 있는데, 죽음이 가까워지면서야 일부 사람들이 깨닫게 된다니!

큰 병에 걸려 죽다가 살아난 사람의 태도를 보라! 다시 삶을 얻었다는 심정을 이해하려고 노력할 필요가 너무나 절박합니다. 그렇게 하면 세상의 많은 부분이 쉽게 설명될 텐데, 그렇지 못해 안타까울 뿐입니다.

오랜 노력 끝에 내 마음 깊은 곳에 견고한 강둑을 쌓아냈습니다. 둑을 바라보면 만족스러운 미소가 입가에 번지네요. 맑고 아름다운 물결이 한없이 흐르며, 그 푸른 물에는 하늘이 반짝이고 있습니다. 나 자신과 자연이 조화를 이루어 이 순간은 마치 온전한 평화의 상징 같습니다. 하늘과 강물의 아름다움이 내 눈동자에 반짝이며 영롱한 광경을 감탄하며 즐깁니다. 이 풍경에 감탄하며 내 안에 있던 작은 기쁨이 퍼져나가는 것을 느끼고 있습니다. 이 순간은 정말로 소중하고 평온한 시간으로 다가옵니다. 더는 과도한 욕망을 좇지 않아도 충분합니다. 이 아름다움이 내 영혼을 차분하게 만들어주며, 내 안에 희망과 행복을 안겨줍니다. 이 하늘이 펼쳐진 작은 세계에서 나는 이 순간을 온전히 즐기며 감사의 마음으로 살아가고자 합니다.

'땅과 물'은 평정과 안정의 상징이자, 마음이 변함없이 차분하고 고요함의 의미를 지닙니다. '거울'은 얼마나 흔들려도 뒤틀리지 않고 변하지 않는다는 의미로, 마음 변화에 변덕 없이 맑고 깨끗하다는 것을 나타냅니다. 이러한 표현은 종종 명상이나 내면의 평정을 나타내며, 마음의 조화와 안정을 추구하는 자세를 강조합니다. 자연의 물이 깊은 마음처럼 맑고 안정된 상태는 긍정적인 태도와 평온한 마음으로 삶을 즐기며, 내면의 평정과 균형을 찾는 데 중요한 도움이 됩니다.

사람의 눈으로 관찰하는 자연 현상에 비침의 경계는 물 속에서 하늘과 세계가 어떻게 어우러지는지, 혹은 세계가 물 속에 녹아들어 있는지에 대한 의문을 불러일으킬 만큼 경이롭고 특별한 순간은 매우 드물며 4년에 운이 좋아야 한번 만나게 되는 매우 드문 경험입니다.

마음이 그날과 같이 청명하고 맑지 않을까요? 꽤 피곤한 하루를 보내고 있는 것 같아요. 그날, 당신은 마음을 수십 번이나 생각했을 텐데, 그 순간의 당신과 그 생각을 하던 마음도 어느새 시간을 따라가지 못하는 듯한 느낌마저 듭니다. 맑은 가을 하늘 아래 그날, 나는 깨끗한 마음을 갖기로 다짐하며 마음의 여정에 몰두하기로 했습니다. 만나는 모든 대상을 서사적으로 생각하고 멀리서 관찰하는 듯한 기분으로, 하나하나를 세심하게 묘사하는 것이었죠.

시간은 흐르고 고요하며 마음이 차분해집니다.
바르게 앉아서 마음을 살피며 정신에 짐을 내려놓았습니다.

나는 집을 나설 때
나를 집에 두고 길을 떠납니다.

집에 남은 나의 두 손에는
내가 남긴 마음에 짐을
내가 돌아올 때까지 대신 맡고 있습니다.

그리고 내가 좋은 것을 많이
배워오기를 희망합니다.

나는 나를 지금도
한계 끝까지 밀어붙입니다.
그리고 마음에서
울리는 목소리를 들으려 합니다.

나는 배움을 밝혀
경험을 한계 끝까지 밀어붙였습니다.
그리고 마음에서
울리는 목소리를 들으려 합니다.

나는 밀어붙이는
선수가 되려 합니다.

그리고 마음에서
내가 울리는 소리를 들으려 합니다.

2. 나이를 먹는 것 그리고 배우는 것

내 어릴 적에는 누구보다 열정(熱情)으로 가득했었습니다.

그 열정의 불꽃은 소리 없이 조용히 타오르고 있었어요. 그 불꽃
은 곧고 강인했으며, 그 속에서 나는 열정에서 한 순간도 벗어나지 못
했습니다. 마침내, 그 불꽃은 20년이라는 세월을 거쳐 마침내 소멸했
습니다. 그리고 그 후 몇 년 동안 독서, 토론, 그리고 명상을 통해 나
자신에게 시간을 할애했습니다. 이 소중한 시간 동안 나는 기억 속에
없던 추억이 나타나기 시작했습니다.

과거에는 전문 기술을 가르치며 누군가에게 지시하는 역할을 했었
지만, 그 모든 것을 떠나고 나서 새롭게 배우기 위해 학생이 되었습니
다. 학생이 되는 일은 쉽지 않으며, 익숙한 생활에 굳어진 사람에게는
도전이 되었습니다. 학습 과정에서 가장 중요한 것은 의문을 가지는
것입니다. 의문을 품지 않으면 학습이 멈추고 새로운 지식과 아이디어
를 향해 나아가는 방향을 찾기 어려워집니다. 이곳 도서관은 자신의
부족함을 느끼고 자발적으로 찾아와 학습하고 성장하는 공간입니다.

예전에 그런 생각을 했었습니다. 머리가 희끗희끗해지면 다시 내가
좋아하는 것을 현시대에 맞는 학문을 배우기 위해 늦게 대학(大學)을
가리라 생각했지만, 현실은 도서관의 열람실이 되고 말았습니다. 조금
은 섭섭하지만 그래도 젊은 친구들과 함께 지금을 즐길 수 있다는 사
실에 감사하게 생각합니다. 또한, 배움이라는 것은 완전히 자아를 내
려놓는 일이라는 것을 깨달았습니다. 예전, 열정이 내게 찾아왔던 그
시절로 돌아가 또 다른 열정을 받아들이길 원했지만, 사실 지금 나이
에는 열정으로만 살기가 어려운 것을 잘 알고 있습니다.

내 주변에 사람들에게 기운을 주고 나도 알게 모르게 기운을 받으
며 서로 공존하고자 하였습니다. 배운 것들을 삶에 실천하고자 하였습

니다. 사람이 인간을 만나면 정이 생겨서 친숙해지고 그러면 어느 순간 자신도 모르게 서로 동질감을 느끼며 공감의 장소에 서로가 서 있게 되었습니다. 이번 선택이 정말 스스로 자랑스럽습니다. 나를 깨우기 위해서는 내 정신을 어느 정도까지 흔들어야 할지 앞으로 알 수 없겠지만, 머리털이 빠지지 않을 정도로 정신을 깨우고 주변 사람들의 마음도 함께 깨우며, 여러분들에게 좋은 친구로 기억되고 싶습니다. 그렇습니다. 함께 배웠던 소중한 경험과 현재의 배움이 우리 삶에 어떤 축복을 가져다 줄지에 대한 확신이 있습니다. 시대의 변화를 읽어내며 그 변화를 즐기고, 소중한 친구들과 함께 좋은 기억을 만들어가며 서로 공감하고 진취적인 방향을 제시하며 함께 성장해 나가는 곳에서 나는 함께 있고 싶습니다. 오늘도 누군가에게 따뜻한 말 한마디를 전하고 싶습니다. 제가 읽고 있는 책에 이런 글이 있습니다.

"이제 당신의 부족한 점들을 알았으니, 당신은 이들을 고치고 또 자식도 없고 관리도 못 된 원인이 된 당신의 그릇된 행동을 교정하는 데 전력을 다해야 합니다."[47]
자신에 허물을 발견하고 인정해서 고치기가 쉽지 않다는 말이겠지요.

저는 공부하는 방법에 대해서 잘 알지 못합니다. 다만 최근에 특정 시험 어떤 과목에서 큰 발전을 이룬 경험이 있습니다. 오랜 시간 동안 우리 대부분은 학생으로서 다양한 지식을 선생님으로부터 얻어 왔습니다. 그러나 인공지능을 공부하며 학생에 입장에서 가르치는 것이 어떤 경험인지를 알게 되었습니다. 인공지능은 사람을 모방하여 만들어졌기 때문에 사람과 유사한 방식으로 작동합니다.

인공지능의 학습에 대한 향상은 '피드백'입니다. 쉽게 설명하자면, 기출 문제 100문제가 있다면 80문제는 학습용으로, 나머지 20문제는 평가용으로 사용합니다. 학습이 끝난 이후 20문제를 풀면서 틀린 것들을 어떻게 피드백 받아 '충격값'으로 만들어 학습에 전달하는가를 고민하는 것입니다.

---

47) 운명을 바꾸는 법: 『요범사훈』은 운명을 뛰어 넘는 길을 제시하고 있습니다.

인공지능에 '충격'을 주는 것입니다. 강하게 또는 약하게, 다양하게…. 그러나 확실히 '충격값'이 전달되어야 합니다. 그렇지 않으면 절대로 향상(向上)은 없습니다. 공부에서 자신이 무엇을 알고 모르고 있는지 명확히 물과 기름처럼 분리되어야만 합니다. 그렇지 못하면 특정 시점까지는 점수가 오르다가 더 향상이 없는 정체기에서 혼란 상황을 맞이합니다. 이 혼란을 다양하게 부정하는 특성들은 인간이라면 모두 가지고 있습니다. 그래서 인간은 쉽게 변하지 못한다는 말을 사용하기도 합니다만, 자신의 허물을 찾아서 고치면 언젠가는 그 어떤 시험이든 합격 가능합니다. 다만, 인간에게는 수명이 있으므로 일과 공부에 대해서 개인의 평가에 따라 중요도가 달라지기도 합니다만, 인간의 궁극적 행복은 공부를 통해서 이루어지는 것이 맞습니다. 그래서 우리는 모두 지금이라도 다시 공부하되, 절대로 무너지지 않은 공부를 해야합니다.

3. 영감과 어머니

영감과 어머니는 같이 노년을 잘 보내고 계셨으나, 어느 날 아침에 영감은 일어날 수 없었습니다. 그리고 반년이 다 되어갑니다. 지난달 영감이 병원을 또다시 옮겼습니다. 코로나 때문에 영감을 본지 꽤 오래되었습니다. 어머니께서는 이번에 일주일 넘게 병원에 계시며 영감을 수발 중입니다. 그런 어머니께서는 일주에 며칠은 기력을 충전하러 집에 오셨는데 지금은 언제 돌아오실지 기약 없습니다. 오전에 어머니께 평상시 드시는 약이 떨어졌다 하여 병원에 다녀왔습니다. 병원에서 영감을 만날 수 있냐고, 어머니께 여쭈니 불가하다고 말씀하셨습니다.

집과 도서관 그리고 망우당 공원이 과거 3년간의 나의 동선 거리였습니다. 영감이 아파서 병원을 이곳저곳을 옮기며 가끔 오늘처럼 어머니 심부름을 다니는 게 고작입니다. 오랜만에 남산동에 갔었는데 눈에 선한 길들을 잃어버렸습니다. 본의 아니게 대구 남구 투어가 되었습니다. 지금 대구는 과거 내 기억과는 다른 모습이었습니다. 거대한 콘크리트가 소음과 먼지를 내고 높이 오르고 있었습니다. 과거 일본 도시에 갔을 때의 모습이 문득 생각났습니다. 앞으로 15년 후면 도심에 오래된 것들은 완전히 사라져 신건물들이 즐비해집니다. 일본이 1985년도쯤에 겪었던 변화입니다. 그리고 칠성시장 사거리 건널목에 신호등의 점등 색과 모양이 바뀌었습니다. 일본의 형광등처럼 점등되어 탁한 기운을 풍기는 불빛을 본 기억이 떠올랐습니다. 대구에는 콘크리트 건물들이 수년간 계속 즐비하게 하늘로 올라갈 것입니다. 이것이 우리들의 주거공간에 변천이고 흐름입니다. 슬럼화의 반대는 건설입니다. 슬럼화는 도시에서 퇴출당하는 개념이기에 지금부터 시작입니다. 지어지는 건물들이 아파트이지만 다음 세대에게 물려줄 것이기도 합니다. 그러므로 서두를 필요가 없습니다. 노후화된 도시는 사람들이 떠나고 노인들만 남고 슬럼화됩니다. 노인들은 생의 끝에 있기에 다시 시작하지 않습니다. 그래서 정책으로 적당한 때에 다시 지어 도시의 역할을 활성화해야 합니다. 활기찬 도심의 시작은 과거의 것을 몰아내고 새로운 것으로의 진행입니다. 한 인간이 살면서 같은 땅 위의 건물이 여러 번 바뀌는 것을 경험하는 것이 이토록 여러 감정을 불러일으켜 발전 그 자체를 가로막습니다. 어릴 때 뛰어놀던 그곳, 추억의 그곳, 동심의 그곳을 잃어버렸다는 충격은 변화를 잡고 하염없이 늘어집니다.

영감이 어제 "바보 멍청이"가 됐다고 어머니께서 말씀하셨습니다.

영감은 나이 들어서 병원에 들락날락하더니만 이제는 모두 놓아 버렸습니다. 사람을 잘 알아보지 못하시고, 그리고 다시 어린아이가 되었습니다. 영감 머리는 백발이 되었고 지팡이를 짚으며 누군가를 의지해서 발걸음을 떼야 합니다. 아마도 영감이 이 세상에 태어났을 때, 영감이 여러번 걸음마를 다시 배웠다가 병원에서 혹독한 시간을 거친 후, 영감의 세계는 시간의 붕괴 속에서 걷는 법을 잊어버렸고 그래서 다시 걸음마를 배우는 시절로 돌아갔습니다.

　영감이 바보 멍청이가 됐다는 말에는 모든 것을 내려놓았다는 말처럼 들립니다. 영감은 젊어서 홀로 남(南)에서 성장해서 독하게 사셨습니다. 그리고 재산을 이루었고 자식을 키웠습니다. 그러나 지금은 모든 것을 자식들에게 맡겨 버렸습니다. 영감처럼 사람은 몇 번의 죽을 고비를 겪어야 홀가분한 마음이 되는 모양입니다. 어머니의 가슴에서 태어나서 흙으로 들어가는 과정의 삶에서 연약하리만큼 힘이 없을 때 인간은 무언가를 내려놓는 것 같습니다. 그런 영감의 모습이 마치 바보 멍청이가 되었다고 해도, 그의 내면은 여전히 풍부하고 지혜로움을 간직하고 있을 것이라고 느낍니다. 병원을 들락날락하며 많은 환자와 대화했던 그가 죽음과 맞닥뜨리면서 무거운 짐을 안고 살아온 것은 어떤 어려움과 갈등들이 있었을 터입니다. 그래도 그는 모든 것을 알고 있을 것입니다. 인생은 태어나서 죽음으로 향하는 아름다운 여정입니다. 어린아이에서 성인으로, 다시 어린이로, 그리고 마침내 무덤으로 향하는 이 과정은 어떤 면에서 서정적인 울림을 안겨줍니다. 하지만 이 과정에서 우리는 마주하는 모든 순간을 소중히 간직하며, 어머니께서 말씀하신 영감의 이야기를 통해 삶의 무엇인가를 느껴보고자 합니다.

　일요일 오후 방에 앉아서 책을 읽다가 문득 세월이 빠르게 흘러가는구나 하고 생각했습니다. 영감이 몸이 쇠약해지는 속도가 너무 빠르고 몸 상태가 좋지 못합니다. 나이 들어 늙으면 건강이 전부입니다. 내 몸을 내가 어찌할 수 없는 것보다 더 답답한 일은 세상에 없을 것입니다. 사람은 나이 들고 기억이 희미해지면 할 수 없는 것들을 하나둘씩 인정하고 다시 어린아이가 되어 유모차에 올라 갓난 아기가 됩니다. 태어났던 모습으로 운동기능이 퇴화하여 흙으로 돌아갑니다. 그러나 내 마음 한편에는 영감이 다시 건강을 회복하여 여러 곳을 여행으로 다녔으면 좋겠습니다. 그리고 수년을 더 살다가 돌아가셨으면 좋겠습니다. 아직 돌아가시기에는 어머니께서 준비가 안 되었습니다.

4. 공덕(功德)을 쌓자

자비와 동정심은 다른 사람들의 어려움과 고통을 이해하고 공감하는 마음을 갖추는 것입니다. 자비로운 마음으로 다른 사람들을 배려하고 돕는 것은 공덕을 쌓는 좋은 방법의 하나입니다. 인정과 감사는 자기 자신과 다른 사람들의 노력과 가치를 인정하고 감사하는 태도를 지니는 것이 공덕을 쌓는 데 도움이 됩니다. 간단한 감사의 말과 행동으로 다른 사람들에게 감사의 마음을 전하는 것도 중요합니다. 반평생을 앞만 보고 달려왔으니 멈출 수 없습니다. 더군다나 '뉴턴'이라니 뉴턴의 사과 공식도 아니고 뉴턴을 해야 하는 종소리가 들렸습니다.

몸에 힘을 빼고 달리기를 멈췄습니다.
이제는 왔던 길을 뒤 돌아보며 길에 떨어진 온갖 것들을 살펴서 돌아가야 합니다.
내가 처음 출발했던 그 지점으로 돌아가 다시 내가 될 수 있기를, 성장하고 배우고 일하고 다시 일하고 배우고 성장하고 죽음으로….

일하는 시기는 다행히 지나갔습니다. 배우는 단계에 있습니다. 그래서 일은 그렇게 중요하다는 생각은 마음속에 없습니다. 무언가 부족하면 배움으로 그 부족함을 메울 수 있다는 생각은 확고합니다. 그러나 배움을 멈추고 다시 삶을 일로 가득 채우고 싶은 생각은 없습니다. 부족하면 절약하고 아끼며 사용하면 충분합니다.

나 자신을 아는 것, 그리고 잘못된 것을 찾아내서 고치는 것, 세상은 나에게 아부(阿附)만 하여 잘못된 것을 알지 못하게 하고 고치지 못하게 만듭니다. 다만, 비석의 글을 보고서 틀린 부분을 스스로 고칠 뿐입니다. 그러다가 어쩌다 날이 좋아 양심이 마음에서 삐져나와 비석의 글보다 이것이 더 진실이 아니냐고 속삭입니다. 마음과 양심의 경계에서 혼란은 시작되고 비석과 다름을 스스로 비판합니다. 이것이 자기검열에 심화입니다.

비석의 글과 맞지 않으니 틀린 것이고 지워라. 그리고 하지 말아

라. 의심 없이 비석의 글에 따라 살다 보면 가끔 천재지변이(자연계의 일식처럼) 일어나 비석들이 사라질 때가 있습니다. 이때 짧은 시간 인간들은 각성합니다. '양심을 바로 대면하게 됩니다.' 이것을 경험하고 영혼이 있음을 직감합니다. 자신에게 배움의 기회를 주고, 그에 상응하는 자기비판은 계몽의 차원을 높일 수 있으나 강제된 비석 앞에서 비판은 우울한 숙고를 넘어 엄중함에 이르고 넘볼 수 없는 경계를 만들기 시작합니다. 이것이 신성(神性)의 시초라고 나는 생각합니다.

자기 수양은 나의 정신을 밝히고 다른 한편으론 정신을 강하게 꾸짖음으로 각성하여 자신을 단련하는 일일 것입니다. 계몽과 비판은 자기 수양의 핵심이 분명합니다. 정념을 파헤치기 위해, 아니 실패의 원인을 찾기 위한 정신에 탐험을 시작하였습니다. 그러기 위해서는 나 자신을 계몽해야 합니다. 배우지 못하면 틀을 벗어날 수 없습니다. 틀을 인식하고 이것을 벗어나는 방법은 오직 하나, '나란 존재는 참이고 나머지 모든 것을 부정하는 방법입니다.' 합당한 진실과 이유가 없으면 철저히 부정으로 대면하면 세상에 남는 것들이 차츰 생겨납니다. 이것이 스스로 계몽의 실마리가 되어 비판적인 사고로 이어집니다. 나는 자기 수양을 "정신을 밝히는 계몽과 그 밝은 빛이 원한(怨恨)이 되어 분노의 망치를 높이들 수 있을 때 비판(批判)으로 이어집니다." 라고 주장합니다. 그동안 자신을 계몽하지 못한 원한은 저항으로 승격되어 분노의 망치질은 내가 살아온 세계(나란 존재)를 파괴합니다. 그리고 한동안 생각에 잠기며 성찰이 무엇일까요? 먼 산을 하염없이 바라보았었습니다.

도덕, 자기검열, 신성함은 비석을 단단히 고정한 부수적인 장치에 지나지 않습니다. 그리고 나는 생의 끝단에 있으므로 보호의 그늘을 조금도 밟지 않았습니다.

내 몸이란, 작은 우주에서 일어나는 모든 감정이 마음에서 공명하고 그 변화들이 정신으로 이어집니다. 원활한 몸의 소통을 막는 것 또한, 비석들입니다.

내 감정을 정신이 꼼꼼하게 이해할수록 우주는 정교하게 제어됩니다. 이해와 수용은 철저히 나 자신이라는 가장 낮은 단계에서 시작됩니다. 정신은 우리 몸을 구석구석 여행할 수 있는 우주선과 같습니다. 이해와 수용은 비석의 글귀에 의해 갈라지고 선호가 달라집니다. 비석이 품은 것들에는 한없이 인자하면서 그 이외의 것들은 철저히 배척하고 말았습니다. 그리고 비판적 사고는 글이 비석에 새겨지기 이전에 필요한 것입니다. 이후는 비석의 글에 대한 분노입니다.

누구는 방황에서 정신을 잃고 몽상을 꾸고 스스로 의지할 존재인 절대자를 만들어냅니다. 한없이 기대고 위안받기를 원하는 나약한 존재가 되고 맙니다. 나는 길을 잃었습니다. 그것도 공부라는 큰바다에서 방향을 감지하지 못했습니다.

실패(失敗)한 사람은 알고 있습니다.

몸에 힘을 빼라고, 움츠린 가슴을 펴라고 그리고 가장 편안한 심신의 상태를 만들어 보라고, 그러면 마음에 걸리는 것들이 모습을 드러냅니다. 그것들은 무언가에 막혔거나 다른 것에 관심이 꽂혀서 그런 것입니다. 그 철저함을 멈추지 못할 때, 세상에서 외면당할 때 실패가 찾아옵니다. 그리고 소통의 부재가 그런 처절함의 근원입니다. 어떤 누구든 역량은 충분합니다. 막혀서 트이지 못한 것일 뿐, 자신이 적극적으로 마음속 깊은 곳을 찾아서 교정하면 그 사람의 인생은 양심을 따르게 됩니다.

그리하여 나는 가장 아래 깊은 곳에 보금자리를 만들었습니다. 어둠이 깊고 깊은 이곳에서 작은 불빛에 의지하여 밝아질 세상을 꿈꾸며 공부하고 있습니다. 이곳이 다른 사람에게는 지옥처럼 보일지라도 저는 천국이라 생각했었습니다. 저에게 주어진 자유는 오직 글 읽는 자유뿐이라 생각하며 수년을 목석(木石)처럼 버텼습니다. 그러나 세상은 내게서 책상과 책을 뺏어갔습니다. 뺏어가신 분이 내가 세상에서 가장 사랑하는 어머님입니다. 서러워서 눈물이 한없이 흐릅니다. 어릴 적 어머니께서는 책상을 사주셨으며 저를 앉혀주시며 따뜻한 말씀으로 저의 공부 의지를 북돋아 주신 분이십니다. 그러나 저는 너무 일찍 그런 어머니의 뜻을 거스르고 박차고 일어나 돈을 벌어 어머니께 도움이 되고자 했습니다. 그런 어머니께서 지금은 책상과 책을 뺏어가십니다. 어떻게 해야 할지 모르겠습니다. 이번에는 저의 뜻대로 죽어도 못하겠습니다. 지하 깊숙이 루시퍼가 있는 가장 아래라고 생각한 저의 생각이 틀리고 말았습니다. 다시 한번 더 깊은 지하로 내려갑니다. 두 손을 모았습니다. 마지막 남은 희미한 불빛이 꺼져갑니다. 너무도 슬퍼서 견딜 수 없습니다. 읽은 책을 찢어 유지하는 불꽃이 모두 타버리면 어떻게 할지 저도 모르겠습니다. 어릴 적 어머님은 거대하신 분이었습니다.

지옥이 왜 좋은지 아세요.
그곳은 불모지예요.
뜨거운 사막과 같아요.
그래서, 나를 조금도 감출 수 없어요.
'나'가, 그냥 드러나요.
그리고 결단하셔야 해요.
구원할지, 희생을 당할지를…(구원의 주체를 찾을지 아니면 자신을 희생할지를)
망설이지 마셔요.
루시퍼는 칼을 건네줍니다.
이 칼을 휘두르기 위해선
가장 소중한 사람을 배어야 합니다.
만약, 당신이 이런 경우에 처하게 되면 자결을 선택하셔요.
보는 관점에 따라 구원이 때로는 자결로도 나타납니다.
그래야 루시퍼가 부활해줍니다.

우리가 세상에서 살다 보면 당신 명분(名分)을 위해서 아끼는 사람을 '돈'과도 같은 칼로 베어내야 하는 경우가 찾아옵니다. 이기적인 행동 결과들을 모르고 살다 보니 루시퍼와 만나게 되었습니다. 그러나 저는 운이 좋게도 다시 살아났습니다. 그리고 깨어있어 베아트리체를 생각합니다. 그리고 내가 몰랐던 것들을 공부합니다. 저는 지옥과 친한 사람입니다. 죄송하게도 '망각의 강'은 반대편 사람 이야기입니다. 불모지인 이곳 지옥에서는 꽃 한 송이가 아니라 꽃 같은 신기루만 보아도 가슴이 두근두근 그립니다. 만약, 꽃이 이곳에 핀다면 기적과도 같습니다.

가장 아래에서는 숨길 것이 존재할 수 없습니다.
사막 저편에 나에 신기루가 나를 보며 말합니다.

나빠지고 나빠져서 가장 아래에서 나빠지면, 죽음 직전까지 성실히 일하고 현실을 회피하지 않으면 그 삶에서 생애 끝단을 만납니다. 몸에 모든 힘이 빠져서 축 늘어지고 기운은 모두 소진되어 모든 것을 놓아버립니다. 역설적으로 이 시점이 세상의 모든 짐을 내려놓았을 때입니다. 태어나서 최초로 마음을 완전히 비운 상태를 경험한 것이지요. (나귀의 몸에서 모든 짐이 해체된 상태)

실패의 주된 요인은 자신의 신성인 '영'과 소통이 차단된 결과입니다. '영'은 '도'를 말해주는데 도에서 벗어나서 현실이 괴로운 것입니다. 모든 인간은 이때 '바로잡음'을 경험하는데 그 과정이 마음속에 '영'이 살아나는 것입니다. 그동안 육신에 탐욕스러운 목소리, 혼의 의지적이고 편협한 목소리가 너무 요란하여 마음속 깊은 곳에 '영'의 통로가 막혀서 목소리가 작아서 들리지 않은 것입니다.

혼과 육의 기운이 다 빠지면 정신은 무의식적으로 내면을 살피는 힘이 생기는데 그때 영의 존재와 소통 길을 다시 완성하려고 노력합니다. 우리는 마음에 영과 혼이 있고 이것을 둘러싼 육신이 있습니다. 3가지 모두 목소리를 갖고 있으며 혼이 이 목소리들의 크기를 조절하고 제어하는데 주된 명령은 영으로부터 출발합니다. 영의 통로가 막혀버리면 그 사람에 인생에 있어 자명함이 사라집니다. 그리고 양심은 내가 한 행위들을 피드백 받거나 혹은 사전에 검열하여 위반이 없는지 점검합니다. 영, 혼, 육의 목소리가 조화로 균형을 이루고 각각에 개체들이 소통과 대화에 균등한 비율을 가지고 자유로운 소통이 이루어질 때 인간은 고차원의 존재가 됩니다.

마음은 텅 비었고 육신에 어떤 욕구도 없다면 마음속 하느님 자리가 선명히 드러납니다. 이것이 단박에 깨치는 돈오(頓悟)입니다. 이후 저는 다시 하느님 자리를 매번 보고 있는 상태로 나 자신을 만들고자 수년을 노력하였습니다. 2020년 초에 저는 하느님 자리를 내 정신에 기운으로 온전히 보았습니다. 그리고 그 이후 매일 그 자리를 확인하였고, 그러다가 마음이 맑은 날은 다시 보기도 하고 그러다가 어떤 날은 그 자리에 앉아도 보았습니다. 언제인지 정확히는 모르겠으나, 2020년 무렵, 깊은 명상에 이르렀을 때, 선생님으로부터 '아라한'이라는 이야기를 들었습니다. 뜨끔했습니다. 그 이후에는 명상 시간을 줄여서 자리 정도만 멀리서 본다는 수준까지만 수행하고 더 이상이 접근하지 않았습니다. 이후에 살기 위한 공부를 2년 했는데, 요즈음은 다시 인간이 되는 공부를 조금 더 많이 하고 있습니다.

무수한 시간의 명상 속에서 '무상고무아'라는 속삭임이 여러 차례 나를 향해 다가왔습니다. 그 목소리 속에는 나에게 주어진 사랑이 부족한 존재로서, 마음 깊은 곳에서 진정한 사랑을 나눌 수 없게 된 이유가 담겨있습니다. 견디기 힘든 고통 경험을 통해 내 한계를 깨닫게 되었습니다. 처음에는 맑은 마음으로 세상에 나왔지만, 세월이 흐를수록 오염되어 어두워진 내 마음을 되돌아보면, 마치 처음처럼 순수한 상태로 회복되어야 한다는 필요성을 느꼈습니다. 마치 머리털처럼 말입니다. 나 또한 처음의 순수함을 잃지 않고 머리가 없어져야 한다는 확신이 들었습니다. 나는 이 세상에 처음 왔는지는 모르겠지만, 그 순수함을 지니고 떠나며 오염되지 않은 채로 소멸되어야 한다는 나만의 사명을 깨달았습니다.

5. 스승과 친구

아집(我執)을 버리면 나를 살리고, 고집(固執)을 버리면 사람을 얻습니다. 마음속 어떤 대상에 관련해서 반드시, 꼭, 무조건, 죽어도 하고야 말겠다는 것 대부분은 과도한 개인 욕망이고 이것은 나를 상하게 만들고, 타인도 상하게 만듭니다. 중용(中庸)은 과함을 버려 중도를 완성한 상태에서 타인과의 지적 대화를 통해 비중을 조절하는 행위가 됩니다. 그렇게 되면 내 태도를 고수할 필요도 없거니와 지키는 행위가 무의미하게 됩니다. 항상 내가 취하는 것보다 더 좋은 것은 외부에 있다고 생각하면 쉽습니다. 내부질서가 명시적이고 투명해져서 간결하게 되면 외부와의 작용이 원활해지고 작은 움직임으로 큰 변화에 쉽게 이르게 됩니다. 물은 그릇 모양에 따라 변하고 흘러서 다시 본래의 길을 따라 흐릅니다.

과거를 생각해 보면 '반드시, 꼭, 무조건, 죽어도 하고야 말겠다'라는 것과 '열정'의 관계는 구분이 모호합니다. 둘 다 인간의 에너지임에는 같으나 그 형상을 살펴보면 물길을 거슬러 오르는 비이성적 행위라고 생각합니다. 순간적이고, 즉흥적이며, 자극적이고, 쾌락적이며, 도전적이고, 임시적입니다. 찰나를 위해 많은 에너지를 순간을 위해 소모합니다. 자기 존재를 드러내고자 에너지를 단숨에 소모합니다. 그러나 물은 물길을 거슬러 오르지 않습니다.

인간의 마음에는 내가 하기 싫은 것을 남을 부추겨서 하고자 하는 못된 마음이 있습니다. 이런 생각들을 떨쳐내서 비워내지 못하면 물러나면 됩니다. 우리는 물러나는 것을 패배로 생각하는 오류를 범하고 있습니다. 마음은 내가 비워내어 공한 상태에서부터 무언가로 가득 차서 비워낼 수 없을 때도 있단 말입니다. 세상 사람들은 외부 기준이 너무 높을 때 물러나는 것이 "비겁하다"라고 말합니다. 40여 년 오직 나를 위해 지독하게 살았습니다. 그러다 아집과 고집으로 내가 죽었습니다. 그러나 무슨 이유에서인지는 세상은 내게 다시 삶을 주었습니다. 나만을 위해 한평생을 사는 것은 인간 도리에 어긋난 일이란 것을 분명히 각인시켜 주었답니다. 저의 모든 공부는 여기에서 시작합니다. 나와 내 가족 구족(九族)을 위한 것들은 내려놓았지요.

오늘도 강변을 따라 달렸고 한적한 공간에서 명상에 몰두했습니다. 마음을 정화하고 고요 속에서 글을 쓰는 것은 마치 내 내면의 여정을 풀어내는 듯한 느낌이 들었습니다. 그리고 편의점에서 한 잔의 아메리카노를 맛있게 마시면서, 세상이 나에게 다시 삶을 선물해준 이유에 대해 생각해 보았습니다.

본심(本心)은 영적인 나의 모습에 변화를 이야기합니다. 이 이야기는 내가 나만을 너무 사랑하여 그 사랑을 다른 누구에게도 줄 수 없는 '지독한 사랑'이라는 자기모순에서 시작했습니다. 나를 위한 나만을 '어떻게든' 나를 사랑했습니다. 그러나 어쩌다 발을 헛디뎌 나에게서 벗어나고 말았습니다. 잠시 정신을 잃은 그것으로 생각하고 재빨리 사랑하는 내게로 돌아왔습니다. 삶이 삐걱거릴수록 자꾸만 사랑스러운 나에게서 자신이 이탈하는 것입니다. 탈선이 잦을수록 비판하고 미워하기를 수차례 반복하다가, 그러다 이탈이고 뭐고 관심을 꺼버렸습니다. 고요히 흐르는 마음에 흐느낌만이 있었습니다. 나는 그 마음 위에서 나를 찾아 나섰고 나를 알아갈수록 세상의 모습이 마음에 비치고 나에게서 생각지 못한 모습을 발견하게 되었습니다.

내 마음 상태에 따라 세상이 또 다른 마음 세계를 창조하는 것이었습니다. 내게만 내 사랑이 머물러 있으면 세상을 사랑스럽게 그리지 못합니다. 그리하여 당신의 눈에 비친 모습에 훨씬 미치지 못하는 세상을 마음속에 안고 살아갑니다. 그런데 이런 삶은 인간 본연의 길은 아닙니다. 그래서 세상이 자꾸만 내게서 미끄러지게 만든 것입니다. 이런 신호는 세상이 잘못 사는 인간에게 주는 은밀한 속삭임과도 같습니다. 세상의 정화작용이라 생각해도 좋습니다. 인간은 나에게서 벗어나, 우리를 알아야 마음속 세계를 긍정적으로 완성하며 변화시키고 대응할 수 있습니다. 그 힘이 나를 사랑하는 자신의 본심(本心)이고 이것을 따르려는 욕구에서 출발한 의지가 '영적인 나'의 주체입니다. 내 맘속에는 나와 우리, 그리고 모두가 나의 탐구를 기다리고 있는 실제적 대상으로 남아있습니다.

나로 인해 세상은 관여되지만 반대로, 나 또한 세상의 질서를 굳이 거부하지 않습니다. 그러나 이 둘에 모두 어긋나는 것에는 저항할 것입니다. "영적이지만 종교적이지는 않다"라는 학생의 태도가 묻어있는 말이 정확히 맞는 표현입니다.

Spiritual but not religious.

6. 교감(交感)

교감은 상대방의 존재를 인정하고 이해하려는 마음이 생겼을 때 시작됩니다. 저는 변화하는 나를 관찰하고 그 과정을 표현하려고 노력합니다. 이 변화가 더 많을수록 글이 풍부해집니다. 그래서 변화는 기록을 동반합니다. 마음이 나를 표현해봅니다. 경험에 갇힌 생각들을 외부에 표현하려면 벽을 넘어야 합니다. 그 경험을 단어로 해석하고 의미를 찾아내며 순서를 정리하여 말하게 됩니다.

예를 들면 공부에서도 배운 것을 말로 표현하면 학습효과가 좋습니다. 두꺼운 이론서를 정리해서 요약하면 활용도가 높습니다. 이 활용도를 높여 쉽게 펼치는 능력이 중요합니다. 경험을 정리하고 사유로 전환 시 말하는 일이 자연스러우려면 '지적역량'이 필요합니다. 자신의 경험이 이성에 의해서 의미망으로 해석이 되면 자연스럽게 말이 서게 되어 자기 경험뿐 아니라 타인 경험을 살필 수 있는 여유가 생깁니다. 경험을 정리하는 과정에서 이성적인 여유가 생겼다는 말입니다. 그러다가 이해의 영역이 차츰차츰 생기는 것이지요. 자신의 경험이 마치 한 권의 압축서처럼 잘 정리된 사람은 에너지를 다른 차원에 사용합니다만, 반대로 길게 반추하는 것이 습관처럼 된 사람은 어쩌다 나쁜 경험 하나에서 받은 자극이 모든 경험의 상처가 도미노처럼 한 순간에 무너집니다. 그래서 감정이 크게 상하는 것이고 폭주하고 더 독해집니다.

지적역량이 일정 수준 경험을 능가하면 경험이 아픔의 촉매제가 아니라 지혜의 원천으로 변화됩니다. 과거에 부족했던 이해의 능력으로 세계의 이해가 부족했을 때 받았던 상처도 지적역량이 확보되면 상처를 보살펴 이해의 영역으로 전환하여 치료할 수 있습니다. 무지로 인해 실수를 범할 수 있고, 이러한 실수는 때로 부정적인 결과를 초래할 수 있습니다. 그 결과, 관련된 사람들에게 상처를 주어 오랫동안 부정적인 기억으로 남을 가능성이 큽니다. 또한, 이 상처는 크게 각인되어서 큰 상처들끼리 밀접한 의미망으로 연결되어 있다가 하나가 무너지면 '사람'이 무너지는 것을 보아 왔고 지금도 보고 있습니다. 이런 사람은 사유에 큰 결점이 있는 사람입니다. 말이 자유롭지 못하면 사유를 펼칠 수 없습니다. 왜냐면, 지적역량은 내면의 심상을 말을 통해 해방되는 것이기 때문입니다. 가장 원초적 자유는 내면에 갇힌 말들을 당신에 입에서 말로 바꾸어 표현하는 것에서부터 시작합니다. 그래야만, 화를 삼켜서 한이 되지 않습니다. 사람이 이 '한'과 평생 씨름합니다. 지적역량이 경험을 넘어서면 상황을 해석할 수 있는 이야기 구성이 수월합니다.

이야기는 상황을 구체적으로 만들어 서로의 어쩔 수 없었음을 쉽게 이해하는 소통의 도구처럼 작용합니다. 이처럼 상처를 이해의 영역으로 바꾸어가면 아픔은 소멸합니다. 소통이 자연스럽지 못한 것은 분명히 지적역량이 크게 좌우합니다. 내경험의 고통만을 말하는 사람은 타인의 경험을 살필 역량이 없습니다. 상대방에게 말을 들어주는 사람은 자신의 경험을 잘 정리하였고 치료하여 경험이 상처가 아니라 자산이 된 사람들입니다. 그들은 타인의 경험은 독특하고 유일한 것을 알기에 다른 사람의 경험을 살피는 사람들입니다. 그러다가 자신이 해결하지 못한 것들까지도 책과 이야기를 통해 더욱 높은 이해의 수준을 넘어서게 되어 과거의 사람을 용서합니다.

지적역량이 확보되면 타인에 대한 용서로도 쉽게 연결되어 혼돈에서 빠르게 탈출할 수 있습니다. 이 탈출이 가능해야 경험 속 아픈 기억은 인생에 영양제가 됩니다. 뼛속까지 긍정적인 인간은 아픈 기억을 영양가 있는 기억으로 변화시키는 인간입니다. 지금 매 순간 내경험은 끝없이 밀려듭니다. 이것들을 잘 기록하고 정리하여야 남의 것도 살필 수 있고 상대방이 말할 때 들어줄 수도 있습니다. 만약, 밀려드는 경험이 불안하다면 분명 지적역량이 경험을 능가하지 못하고 있을 것입니다. 그래서 공부는 끝이 없는 것입니다.

이해의 태도는 작은 깨달음으로 이어지고 깨달음이 지속적이면 행복합니다. 그래서 행복한 말들, 내면에 말들을 표현하는 것이 중요합니다. 사랑은 너무나 멀리 있습니다. 응석을 부리거나 재롱을 떨어 사랑을 탐할 수 있으나 차라리 배움을 택하겠습니다. 이해의 지평을 높여서 경험을 재해석하여 비추어 볼 수 있을 때 도덕에서 강제하는 반자유에서도 벗어나게 됩니다. 마음으로 듣고 말하면 변화하지 않을 수 없답니다.

7. 스님들이 머리카락이 없는 이유

욕망은 끝없는 결핍으로 이끌고, 인간은 무언가를 갈망(渴望)합니다.
의식을 넓히던가, 마음을 비우던가, 불살라 없애던가!

가장 높은 수준에 '견성(見性)'은 자의적으로 자신의 머리를 불태워 모든 욕구를 소멸시키는 것일 것입니다. 스님들이 민머리인 것은 자신을 바라보는 그곳을 가장 낮은 차원으로 만들어서 황폐함이라는 동일 선상에서 삶을 살고 그곳에 머물기 때문일 것으로 생각합니다. 내가 '나'에 대해서 자신 있게 말할 수 있는 것은 한때, 마음속 모든 욕망과 욕구들이 큰불에 휩싸여 모두 타버렸었기 때문입니다.

마음이 황폐해지면, 온통 까만 세상에 까만 재들이 날리고 눈물이 비가 되어 검은 비가 내립니다. 내가 발견한 나를 발견하는 두 가지 방법이 있습니다. 하루에 한 번씩 마음속 숲길을 지나 산책을 통해 나를 만나고 오는 방법이 있습니다. 숲속 작은 오솔길이지요. 다른 하나는 높이 날아오르는 것입니다. 환희는 극도의 즐거움입니다. 몸, 정신, 마음이 즐겁습니다. 내가 즐겁습니다. 내 안의 나도 온통 즐겁습니다. 영혼은 날아오릅니다. 그 와중에 내가 나에게 '손 내밀어 줄래'라고 살짝 부탁합니다. 너무 즐거워서 그냥 들어줍니다. 마음이 맑은 날에는 수풀이 풍성해도 나를 쉽게 만날 수 있습니다. (단, 환희로 이끌 수 있는 발단의 외부 대상물은 스스로 발견하셔야 합니다.)

저는 황폐해진 상태가 슬퍼서 내면의 나를 만난 것에 크게 관심 두지 않았습니다. 거의 몇 년을 아무것도 하지 않으며 현상을 이해하고자 책만 읽었답니다. 그리고 나는 나와 수많은 대화를 했습니다. 언제든 나를 보려면 눈만 감고 큰 호흡 세 번이면 가능했었습니다. 마음에 담아둔 것이 모두 타버려서 아무것도 없는 상태라 나와 접속이 쉽습니다. 스님들은 이런 상태에서 나를 수련하는 것이겠지요. 가장 낮은 차원에서 나와 동일시하는 그 이상에는 분명 무언가 있어 보입니다.

'견성(見性)'을 종교에서는 아주 중요시하는 것을 최근에 다시 알게 되었습니다. 머리카락에 불이 붙어 홀라당 탄다면 머리 두상이 그냥 나타나지요. 우리가 세상에 처음 나왔을 때랑 같은 모습입니다. 머리 두상을 확실히 보려면 누구든 머리에 불을 지르면 확연히 드러납니다. 그러나 자신의 머리에 불을 지를 사람이 드뭅니다. 그래도 '견성'을 체험하고 싶다면, 그래서 마음이 가벼워지고 싶다면, 이기적인 것, 반드시(어떤 대상에 독한 것), 허황한 바람과 구복(口腹)만 버려도 대부분 쉽게 '견성'합니다. 우리 마음에는 이성적으로 풀어버리면 아무것도 아닌 것들이 가득 차 있습니다. 소통이 막힌 벽들이 가득 있단 말입니다. 저처럼 사랑이 메말라 한 번에 큰불이 나면 민머리가 되어 내면의 나를 지겹도록 보게 될 테니까요!

그러나 아직 관념(觀念)이 무겁습니다. 그리고 이 관념이 지정한 단어의 의미도 모르는 것이 아직 많이 남아있습니다. 나는 매일 단어를 검색하고 그 의미를 확인합니다. 과거에 지성 집단에 의해서 언어로 지정되어 문자로 있다가 특정 시점에 누군가의 가르침 속에서 내 머릿속에 못 박혀서 고정된 정의는 내 머릿속에 하나의 부품이 되고 이것이 살아 있는 전체와 가까워 생동감을 얻게 되고 움직이기 시작하면, 내가 움직이고 생각하는 동안 이 고정된 것을 바꾸어서 변화시키기는 어렵습니다. 그것이 시대에서 강요하는 인간상이고 이는 도덕입니다.

'우애(友愛)'도 그러한 그것 중 하나일 것입니다. 분명한 것은 내면에서 '관념과 삶'에 양방향 소통이 일어날 때 이들은 상승합니다.

우거진 숲 아래 태양 빛, 달빛 별빛 그리고 작은 옹달샘.
물먹으러 갔다가 물속에 비친 태양 빛, 달빛, 별빛
그리고 나!
태양 빛은 강렬하고 뜨거워 갈증을 불러오고
달빛 이래 얼굴에 입술의 모양이 흐릿하게 되어 오해를 불러오고
별빛은 다만 그가 누군지 생각하게 할 뿐입니다.

태양이 있을 때 물먹으러 갔다가 거울에 비친 태양을
단 한 번이라도 마주한다면 얼마나 좋을까!
그러지 못하고
난 너무 멀리 있는 길을 돌아왔습니다.
태양, 달, 별 그리고 옹달샘에
드리워진
나!

불입니다.
불, 불입니다.

산짐승들은 불을 피해 겨우 옹달샘에 도착하였고 나는 검게 물든 얼굴을 씻었습니다. 그리고 하늘을 보았습니다. 얼마나 피로한지 저절로 눈이 감겼습니다. 불모지에서 잠들었고 꿈속에서 태양은 내 가슴에 불을 붙여 주었습니다.

앗 뜨거워! 내 마음에서 요동치는 생명 꿈에서 깨어나 하늘을 보았습니다. 그동안 우거진 숲 아래에서 하늘을 볼 수 없었고 그래서 오만하게 태양을 잊고 말았습니다. 네온사인이 움직이는 세계는 휘황찬란한 것들로 가득하기 때문입니다. 민둥산이 된 이곳에서 생명과 같은

물 한 모금 마시고 하늘을 바라보며 잠들었다가 일어나려는 찰나!

　나는 태양을 보았던 것입니다. 어릴 적 보았던 기억이 흐려져서 태양을 잊어버렸습니다. 나는 어둠을 벗어나고 있습니다. 울창한 숲인 자본이라는 황량함에서 끝없이 탈출하고 있습니다. 세상 속에서 사랑과 자유를 찾아 떠나는 여정의 출발입니다.

우거진 숲 아래
태양 빛, 달빛, 별빛 그리고 작은 옹달샘에 드리워진
나!

제9부 선생님들과 고전읽기

　우리가 읽는 문학작품의 글들은 감각적입니다. 그 이유를 생각해 봅니다. 가만히 그 속을 들여다보면 문장을 읽을 때마다 다양한 감각들이 우리를 자극합니다. 이 순간 몰입하면 감각이 생성된 듯한 전이를 받게 됩니다. 작가들은 오감을 자극하는 전문가입니다. 작품에서 묘사가 뛰어난 구절을 읽어보면 무슨 말인지 이를 알게 됩니다. 세상을 정확히 느껴야 바르게 표현할 수 있습니다. 그 반대도 마찬가지일 것입니다. 세상을 느낀 작가는 두 가지 이상의 감각으로 구성된 문장을 독자에게 되돌려주는 것입니다. 많은 감각이 녹아있는 문장은 사실감과 공간감이 충만하여 쉽게 상상으로 이어집니다. 독자에게는 이것이 최대의 이익이 됩니다.

몸은 무한의 공간이며, 내 앞에 놓인 백지입니다.
나는 그런 백지를 매일 한 장씩 그려나갑니다.
오감으로 느낀 것을 정확히 표현하려 합니다.
자연과의 소통 그리고 그 중심에 서고자 하는 인간!
늘 내 마음과 똑같은 작가를 만나서 황홀합니다.
이것은 행운입니다.
코드가 꼭 맞는 것은 기대한 적 없으니까!
말이 빠릅니다.

1. 책 읽는 사람들

혼자 책을 읽다가 관심이 있는 책들을 잘 읽을 수 있게 되었을 때쯤, 독서의 균형을 찾아야겠다는 생각을 문득 하게 되었습니다. 혼자서 읽는 책은 편식(偏食)이 되어 치우치는 것을 바로잡고 싶었습니다.

'모르면 선생(先生)님을 찾아가야 합니다.' 그러다가 도서관에서 주최하는 독서 모임에 참여하게 되었습니다. 그리고 이 시점부터 본격적으로 사고의 흐름을 짧은 글로 전환하여 휴대전화기에 작성하기 시작했습니다. 그 글들이 A4로 까맣게 써 내려간 1천 페이지가 넘게 쌓여서 이것들을 선별하여 책을 만들면 좋겠다는 생각이 들었습니다. '나'라는 존재가 깨어났을 때 너무나 무지하여 세상을 향해서 할 수 있는 유일한 일은 책을 읽는 것이었습니다. 이런 이유로 독서량이 많을 때는 한 달에 수백 페이지를 읽어나갔던 달도 꽤 있었던 것 같습니다.

열심히 책을 읽고 생각하고 마음에 비춰보고 그 소리를 다시 듣기를 수십 회 반복하고 주말이면 독서 토론에 참석하였습니다. 그들과 토론하기 위해서 일주일을 손꼽아 기다린 날들도 많았습니다. 생각들이 사라지지 않을까 싶어 그림으로 표현하고, 이를 다시 글로 표현하고, 다시 구체적인 말로 표현하기를 몇 년간 하면서 공부도 병행했습니다. 그 결과 글들이 좀 더 치밀해지고 개인적으로 마음에 드는 표현들이 점점 많아지기 시작했습니다. 그리고 과거에 작성한 글들을 보다가 저도 모르게 깜짝 놀랄 정도의 글들도 다수 발견했습니다. 이렇게 책을 읽고 주말마다 도서관의 작은 공간에 모여서 읽은 글에 관해서 토론하는 그것이 저에게는 너무도 중요한 일이었고 세상 그 어떤 일보다 가장 큰 의미가 되었습니다. 독서 토론은 일주 혹은 이주간 쌓아둔 생각 더미들을 정리해서 치우는 일과도 같았습니다. 그래야 다시 새로운 책을 읽을 수 있는 것과도 같습니다. 과거의 것들을 토론을 통해서 깨끗하게 정리하고 다른 책을 맞이하는 데 있어서 아주 중요한 과정입니다. 그리고 마음속 깊이 토론하고 나면 글들이 머릿속에 남아서 다음 책과 연결되는 지식의 링크가 생성되는 것입니다.

처음에는 이 현상이 무엇인지 몰랐지만, 읽은 책은 또 다른 읽을 책의 방향과 심지어 책의 제목까지도 알려주는 신기한 일들도 있었습니다. 그래서 책이 책을 이어주듯 책과 사람들의 토론에서 다음 책의 선정에도 아주 큰 역할을 하는 것이 사실이었습니다. 이것을 통해서 독서가 더욱더 재미있어졌습니다. 토론(討論)은 책을 읽음으로 작은 글들로 쌓은 벽을 한 번에 큰 망치로 허무는 과정과도 같습니다. 그래서 철저히 부서질수록 좋습니다. 그래야 마음이 백지(白紙)가 되고, 미련(未練)이 사라져야 그 책이 내 마음속 깊이 무의식의 자리에 가라앉게 됩니다. 그러다가 어떤 책을 읽으면 공감이 일어나는데 이때 지식으로 '이해의 폭발'을 경험할 수 있습니다. 이 순간은 축하받아도 좋습니다. 반짝이듯 관념(觀念)하나가 당신의 마음에 생겨난 것입니다. 마치 보이지 않았던 별(Star)이 짠하고 나타납니다. 그리고 당신은 그 별을 자신의 이야기에 연결하여 글로 표현할 수 있게 됩니다.

생각을 구체적으로 묘사하고 이를 특징을 뽑아서 간략하게 종이에 그려보고 이를 빠르게 글로 바꾸어보면 아주 재미있습니다. 어떤 이는 몽상(夢想)이라고 할 수 있겠지만, 사람이란 몽상 속에서 상상이 절제

(節制)되면 그것이 꿈(Dream)이 되고, 꿈에서 인내(忍耐)가 완성되면 꿈은 현실(Reality)이 됩니다. 그래서 몽상을 잘 꾸는 것이 중요합니다. 이런 과정에서 인간으로 완성되는 것이 공부이고, 그 사람은 아마도 학생(學生)일 것입니다. 멀리서도 주말이면 사람들과 모여서 토론할 책들 내용이 기다려집니다. 생각은 책을 통해서 쌓고, 다시 토론으로 허물고 다시 다른 책을 읽고, 다시 허물기를 습관처럼 하면 수많은 별이 당신의 마음에 나타날 것입니다.

그 별 아래 어둠이 찾아오면 동네 언덕에 앉아서 별들을 보며 그들과의 이야기를 생각합니다. 저는 오랫동안 세상 가장 아래에 있어서 밤이면 빛이 하나도 없었습니다. 그래서 어둠이 내리면 외면으로 세상을 살아왔습니다. 그러나 지금은 별들과 노니느라 정신이 없답니다. 그 이야기를 나와 연결해주는 링크의 주체는 독서와 토론입니다. 그리고 태양이 나타나는 아침이 되면, 별들은 빛을 잃어버리지만, 밤이면 별들은 그 존재가 뚜렷합니다. 태양은 꿈과 같고, 별은 그 꿈의 좌절에서 다시 시작할 수 있는 의지에 힘을 주는 존재와도 같습니다. 그래서 저는 태양 아래에서는 땀을 흘리지만, 별빛 아래에서는 이렇게 글을 작성합니다.

2. 현실과 분리된 문학과 삶

책 읽는 사람의 말은 일상적인 언어로 표현되어야 합니다. 복잡한 글자들의 구조를 현실로 끌어내려 세상의 판을 짜보아야 합니다. 글자들이 머릿속에서 과거의 경험과 융합이 되어야 합니다.

세상 사람들이여!
그러나 무언가로 가득 차서 그 글자들이 들어갈 공간이 정신에 있을지 의문입니다.
변화와 혁신의 반대편에서 우리는 서로 싸움만 하는 것이 아닐지.

정신에는 무언가로 가득 차서 단어들이 문장들이 문맥들이 들어갈 공간이 없습니다. 마치, 작은 집에 큰 살림살이들이 가득 차서 움직일 공간이 없는 것처럼, 큰 집으로 이사하여야만 한다고 생각합니다. 과거 분수에 맞지 않게 크게 크게 산 가구들이 집에 가득 차서 편히 쉴 공간이 없는 창고가 되었습니다. 집은 수입에 따라 더욱 큰집으로 바꿀 수 있겠지만, 인간의 마음은 어떻게 확장할 수 있을지를 알 수 없다고 말합니다. 그러나 현 상황을 살펴야 합니다. 올바르게 보아야 올바른 입장을 취할 수 있습니다. 내 맘이 있는 이곳이 어떤 곳인지 알려면 집에 든 물건들을 모두 버리면 됩니다. 한 번에 힘드니 조금씩 버리면 됩니다. 결국, 다 버리려면 일정 기간 시간이 필요합니다. 간단하고 명확한 것은 다 비우고, 아무것도 하지 않음입니다. 그리고 자신을 살펴봄입니다. 그러면 본래의 자신을 바라볼 수 있습니다.

내가 원하는 것이 무엇인가요? 사실, 이것이 가장 중요한데 하지 않습니다. 나중에 어려워져서 외부의 힘으로 반강제로 하게 되면 뼈를 깎는 고통이 수반됩니다. 세상이 암흑으로 변하게 될 것입니다. 난.쏘.공48)을 보면 우리는 지옥을 살면서 천국을 꿈꾸지만 접근할 수 없다고 하지 않았던가! 한번 무너진 삶의 사이클은 이처럼 후대에도 악영향을 미칩니다. 보이지 않는 내 뒤통수를 스스로 깎을 때는 이발기에 가장 안전한 날을 끼워 백구로 밀어버리면 됩니다.

가장 쉽게 자신의 머리 두상을 드러내는 일입니다. 곧 치부를 드러내는 일입니다. 이를 두고 "각성한다."라고 합니다. 영화 아저씨의 '원빈'이 머리를 스스로 깎고 악(惡)에 대한 자비를 씹어 먹듯이 말입니다. 과거 실패의 원인은 삶을 공유하지 않고 소통하지 않음이었습니다. 성찰이 깊어지면 책의 글들이 보이게 됩니다. 독서는 마음을 순하게 만들었고 마침내 타인의 말들까지 들리게 해주었습니다.

'반면교사(反面教師)'를 넘어 '교학상장(教學相長)'으로 달려갑니다.
세상 사람들이여!

---

48) 난장이가 쏘아올린 작은 공: 조세희의 중편 소설, 1978년 초판 발간 이후 '산업화 과정에서 소외된 도시하층민의 고통을 간결한 문체와 환상적 분위기로 잡아낸 명작'이라는 찬사를 들으며 필독서이자 스테디셀러로 자리 잡았으며, 대표적인 국민 소설 중 하나입니다.

　무언가 가득 차서 새로운 것들을 받아들일 수 없는 상태, 이후의 일들은 반강제로 잃어버리는 일들만 남아있게 됩니다. 정점을 찍고 하강만이 남아있을 때 대부분 인간은 노년을 시작하게 됩니다. 그래서 미리 내려놓지 않음 그 이후는 비참합니다. 자신의 무의식과 에고의 본질을 탐구하고 빈 곳에서 아무것도 하지 않음으로써 혼자 힘으로 자신의 본성을 회복해야 합니다. 부정적 내면의 것들을 회피하는 것이 아니라 철저히 대화하는 일입니다. 대화하지 않으면 구원을 원하고 종교에 의지합니다. 누군가의 말을 따르고 믿으려 합니다. 1차원적인 계몽시대의 유산인 인간이 되고 맙니다. 이처럼 자신에게조차 이중적인 인간의 대화는 일방적입니다. 하물며 그런 인간이 읽은 글들이 이중적인 마음속에 들어갈 수 없습니다. 끊임없이 무너지는 모래성을 쌓고 또 쌓고 있을 뿐입니다. 그래서 글자들을 현실 세계의 자신의 삶을 끌어내려 투영하지 못합니다.

　자신과의 대화에서 균형을 찾을 때, 소통할 준비가 된 것입니다. 흔히 주변 사람의 말을 받아 귀여워서 달래주는 것은 마음을 풀어주기에는 좋으나 매번 그렇게 받아주기에 시간은 너무나 짧은 것이 아닌가요? 그래서 그 사람의 존재가 어떠한가에 관심을 끌게 된 것입니다. '귀여워'가 능사가 아니지 않은가요? 견디고 이겨 나갈 힘이 있을 때 본인 스스로가 내면의 길을 밝혀 갔으면 좋겠습니다.

　고전은 시대정신의 혁신이고 변혁입니다. 그 시대를 선도하는 사상의 방향입니다. 시대적 차이가 존재할 뿐 마음을 열어 자신의 것으로 소화한다면 어디서 무엇을, 어떻게 해야 할지, 다시 생각해보게 될 것입니다. 이것이 생각하는 인간을 만들고 모든 문제에 있어 재인식의 시초가 될 것입니다. 배운 것에 매몰되지 않으며 시대를 보고, 듣고, 읽고, 느끼고, 타인과 소통하는 일은 나의 분수를 찾아가고 삶을 살아가는 태도를 분명하게 하고 명확히 하는 일입니다. 시대를 바르게 읽고, 그 정신에 맞으며 능동적이고 진취적인 습관이 몸에 배면 일이 술

술 풀려나갑니다. 이것이 삶의 투자입니다. 오로지 외길을 꿋꿋이 걷겠다는 굳은 결의에 바탕이 됩니다. 바른 질문을 하기 위해선 내면의 부정과 치열한 전투를 하는 것이 아니라 대화의 물꼬를 트는 일입니다. 죄책감은 외부에서 심어둔 도덕과 끊임없는 분열을 자행합니다. 정신과 마음은 철저히 분리되어 통합하지 못하는 인간이 이 시대의 대중적인 인간상입니다. 말하고 돌아선 인간이 내 외면이 혼란한 이유는 바로 이것 때문입니다. 즉, 스스로 깨달아 통합하지 못합니다. 모두 따로따로 존재해서 서로의 관계를 알지 못합니다.

부모님은 생존의 시대를 사셨고, 나는 계몽이라는 이름으로 집단 주입식 교육을 받았습니다. 어린이들은 그 시대에 맞는 교육을 받아야 합니다. 질문이 많은 아이는 선생들을 피곤하게 만듭니다. 그 질문에 답하다 보면 수업을 할 수 없다 합니다. 누구를 위한 교육일까요? 그런 환경 속 토론과 대화는 어떻게 되는 것일까요? 말할 수 없는 인간으로 만드는 교육이 의미가 있을까요? 선생이란 존재가 무엇일까요? 이 시대에 진정 선생은 있는 것일까요?

선생에겐 직업 그 이상이 아닙니다. 거세된 사명감은 유효기간이 너무도 짧고 내 나이 40이 훌쩍 넘은 삶에 아무리 생각 해봐도 선생이란 존재는 어느 시기에도 없었습니다. 내 시대는 그러하였지만, 후세에게 물려주고 싶은 생각은 없습니다. 당신은 어떠한가요? 미물로 살며 물질적 풍요만을 누리고 그 부를 지키기 위해 불필요한 에너지를 모두 소진하는 일은 시대를 역행하는 욕심이 아닐지.

살아 있다는 것은 끊임없이 변화 중이라는 증거입니다. 내가 선생을 만나지 못한 것은 아마도 나의 정신이 인간이 아니었기에 인연이 없었던 것이었습니다. 어린이에서 시작하여 개, 돼지로, 바퀴벌레로의 낙향에 끝은 죽음입니다. 미물들은 인간과 비교하여 일시적인 삶을 살아갑니다. 미물들은 그래서 모든 것이 짧습니다. 미물로 변해가는 자신을 외면하지 말아라! 미물의 끝단을 경험하면 위로 오를 수밖에 없는 것입니다. 오직, 내가 할 수 있는 옳은 것 하나만 성실히 하는 것입니다. 이것을 행동으로 하기 위해선 내면의 혼란을 정리해야만 합니다. 이것이 나락에서 기어 나와서 살겠다는 한 인간의 의지입니다. 인간의 '힘에 의지'는 그렇게 생성된 것입니다.

글은 개인의 손을 통해 기록됩니다. 이 글은 그 사람의 생각을 담고 있으며, 그가 보고 느낀 세계를 표현하는 수단입니다. 주요 목적은 정보나 감정을 전달하는 것이며, 무언가를 설명하고자 하는 욕구는 정리와 기술로 이어집니다. 설명하는 과정에서 뇌가 작동하기 시작하며, 이때부터 고정된 개념을 벗어나 습관적인 사고 패턴을 벗어날 수 있습니다. 미완성된 생각들을 구체화해 말하고 나면 개념의 표면이 뚜렷해집니다. 사고를 더 깊게 파고들어 날카롭게 다루면, 그것을 좋은 글로 변화시킬 수 있습니다.

'도덕 감정론'(애담 스미스)에서는 공평한 관찰자가 공감을 얻을 수 있는 범위까지 이타적 행위가 확대되는 것을 자혜, 이기적인 행위가 억제되는 것을 정의라고 하였습니다. 이해관계에 얽매인 관찰자는 행위자의 감정과 적절성을 제대로 판단할 수 없습니다. 즉, 욕심에 눈이 멀어 공평한 관찰자의 시점을 잃어버린 사람들을 말합니다. 타인의 눈을 멀게 하여 삶을 망가트리고 노예로 만드는 가장 쉬운 방법은 탐욕을 부추기는 것입니다. 지금 경제의 방법론은 영업한다고 합니다. 누군가는 당합니다. 그로 인해 스스로 노예가 된 사람이 많습니다. 지금이 딱, 그러한 시기입니다. 반면에 세상은 정상적인 생각으로 살아만 있어도 '때'는 다가옵니다. 단, 그때를 감지하려면 꾸준히 공부하고 있으면 됩니다. 한편, 탐욕으로 내면의 관찰자가 비뚤어지면 기울어진 세상의 축과 같아서 삶의 문제를 해결할 능력을 잃어버립니다. 그 탐욕은 대부분 배신을 불러오고, 그 배신은 불신으로 가슴이 멍들게 하며, 인간에 대한 증오가 마음속 깊이 뿌리내리게 합니다. 그리고 시선이 기울어지면 시선은 낮아집니다. 한없이 낮아집니다. 이때부터는 같은 위치의 사람들을 서로 끌어내리기 바쁘고 끌어내리기 위해 열중하는 무서운 삶들도 있습니다.

관찰자의 시선과 눈높이를 잊어버린 사람들은 왜곡된 시선으로 아래에서 위쪽만을 바라봅니다. 이것이 그들의 가장 큰 모순입니다. 현실을 냉정히 똑바로 즉시 하지 못하는 것, 내가 생각하기에 하나의 거대한 절대 장벽입니다. 편견이 형님하며 무릎을 꿇을 정도입니다. 주변인이 잘되었는데 마음속 울화가 치민다면 이런 상태입니다. 공감하는 관찰자의 태도를 유지하고 그 힘을 기르기 위해서라도 혹은 최소한 바르게 살기 위해서라도 '빚'은 삶에 끌어들이지 말아야 합니다.

내면의 관찰자와 소통하고 정신과 육신에서 다양한 기운들을 감지하여 조화를 이루며 그 선을 분명히 지키는 것이 중용입니다. 반대로 양극단을 생에 가까이 두며 칼날과 같은 세상살이를 하는 것은 내 성미에 적당하지 못합니다. 그래서 공부에서 떨어지는 콩고물 정도로도 나는 충분합니다. 공부와 마음 수양에 거대한 욕심을 내어보면 좋겠습니다. 몇 년 해보니 좋았습니다.

3. 의미의 그물 그리고 개념

점들이 모여 실이 되고 날실로 그물을 짜듯이, 그것이 일정한 기준에 따라 엮이면 면이 되고, 면이 어떤 물체를 감싸서 그 대상의 모양으로 변화하면 마침내 대상을 이해하게 됩니다. 그물이 대상을 온전히 덮지 못한다면 이해와는 거리가 멉니다. 그리고 일명 말하는 정제되어나온 결과, 고민을 견디고 나온 하나의 마침표, 다수의 합리적인 과정을 통과한 노력이 다시 그물의 연결 부위에 달라붙어 의미가 되어 또 다른 개념의 기초가 되고 확장됩니다. 정제된 개념은 단계별로 이해되고 설명된 후, 행동으로 옮겨져 현실에서 연습됩니다. 편애 없이 선한 눈으로 관찰하고 이것에서 규칙을 발견하고, 탐구하고, 분류하고, 논리와 계산을 더 하고, 묶어내는 식의 합리적인 사고 과정은 체계적이어야만 하지만 이런 과정에서 인간은 감정에 따라 그 수치가 달라지고, 치우치고, 무시하고 맙니다. 그러니 결과 이전의 과정에서 그 값들이 철저히 틀린 것이 되고 맙니다. 이러니 '행동할 구체적인 정제된 값'을 출력하지 못하고 매번 중도에 사라져버립니다. 이런 당신은 정말 공허한 상태일 것입니다. 그러나 당신이 정제된 결과를 끌어내지 못한다고 하여 모두에게 애매한 단어를 사용하여 규정하면 본인뿐 아니라 모두의 탐구 의지도 제한하게 됩니다. 자신이 행동할 강령을 만들어내지 못하면 인간은 어떤 행동도 스스로 할 수 없기 때문인데 그러한 이유는 무엇일까요?

개념의 순수성은 의지를 강하게 만듭니다. 마치 그물의 섬유조직을 튼튼하게 만드는 것과 같습니다. 앞에서 말한 것처럼 개념을 탐구할 때, 편애가 최대한 제거된 상태가 이상적입니다. 편애는 순수한 것과는 거리가 멀고 주관에 의해 변형이 크고 많을수록 의미를 깊게 끌고 가지 못하고 중간에 사라지는 개념이 되고 맙니다. 그런 이유는 마음의 평정심을 찾지 못한 상태에서 개념을 탐구한 결과며 그래서 모든 공부는 평정심을 찾는 과정입니다. 인간이 만든 모든 기준은 불완전한 존재이지만 그러함에도 불구하고, 인지의 미세함, 지각의 숙고함, 인식의 차분함을 끌어내서 마음을 잔잔하게 만들고 바라보는 시선의 순수함을 찾는 것입니다. 이것을 꾸준히 연습하여 탐구로 이끌어가면 순수한 개념을 정립할 수 있습니다. 순수한 개념과 의지로 인간은 다양한 개념을 확장해 왔습니다.

강한 실, 매듭법 그리고 노력이 많이 드는 과정을 통과한 그물만이 또 다른 출발지의 정거장이 됩니다. 거점을 만들지 못하면 성찰은 사라집니다. 되돌아가지 못하는 불안함은 앞으로도, 그렇다고 뒤로도 이동할 수 없는 요지부동의 상태로 몰고갑니다. 곧, 거기가 당신의 무덤이 됩니다. 이 말은 스스로 과정을 세분화하고 절차에 따라 검증하고 수정할 수 없음입니다. 즉, 더 좋은 과정으로 변화할 수 없음을 뜻합니다. 변화하지 않고 앞으로 나아가는 행위는 어떤 대상에 대한 개인 욕구의 소비일 뿐입니다. 이걸 사람들은 마치 지식에 대한 의지의 착각처럼 내 눈에는 보였습니다. 1차원이 면이라면, 강한 섬유조직을 엮은 법을 알면 됩니다. 2차원이 어떤 대상을 완전히 포함하면 됩니다. 그러나 1차원의 순수성이 한참 모자라는 상태에 있다면 어떻게 할 것인가요?

당신은 한 권의 책을 품어 본 적 있는가요!

한 권의 책 무게를 마음이 품기 위해서는 마음에 번듯한 빈 책장이 있어야 합니다. 그 책은 나와 연결된 세계에서 활발게 작용하며 영향을 발휘합니다. 책의 큰 줄기를 마음에 담고 가지들은 기억에 담고 이들의 관계를 정신에 담아가면 내 것이 되며 오래갑니다. 고작 몇 페이지를 담아가는 것은 단순 기억일 뿐이며 그것들의 관계 순서를 밝히지 못한 상태라 대부분은 삶에 직접 비춰보지 못합니다. 그래서 금방 잊히므로 기억과 정신이 책을 가져오는 것이 아니라 마음에 책을 담는 것입니다. 그러면 정신이 점화되면 관계의 역순으로 하나하나 기억이 살아나서 죽은 가지들을 소환합니다.

독서와 이해의 오해
눈으로 봅니다. 읽습니다. 정신은 글을 가져옵니다.

글을 쌓으려니, 공간이 없습니다. 눈은 앞으로 나아갑니다. 망각, 망각…. 글자와 기호들이 의미를 구성하지 못하고 사라집니다. 이것들을 기억하지 못한다고 하는데 사실은 마음이 무언가로 가득 차서 정신이 거부하는 것처럼 느끼는 것입니다. 기억은 차후의 문제입니다. 과식해서 배가 빵빵한 데 또 다른 음식이 넘어가지 못하는 것입니다. 정신은 항상 우리의 배를 빵빵하게 만듭니다. 정신은 우리의 마음도 빵빵하게 만듭니다.

음식을 비우는 방법은 배설을 통해서 느닷없이 해소될 것이라 믿는데 장기 속의 음식은 소화 과정으로 없어지겠지만 마음의 빵빵함은 이해가 있기 이전에는 절대로 홀쭉해지지 못합니다. 그래서 소화가 잘 되려면 일정량의 공간과 학습이 필요합니다. 잘 먹고, 알맞은 운동하고, 공부해야 멈추지 않는 성장을 이룰 수 있습니다. 반드시 인간은 소멸의 반대 방향으로 자유롭게 달아나야 합니다. 이해는 대상을 마음속에 가져오는 일이 첫 번째 과정입니다. 아무리 정교하고 세심한 정신이 있더라도 가져올 공간이 없다면 정신이 무슨 소용이 있는 것인가요! 운동장이 넓고 좁고의 문제가 아니라 얼마만큼의 공간이 있느냐가 중요합니다. 정신은 탐구 과정에서 자연스럽게 슬기롭게 됩니다. 둘째, 마음에 가져온 것들을 정신의 질서에 따라 입체적으로 구성해보는 일입니다. 자세하게 분해하고 분류하려면 운동장이 넓을수록 좋습니다. 치우지 않고 그대로 둔다면 며칠 동안 과제를 지속할 수 있습니다. 어린 시절 방바닥에 너저분하게 펼쳐 놓은 것처럼 어떤 대상을 탐구하는 것입니다. 셋째, 느닷없이 어머니의 호령과 스매싱으로 그와 동시에 현실 세계로 강제로 내려오게 되면 하나의 과정으로 끝나는 것입니다. 그 후 여유롭게 꿀잠을 자고 나면 마음에서 자동으로 정리가 일어납니다. 이것이 정신에 대한 마음의 자연스러운 낙관적인 긍정입니다.

반대로, 마음이 가득 차서 어떤 대상도 가져올 수 없다면 정신은 죽고 맙니다. 마음의 책이든, 세상의 문제든 가져와야 정신을 이용하여 해결할 것이 아닌가 말입니다. 문제는 크고 반대로 공간이 좁다면 문제를 해결하지 못합니다. 분해할 공간이 없어서 분해과정을 할수록 엉망이 됩니다. 그리고 대부분 빈 마음을 가지는 연습이 부족하여 자연스러운 소화를 완성해내지 못하고 맙니다. 그래서 성장하지 못하는 결정적인 원인이 되는 것입니다.

최소한의 마음을 비워야 책이라도 가져올 수 있습니다. 소화 과정 없이 쓸어 담기만 하는 정신의 무책임함은 사람의 얼굴을 노랗게 뜨게 만들어 질식사시킵니다. 배변하지 못한 인간의 욕구는 자극에 예민합니다. 그래서 지나가다 옆구리라도 스치면 죽일 듯이 바라봅니다. 과연 화가 많을 뿐인가요? 요즈음은 눈빛만 보고도 신고한다고 하지 않던가! 그들은 자신의 무대가 사라졌습니다. 지금 많은 현대인은 자신의 무대를 빼앗긴 사실도 모릅니다. 매일 화장실을 가면서 마음은 내려두고 갑니다. 앞으로는 마음과 함께 가서 빈 배와 빈 마음으로 돌아오자. 이것이 잘되면 이해가 잘 됩니다.

어제는 기화 펜을 샀는데 신기하게도 글을 적고 지우지 않아도 시간이 지나면 사라집니다. 그리고 나는 매일 책들을 읽는데 읽었던 내용도 함께 사라졌습니다. 마치 기화 펜처럼 왜, 자꾸 사라지는 것일까요. '기억은 믿을 것이 못 됩니다.' 기화 펜보다 내 기억이 조금 늦게 사라질 뿐입니다. 그러면, 종이에 글들이 남으려면 똑같은 위치에 같은 글을 수없이 적어 골이 깊어지면 손으로 만져서 알 수 있으려나, 색은 사라졌으나 촉감으로 알 수 있는 것처럼 내 기억이 그런가 봅니다. 책을 읽으면 뒤에서 글들이 사라집니다. 기억할 수 있을 때까지 글을 읽어보면 읽기와 기억하기가 거의 동시에 이루어짐을 알 수 있으나 잊어버리는 것은 어느 지점인지 구체적으로 알지 못합니다. 그러나 읽기를 멈추고 역으로 읽은 것들을 기억해보면 사라진 위치를 확인해 볼 수 있습니다. 사라지는 위치가 창의 끝단입니다. 마음이 창입니다. 큰 창을 가지고 있으면 많은 글이 그 창에 담기고 작은 창이면 몇 줄만 담길 것입니다. 읽기를 습관화하고 글들의 관계에 집중하면 창들이 확장됩니다. 점들이 모여 하나의 창에 들어서고 또 다른 창에 의해 연관됩니다. 나는 오늘도 창 안에서 점들을 가지고 여러 가지 놀이를 했습니다. 숫자놀이, 알파벳 놀이, 순서놀이, 빈칸놀이, 끝말잇기, 비슷한말 찾기 그런데, 즐겁게 놀았던 기억이 자꾸 기화 펜처럼 사라집니다. 어쩜 좋을까! 포스트 인간이 아니라 포스트잇 사람이 되었습니다.

4. 기초와 선택

"의사소통에서 상호 이해에 어려움을 겪는 것은 언어 학습의 부족으로 인해 능숙함을 달성하지 못하고, 그 결과 미숙하고 발전되지 않은 상태로 남게 합니다."

보유한 다양한 분야의 책 중, 가장 많이 소장하고 있는 책이 영어

책입니다. 그러함에도, 나의 영어는 오랜 침묵을 걸어오고 있었습니다. 근 2년 정도 성장이 없었음을 나도 알고 있었습니다. 그러다가, 수많은 고민 끝에 다시 초심으로 돌아갔고 마침내 정체된 상황에서 살짝 벗어나게 되었습니다.

아주 기뻤고 이후, 불필요한 책들을 구별할 수 있었고 그것들을 정리해서 버릴 수 있었습니다. 그리고 서점에 가서 필요한 책을 몇 권 구매했었습니다. 그런 이후에 책들을 살펴보니 특이하게 오래된 책 중, 2018년도에 구매한 기초 영문법이 살아남았습니다. 그리고 이것이 지금의 주된 교과서가 되었습니다. 그 누구도 중요함을 강조해주지 않았던 책이 가장 중요하다는 걸 지금에서야 알았습니다. 그리고 나는 생각해보았습니다. 과거에 나는 기초를 학습하고 문장으로 전환하였습니다. 기초를 문장에 적용하는 '격차의 순간'이 너무 길어서 기초를 잊어버린 것입니다. 앎과 적용이란, 시차는 실로 긴 시간이 되었습니다. 기초가 몇 주 그리고 문장 구문에 진입하니 특히, 기초를 다시 공부하지 않으며 알고 있다는 가정하에 이루어지므로 적용에 능동적일 수 없었던 것이었습니다. 그리고 익숙한, 너무 친한 것들도 적당히 버려줘야 됨을 책에서도 발견하였습니다. 책이라 하여도 전체적인 큰 그림을 담지 못하고 나와 코드가 맞지 않으면 이른 시간에 정리하는 것도 방법이 될 수 있음을 알았습니다.

어떤 분야든, '기초'라고 하는 것은 인지하고 있는 수준을 넘어선, 자신의 몸에 완전 체화됨을 의미하는 것이었습니다. 그래서 없던 기초를 익히면, 고통스럽고 괴롭다고 느끼는 것입니다. 익숙한 것만 하면 사람은 발전이 없는 것입니다. 그리고 "편안하다"라고 느낍니다. 단어의 의미를 이해하고 그 단어들의 관계와 위치를 파악하여, 그들이 모여 하나의 의미를 형성할 때, 단어들은 서로 유기적으로 어우러지게 됩니다. 화려한 모양과 색깔은 아니지만, 내 손을 떠난 것들은 다시! 그 맥이 깊어져 돋아져 내게 돌아옵니다. 그리고 다시! 시간이 흐른 후에 내 정기가 한층 맑아집니다. 나는 그 맥을 알게 되었으니 이보다 기쁜 일은 없습니다. 천천히, 정확히! 나는 맥을 더듬어보았습니다. 그리고 마음을 노트 삼아 그것을 기록하였고 쉼 없이 질문을 탐구하고 있습니다. 그리고 오늘 한 권의 노트를 완성하였습니다. 한국어는 주어, 어떻게, 언제, 왜, 어디에서, 누가, 무엇을, 서술어 순입니다. 영어는 주어, 서술어, 누가, 무엇을, 어디에서, 왜, 언제, 어떻게 순입니다. 누가, 무엇을 이순서 만은 같으나 위치가 다르며 이외의 것들은 순서, 위치 모두 다릅니다. 저는 이러한 것들을 바라보며 제가 갖지 못한 사고방식을 얻기 위해 공부하고 있습니다. 무한히 반복하다 보면 뇌가 변한다고 합니다.

노력과 변화, 그리고 무너뜨림!

과거에 글 쓰는 것을 싫어했지만, 지금은 혼자 있을 때 자연스럽게 글을 쓰게 됩니다. 몇 년간 부지런히 몰입한 결과, 사고의 변화가 일어나 불편했던 것들이 편해지고 익숙해졌습니다. 사실 충분히 생각은 많으나 애매한 생각들을 정리하고자 하여 글 쓰는 과정을 통해서 또 다른 생각의 마침표를 찍음으로써 명료함을 발견합니다. 글쓰기란 내게 있어 생각의 정리와 함께 다음 생각으로의 전환입니다. 변화할 수 있는 시간이 있습니다. 뇌가 변화할 기회를 주기 위해 계속해서 공부해야 합니다. 사고방식의 습관을 변경하여 새로운 방향으로 가지를 추가하는 것은 매우 어렵습니다. 모든 사람은 어느 면에서는 풍부한 가지를 갖고 있지만, 반면에 부족한 부분도 있습니다. 그래서 서로가 부족한 부분을 적절히 보완하며 정보를 공유함으로써 발전할 필요가 있습니다. 가는 물줄기가 오랫동안 흐르면 강이 되는데 그 강줄기도 조금씩 변화합니다. 그러다가 큰비가 오면 큰 줄기의 맥이 변화합니다. 변화를 주어 두 줄기로 나누고 하나는 한국어로 또 다른 하나는 영어로 나누기를 희망하며 도전합니다. 사실 영어는 나에게 있어 단기간 목표가 처음부터 아니었습니다. 영어에 대한 애정이 부족했음을 고려할 때, 사람의 몸과 사고구조의 습관이 그의 운명에 상당한 영향을 믿습니다.

한편, 생각을 더 정교한 다른 생각으로 대체하는 과정은 선택의 연속으로 이루어집니다. 반대로 하나의 생각에 지나치게 오래 머무르면 그 생각에 집착하게 되어 새로운 생각을 받아들이지 못하고 발전할 수 없습니다. 생각과 그것을 다른 생각으로 밀어내는 과정에서 우리는 깨달음을 얻습니다.

하나에 빠지는 것은 둘을 비교할 수 없음이고, 또 다른 다름에 지속해서 접근하지 못하게 하고, 그 결과 좋지 못한 사고 틀을 유지하게 됩니다. 이는 마치 외발 수레가 균형을 유지하기 위해서 많은 힘이 드는 반면에 두 바퀴 수레가 더 효과적이고 그것보다는 또, 네발 수레는 균형을 유지할 필요가 없는 것과 같습니다.

우리의 정신세계는 우주와 같으며, 번뜩이는 생각은 그 안에서 흐르는 거대한 강물과 같습니다. 세상에서 떨어져 나와 방향을 잃은 것들이 모여 결정체를 이루듯, 우리의 생각도 그렇게 형성됩니다. 이와 같은 정신세계에서 에너지의 활동을 일부러 한정하는 것은 외발 수레를 타는 것처럼 어려운 상황을 견뎌야 하는 무모한 일이 됩니다. 일단, 튼튼한 네발 수레가 되고 나서 어떻게 생각들을 운영할 것인가 생각합시다. 수레의 네 발이 '인의예지'가 아닐까 생각합니다. 우리는 항상 네 발로 움직여왔습니다. 그래서 네 발이 잘 작동할 것이라 기대하지만, 때로는 고장 난 부분도 있습니다. 자신을 살펴 그 부분을 우선 바로잡으면 수레의 큰 움직임이 바르게 될 것입니다. 그러나 등잔 밑이 어둡다는 말처럼, 가장 가까운 곳을 놓치기 쉽습니다. 우주 속에서 방향을 잃은 생각들을 분별하고 선택해 담는 그릇이 네발 수레가 되어야 합니다. 여기에 지혜가 더해지면 당신의 수레는 참된 모습으로 운행하게 될 것입니다.

생은 화이트엔 블랙, 마음의 창이 화이트다.
그곳이 검은 점들로 어두워집니다.

굵은 점들이 자국이 되어 어둠이 늘어갑니다. 만약 회색이 어둠이 겹쳐져 암흑이 된다면 얼마나 암울한 삶일까요? 우리는 그런 삶을 살아서는 안 됩니다. 생의 마지막 날, 다시 고운 백지로 남는다면, 그리고 다음 생을 예감한다면 '다시'를 외칠 수 있지 않을까요? 지금이 어떠하든 후회는 버려두고, 거대한 선순환을 감지합시다. 최초의 순간에 이르면 다시 화이트로 돌아가는 법을 알게 됩니다. 그러니 검은 점들도 기쁘게 받아들입시다. 어린 시절 기억이 최초로 점화되기 전, 당신의 마음은 항상 화이트였습니다. 그리고 삶은 빈 도화지처럼 완전히 화이트였습니다. 이 사실을 잊지 말자.

5. 객관화(客觀化)

강력한 외부 자극 때문에 우리는 객관적인 관점에서 세상을 바라보기 시작하며, 그 과정에서 내가 무너지지 않고 버틴다면 본래의 성향이 점차 변화합니다. 대다수 사람은 객관화와 주관화 사이를 오가며 삶을 살아가지만, 이 둘을 명확히 구별하기는 쉽지 않습니다. 그렇다고 객관화의 성향을 조금 알아버린 이도 마찬가지로 다수의 주관으로 살아갑니다. 이 말은 모두 자신의 의지대로 살아가지 못하는 것을 말합니다. 세상에서 온전히 객관적이고 주도적인 사람은 어쩌면 우리 눈에는 바보, 멍청이, 머저리로 보이는 사람뿐입니다. 또한, 이들은 일차원적인 외부의 강한 자극을 견디지 못하고 산화된 존재를 스스로 선택했을 것입니다. 그래서, 다수의 사람은 살아서는 객관화에서 멀어지게 됩니다. 그래서 개인은 객관적인 시각을 많이 채택할 때 주도적인 역할을 할 수 있습니다. 이 짧은 글과 생각은 주도성의 의미를 완전히 담지는 못하지만, 내 생각을 정리해 보려 합니다.

삶은 넓은 들판에서 집을 손수 만들고 농작물을 생산할 땅을 개간하고 외부의 적들을 막기 위해 울타리 기둥을 하나하나씩 받아서 튼튼하고 익숙한 생활을 만드는 것과 같습니다. 안정된 생활은 변함없는 것이고 그 속엔 '영원'이란, 소망이 들어있어요. 그리고 그 소망 자체를 객관화시켜 더욱 안정을 극대화합니다. 보통 안정(安定)들이 일순간에 사라지면 인간은 본래의 객관화를 시작해요. 큰 정신적 충격이나 공포에서 벗어나려는 노력이 객관화 일부가 될 거예요. 강력한 탐구가 내외부에서 자극을 받으면서 싹트고, 그 결과들이 회의로 쌓이기 시작할 때 객관적인 주관이 형성됩니다. 삶이 위태로울수록 이는 행동으로 쉽게 연결되며, 결국 하나의 일관된 행동으로 나타납니다. 그러나 왜 백성은 자신을 객관화하지 못할까요? 삶 속에서 외부의 침입을 받아도 백성은 버텨내는데, 이것이 그들의 특기입니다. 과거에는 백성의 봉기가 앞뒤를 구별하지 못하는 상황에서 발생했었습니다. 지금의 사회에서 한 사람의 봉기는 상호 협력적이지 않지만, 산발적으로 객관화가 되고 있고, 협업하지 못하는 구도로 만들어져있어 개인의 책임으로 강제하고 한정시켜 다수의 안정을 추구해요. 좌파가 득세한 세상은 그동안 개인의 봉기가 많았다는 뜻이라고 저는 생각해요. 개인적으로 봉기는 그 사람의 절실한 고통이에요.

봉기(蜂起)는 스스로 약이 될 수도 있지만, 그 독 기운은 아주 강해요. 즉, 독처럼 강한 회심은 주도적이고 또한 객관적이긴 하나 나 말고는 다수에게 이로운 기운은 하나도 없어요. 이것을 '원한(怨恨)'이라고 표현합니다. 원한의 힘이 백성을 다른 성질로 변화시킬 것입니다.

백성의 봉기는 극심한 고통에서 시작되었고 죽기 살기에 관여치 않고 그들의 의지를 표명했었다면, 현대 사회에서의 개인적 삶에 대한 봉기가 없다면 이상한 것 맞겠지요. 이처럼 죽기 살기를 목전에 두고 삶을 살아갈 때 주도적인 성향이 많이 드러날 것이에요. 그리고 '주도와 정도' 사이에서 움직이는 무게추가 '객관화'라는 것이고요.

백성이 봉기를 맞이하지 못하는 것은 개인화시켜둔 범위는 객관화하고는 반대의 성질이고 큰 흐름에 대부분 노출되어 반항심이 줄어든 상태를 의미해요. 개인적인 봉기가 발생하더라도 내면의 혼란으로 축소해버리지요. 그리고 그 발생 시기가 모두 각각 다르니 외부에서 힘을 모을 수 없어요. 이것은 우리 세계를 이기적인, 개인주의 사회로 만든 또 다른 이유와 명분이 될 것이에요. 대다수 책임은 개인의 내면으로 돌리고 외부의 봉기 시기를 다르게 하여 백성이 모이지 못하게 하는 것이겠지요. 이것들이 사회체제가 만들어둔 한정하는 '안정된 것'들이에요. 이 범위를 잘 살피는 것이 객관화이고 이 범위를 벗어나 스스로 한 사이클을 완성하는 힘이 주관이에요. 그렇다면 책을 많이 읽는 사람이 그럴까요.

꼭, 그렇지는 않다고 저는 생각해요. 책은 지침서가 될 뿐 한 인간의 내면의 회로가 얼마나 잘 작동하느냐가 더욱 중요하다고 생각해요. 미지의 영역과 객관화된 영역의 비중을 잘 설계하고 삶에 적용해서 두 영역을 자유로이 움직이는 힘은 주도의 성향을 띄겠지만 책을 읽어 세상을 알고 지지하는 이는 미지의 영역이 있음에도 불구하고 이를 객관화시킬 수 없어요. 반면에 마음이 곧은 이는 미지의 세계를 객관화시키고 쌓이는 경험을 차곡차곡 정리하여 느리지만, 정확히 책을 읽은 것과 같은 결과를 만들어내겠지요.

책이 현실과 먼 이유도, 행동하지 못하는 것도 이것과 같다고 생각해요. 마음이 곧아야 하고, 좋은 책을 선별해서 짧게 읽을 수 있으면, 오염되지 않을 수 있어요. 텍스트에서 떠난 의미가 행동이 되어 능동적인 내가 만든 세상이 객관 그 자체고 주동의 의미를 함의해요.

유난히 오늘따라 뺨에 스치는 바람이 낯설게 느껴집니다.
아, 봄입니다. 그것도 확실히….

다시 이 순간은 흩어져 사라지지만 내 기억은 그 장면을, 마치 사진을 촬영한 것처럼 기억에 남겨두었습니다. 다시는 볼 수 없다는 생각이 문득 들어서였습니다. 그래서 가슴을 더욱 활짝 편다. 그래서 더 많이 더 가까이 다가설 수 있으려고 그렇게 다가섭니다. 강변에 갓길은 예년처럼 이름 모를 풀들이 무성합니다. 작년에 비 온 뒤 그 풀 위에 맺힌 물방울을 사진에 담았습니다. 그 풀들이 이제 발목까지 차오릅니다. 그리고 그것들과 나무들의 녹음이 내 눈동자에 더욱 선명해집니다. 아직 떠나지 못한 겨울새들이 보입니다. 저 새들은 텃세가 된 것입니다. 매일 나 같은 사람들을 스치며 비둘기가 되어갑니다. 그리고, 몸은 적당히 달아올라 등에 땀이 살짝 맺혔고 오늘의 내년은 내가 어디에 있을지 상상해 보았습니다.

아브락사스!49)

사랑은 무엇으로 시작하는 것일까요? 오늘 본 뮤지컬에선 나에게 사랑은 '신비'로 다가왔습니다. 사랑은 신비에 영역인가? 아니면 이해의 영역인가? 이것도 아니면, 신비가 먼저 시작되고 후 순위 이해일까요? 아리송합니다.

오늘은 사랑을 말로 설명하는 것이, 분명 신비를 초월하지 못합니다. 왠지 사랑 속에 신비가 있는 것처럼 보입니다. 내가 너무 세속적이라 운명이란 걸 믿지 않아서 신비에도 가치를 두지 못한 내 좁은 식견 때문인지 아리송합니다. 뮤지컬에선 사랑은 여자(女子)에게 두라고 한 것 같은데 나는 잘 모르겠습니다.

사랑은 신비의 영역일까요?

6월 26일, 어제의 궁금증을 묻어두고 오늘은 친구가 다니는 교회에 다녀왔습니다. 그리고 문득 이런 생각이 들었습니다. 삶에는 3가지의 큰 줄기가 있는 것 같습니다. 경험, 이성 그리고 신비라는 3개의 스펙트럼이 아닐까요? 그리고 나는 어린 시절에 사랑받지 못해서 신비를 잃어버렸고 이런 이유로 하나의 스펙트럼 없이 살아온 것이 아닐까 하는 생각이 들었습니다. 경험은 시간의 중첩이고 이성은 경험을 가로지릅니다. 그러나 톨스토이가 말한 것처럼 "유한에서 유한을, 무

---

49) ΑΒΡΑΞΑΣ, 고대(AD 2세기) 그리스의 비술에 등장하는 주문. 단어 자체의 의미는 없습니다. 데미안 구절에서 '새는 알에서 나오기 위해 투쟁한다'가 닭의 머리를 가진 특성에서 유래한 것도 없지 않아 있을 것입니다.

한에서 무한을 찾는 것이 인간의 역사를 넘어서도 인간인 자신은 진실을 알 수 없다"라고 하였습니다. 그 어떤 인간이 신비를 정의하고 확신한 경우는 드물지 않은가요? 그렇다면 내가 생각하는 최선은 무엇인가요. 지금까지 과거의 경험에 함몰되어 빤한 세상만을 살아오다가 운이 좋아 경험 위에 두 발을 딛고 서서 스스로가 최초로 이성의 힘을 기르고 있으며 사라졌던 '신비'를 발견하였습니다. 신비는 곧, 사랑이고 예수, 부처등에 해당하는 것인가요? 아무튼, 중요한 명제는 3개의 스펙트럼을 조화시켜 인격에 균형미를 찾는 일입니다. 경험에 진실하고, 배움에 적극적입니다. 그리고 신비는 어쩌면 내가 살아 있는 동안 풀어야 할 신비 그 자체 '사랑'일 것 같은 예감이 듭니다.

과거 주입식 교육은 아이들의 신비(神祕)를 제거해 버립니다. 인간은 태어나 부모의 보살핌으로 자라고 그 이후 자신에 경험과 이성이 만나 세상에 '나'라고 느끼는 중요한 시점에 사랑이라는 신비도 함께 시작되는 존재입니다. 그러나 우리의 교육은 구속과 억압으로 작은 아이의 경험, 이성, 신비 균형을 무너뜨립니다. 이성을 억압하는 공부는 학생들의 신비를 철저히 파괴합니다. 주입식 교육은 신비를 소멸시키고 마음을 황폐하게 합니다. 주입식 교육으로 균형을 잃은 아이는 일그러진 세계를 살아갑니다. 신비를 잊음과 동시에 사랑도 잊었습니다. 그래서 지독하게 세속적입니다.

인간 내면은 신비를 선호하고 따르고 궁금해하는 존재입니다. 신비에 불꽃이 꺼지면 세상과 갈등하는 존재가 됩니다. 인간 삶에 있어서 신비의 불꽃은 활활 타올라야 합니다. 그러나 대다수에 사람들은 신비를 끌어내려 생활과 바꿉니다. 그래서 바쁘게 노동할 때는 신비가 사라지고 휴식시간이 되어 정신을 차려 보지만 끝없는 우울함이 찾아들어 본능적으로 신비에 불꽃이 꺼진 것을 느끼고 그리워합니다. 이윽고 슬픔은 배가됩니다. 가끔 욕구를 능가하는 두려움이 찾아듭니다. 인간은 두려움을 피하고자 진실에서 멀어지곤 합니다. 그는 촛불이 꺼졌는지 아닌지 모호한 상태에 놓여 있으며, 신비한 것에 대해 촛불이 꺼지지 않기를 바라지만, 내면은 이미 모두 타버린 상태입니다. 그래서 소망만을 막연히 품고 있을 뿐입니다.

우리는 알 수 없는 미래가 다가오는 삶을 살아가지만, 내 마음이 진실하고 현재에 행복이 충만하다면 사랑으로 삶을 살 것이고 이는 곧, 우리에 미래이고 우리들의 삶이 아닐까요. 경험, 이성, 신비에 균형에 관심을 두어야 합니다.

6. 고전과 일차원적인 인간

당신의 가슴 쓰린 사랑, 고통 그리고 행복에 이야기는 당신만이 알고 있으며 그 이야기를 어떻게 세상으로 풀어내느냐가 소통의 방향성이며 대화 창구(窓口)가 됩니다. 한 사람 그리고 오직 한 이야기입니다. 그러나 내면에 갇혀버린 말의 단서를 모아서 말을 만들어서 이야기로 풀어내려면 자발적으로 공부하여 사고의 한계점을 넘어서야 가능할 것으로 짐작됩니다. 어떤 임계점을 지나면 정신은 아픈 단서들을 모아서 자연스럽게 말을 만들고, 입으로 흘러나와 대화가 되고, 작품이 되어, 당신의 정신은 다차원으로 가로질러 이동할 힘을 얻게 됩니다. 그러나 그런 사고의 발단인 '정신'을 당신이 구속하여 자유를 빼앗은 것도 자신이며 굳어버린 형세의 모습도 당신 주체입니다.

내가 기억하는 고전 소설 작가들 대부분 일차원에서는 탁월하지 못합니다. 자신의 삶을 잘 꾸려간 작가들은 잘 물려받은 소수의 사람 정도였습니다. 대부분 현실 생활은 외면한 듯 겨우 유지하거나 지인의 도움을 받습니다. 일차원적인 글은 먹고, 자고, 쓰고, 그중 이상한 것 먹었고, 특이한 거 먹었고, 비싼 거 먹었고, 사준 거 먹었고….

사람은 하루를 살면서 여러 번 먹습니다. 먹는 행위에서 특별한 것을 발견하려니 몹시 피곤해집니다. 피곤을 이겨내려고 너무 희귀하거나 아주 엉뚱하거나를 찾는데, 이것을 기록한다고 해서 작품이 되지 않습니다. 내가 생각하는 예술에 가까운 작품은 영혼에 직접 교감이 가능해야 하고 이것을 여러 사람과 이야기로 풀어낼 수 있어야 합니다. 일차원적인 현상의 글은 주요 소재가 되지 못하는 이유이기에 자신의 일기장에 덮어둡시다. 그리고 사람들은 본능적으로 글을 적다 보면 이것의 따분함을 금방 알아차립니다. 그러므로 작가에게 있어 일차원은 작가의 개인사에 지나지 않습니다. 우리는 그런 개인적인 속사정을 뒤져서 추적하지만, 고전을 이해하는 데 크게 도움 되지 못합니다. 왜냐하면, 고전은 일차원이 아닌 여러 차원에 걸친 이야기들의 연속이기 때문입니다. 나는 수많은 사람을 만나왔습니다. 그러나 물질세계를 철저한 절제로 바라보며 자본가가 된 단 한 명의 스승도 찾지 못했습니다. 그리고 아무리 노력해도 물질적인 사람들의 영향을 크게 받습니다. 고전은 심신이 일차원에 머물러서는 이해하기 어렵기에 가슴으로 다가가기 쉽지 않습니다. 그래서 고전을 읽을 때만이라도 일차원을 떠나서 다른 차원으로 가는 법을 배워야 합니다. 슬기롭게 일차원(탈물질주의)을 벗어나는 방법은 '자본가'가 되는 것입니다. 자본가는 물질세계에서 균형을 터득한 자입니다. 그래서 만족, 감사, 비움, 명상, 공부 그리고 '절제(節制)'로 순환을 인식하고 있는 존재입니다. 그렇지만 나는 일차원의 폐단을 인식하여 모순을 공부하여 버린 존재입니다. 극복하는 과정이 자본가보다 좋지 못한 것입니다.

한편, 한가지 이상한 것은 작품의 해석이 너무나 물질적인, 일차원적인 인간들의 해석이라는 것입니다. 같은 해석이 많다고 진리일까요. 이것은 또 다른 동일시함의 강요라 생각합니다. 내 정신의 위치에 따라 이해와 해석은 달라져야 합니다. 과거 성리학이 조선을 500년 고정했었던 것처럼 과도한 신성시함은 또 다른 권위를 만들고 다른 해석을 부정합니다. 고전을 읽으며 책의 뒷면에 형편없는 사설을 실어서 원작품의 가치를 전도시키는 고약한 관행이라 생각합니다. 고전 뒤 번역자의 개인적인 사견이 널리 퍼져 이후에 보편적으로 해석되어 작품 그 자체를 해치는 것이라는 생각이 강하게 드는 것은 어째서일까요. 작품을 아낀다면 번역자의 이름과 인사말 정도가 적당해 보입니다. 그것도 마지막 아주 작은 글씨 정도로….

고전을 짧게 추려 무엇하며, 독자의 생각에 자유를 제한하여 무엇할 것인가요? 일차원적인 인간은 고전도 교과서로 만들어 버리는 대단한 능력들이 있습니다. 내가 생각하는 고전은 나와 코드가 맞는 이야기를 찾는 과정으로써의 독서가 가장 우선시 되어야 한다고 생각합니다. 그래야만 작품과의 소통이 가능하기 때문입니다. 내 원칙은 아직 읽지 않은 고전이 있다면, 아직 가슴은 두근거리고 있다는 것입니다. 그래서 아껴 읽어야 합니다. 그러므로 모든 고전에서 번역자, 연구자, 기타 관련자를 지워버리고 싶은 충동이 생깁니다.

글에는 대표적으로 두괄식, 미괄식, 중괄식, 양괄식 혹은 전체가 그 자신인 인생은 누구나 살지만, 소설의 이야기는 다차원 사람의 이야기입니다. 나는 너무 오래 일차원에 살아서 두괄식은 이생에 쓸 수 없습니다. 잘해야 미괄식이나, 운이 좋아 오래 산다면 작은 양괄식 정도입니다.

사실, 처음 욕구에 답을 제시한 것은 '나'지만 이글과 그전의 글도 '니코마코스 윤리학'[50]을 읽고 선생님과의 대화에서 끌어낸 것입니다. 그리고 이번 글의 전개도 역시 지난 토요일, 대화의 결과들을 정리한 것이므로 완전히 내 생각만은 아닙니다. 대화의 내용을 내가 추린 것이고 덧붙인 것입니다. 사람은 본심 그대로 속임 없이 사는 것은 매우 간단한 것 같지만 그렇게 쉬운 것은 아닙니다. 잘못을 저지르고 있으면서도 스스로 자각하지 못하는 경우도 허다하기 때문입니다. 또 행위나 감정, 사고에 이미 경직된 패턴이 있으므로 이것을 단번에 뛰어넘는 판단을 하기도 어렵습니다. 속이지 않음을 실천하려 하여도 스스로 옳거나 그른 부분에 대한 확신이 없을 수도 있습니다. 그 때문에 사람에 따라서는 일상에서 양심의 판단을 매번 경험하기 어려울 수도 있습니다.

우리가 무슨 일을 하고 안 하는 데는 남은 모르고 나 혼자만 밝게

---

50) 니코마코스 윤리학: 읽다 보면 뭔가 일반적으로 생각되는 윤리학과는 그 영역이 뭔가 겹치는 듯도 하면서 이게 윤리학이라고? 라는 심정을 느끼게 할 공산이 강한 책이지만, 건초를 씹듯이 읽으면 이게 왜 서구 윤리학계의 대작인지 알 수는 있는 책입니다.

아는 편안과 불안이 있습니다. 편안은 인간을 모든 일에 관여치 않게 하고 불안은 어떻게든 타인에게서 위로받으려 듭니다. 즉, 스스로 그 감정의 골을 따라 난 오솔길을 거슬러 올라가지 않기 때문이고, 거슬러 오르는 힘은 편안하거나 불안한 상태에서 발휘하지 못합니다. 한 권의 책을 오래 읽어 내용도 숙지하고 이해의 깊이도 어느 정도 완성하였습니다. 일차원적 인간 그것도 물질세계에서 빈곤한 인간은 2, 3, 4차원의 세계는 보이지 않습니다. 그것들은 머리 꼭대기에 있으므로 절대로 볼 수 없습니다. 일차원을 적당히 비켜서면 희미해지는 정도랄까! 1년에 날이 아주 좋을 때, 운이 좋아야 볼 수 있는 이상한 '섬' 정도가 되겠습니다.

나는 비행기도 타보았고
나는 기차도 타보았고
나는 고속버스도 타보았고
나는 산업도로도 달려보았다.
그리고
구불구불한 도로를 달려보았다.

　나는 서울 가는 다양한 방법을 알고 있으며 위의 것들을 타보았었습니다. 만약, 내가 조선 시대로 간다면 그리고 그 시대 사람과 대화한다면 구불구불한 길밖에 알지 못할 것입니다. 다른 길은 설명해도 알려고 다가서지 않을 것입니다. 사람들은 자신에 경험에 속해있지 않은 말들은 믿지 않기 때문입니다. 지금은 비행기, 기차, 고속버스를 모두 알고 있습니다. 내 마음속에는 하늘길, 철길, 고속도로가 뚫려있습니다. 오래전 통로가 뚫렸었는데 마음속 말을 밖으로 끄집어내지 못했을 뿐이었습니다.
　미래에는 게임에서나 있을듯한 포털이 생기고 그곳에 들어가면 순간이동과 비슷하게 서울에 갈 수 있을지 모릅니다. 있는 것만 긍정할 것인가 아니면, 가능성을 어디까지 열어두고 믿을 것인가는 스승과 제자의 태도에 따라 그들에 미래는 달라지는 것입니다. 혁신, 변화와 같이 움직이는 것은 유한한 것과 무한한 것에 경계에 있습니다. 설사 '무한'이 어떤 상태에 있는지 모르더라도 말입니다. 무에서 유로 변화시키기 위해 인간에 문명은 이동하고 있으며 그것이 지금 이 세계입니다. 우리는 유한한 것들로만 세상을 판단하면 소극적인 자세가 됩니다. 유무(有無)가 공존하는 세계에서 연구자의 마음으로 무한한 것을 유한한 것으로 끌어내리는 것이 공부에 마지막이라 생각합니다. 당신 꿈이 지금에 유가 아닐지라도 제자들에게 당신 꿈의 영향력이 전달될 수 있다면 제자, 그다음 제자들….

배우는 이들은 그 꿈을 분명히 유한한 것으로 만들어 낼 것임에 확신합니다.

'육'은 유한합니다.
'혼'은 무한합니다.
'영'은 무한합니다.

육(肉)과에 소통은 조금 알고 있습니다. 혼에 소통도 조금은 아는 것 같습니다. 영과 자신이 소통하는 법을 모릅니다. 그렇다면 혼을 빼고 영만을 대상으로 생각하면, 영은 수동적으로 당하기만 하는가요? 그 힘을 이용하려면 길이 생겨야 합니다. 받기만 하는 길이 아니라 반대 방향으로도 작동할 수 있는 길, 이 길을 찾는 방법은 내면, 외면을 닦는 방법뿐입니다. (돈오점수, 교관겸수, 정혜쌍수 등등) 수련 중에 길을 발견합니다. 최초에 길은 오솔길이 되고 이 길을 많이 왕복하면 큰 길이 됩니다. 길은 도(道)가 되고 천(天)이됩니다. 이것이 깊어지면 사명이 됩니다.

혼(정신력)으로 운동선수들은 육신을 극도로 몰아갑니다. 혼을 극도로 몰아가기 위해선 영에 힘이 나와야 합니다. 몸과 마음(영, 혼)의 개념과 이들에 관계 그리고 나에 소통에 자유도가 높을수록 좋습니다. 몸의 단련을 통해서 혼에 힘을 기르고 혼에 단련 즉, 공부를 통해서 영을 탐구하여 찾고 막혔던 기(氣)에 맥을 뚫는 것과도 같습니다. 당신에 '영혼육(靈魂育)'을 한 번에 자극하는 그 무언가에서 당신에 길을 역추적해서 찾아라! 이것이 능동적 공부가 됩니다. 분명, 훌륭한 탐험가가 될 것입니다.

7. 판단중지와 실토

마음이 편협한 것이 이렇게 고집스러워 앎을 차단합니다. 그러니까 선생님께서 예전부터 판단중지라고 이야기하셨고 그 이야기를 들은 것은 오래되었습니다만, 최근에 판단중지가 '마음비움'이랑 일맥상통한다는 것을 알았습니다. 자세하게 살펴보니 원리는 비슷한데 사람들이 표현이 다른 것입니다. '깨달은 자만이 마음 비움이라는 공식'처럼 흔하게 사용되어서 판단중지를 오해하고 있다가 너무나 이상해서 깊이 연구해본 적이 있습니다.

항상 판단에 과정에는 Yes, No만 있는 이분법적인 사고가 아니라 내가 지금 알 수 없으나 알아가면서 답변을 할 수 있는 것입니다. 질문과 호기심에 대하여 내가 가질 수 있는 태도는 소소한 깨달음이 있는 것은 당연한 진리이니 선택하고 그것과 어긋나는 것은 택하지 않음이지요. 그러나 우리가 만나는 대부분 질문과 호기심은 대부분 그때 그때 답변을 할 수 없어요. 모르기 때문이고 깨달음이 없어서 현상을 살필 수 없기 때문이에요. 질문과 호기심을 마음에 담고 판단 없이 현상을 지켜보고 연구하는 태도가 습관화되면 작은 깨달음으로 다가와서 글로만 암기한 관념들을 대체(代替)에 하기 시작해요.

깨달아서 알고 있는 것과 모르는 것을 명확히 구분하고 질문과 호기심을 마음속에 담아서 판단 없이 지켜보면 현상의 흐름을 알 수 있답니다. 이것이 진리탐구에 원리가 아닐까 생각합니다. 그러나 우리 인간들은 무언가에 대한 반응으로 그 자리에서 결정하기를 좋아해요. 현시점에서 가능한 한 모든 것을 끌어들여 결론을 만들려는 특성이 있어요. 그래서 매번 좋은 선택을 하기란 너무너무 힘듭니다.

만족에 비자발적인 마음으로써 수동적 비참함의 능동적 실토!

인간은 마음을 열어놓고 대화할 사람이 없으면 외톨이가 됩니다. 인간은 보통 3~5명 정도 진실한 대화를 이어갈 사람이 필요하고 그들과의 관계가 아주 중요합니다. 그러나 당신들은 의무와 책임을 우선시합니다. 비석에 높이 크게 기록되어 있기 때문입니다. 마음을 열지 못하는 이유가 무엇일까요? 가장 큰 원인은 앞에서 말한 대로 자신과의 대화가 원활하지 못하여 내 마음을 상대방에게 전달할 수 없음입니다. 그리고 비석 아래의 나는 내가 없는 존재이기에 무엇을 전하고 받기를 원하는지는 자신의 내면 욕구와 대립합니다. 그래서 이것 보다 좀 더 다른 것을 막연히 갈구합니다. 비석보다 크고 높은 그 무엇인가 있다고 생각하는데 비석 그림자 아래에선 발견하지 못합니다. 그래서 우리는 소통에서 멀어지고 마음을 나눌 단 한 명이 사라지면 독립을 하거나 이혼을 합니다.

비석을 높이 세울수록 그림자는 어두워집니다. 그래서 항상 그 아래는 그늘입니다. 태양의 방향성을 잃은 꽃들은 사라집니다. 만약 비석의 그림자가 드리우는 곳에 뿌리를 내렸다면 그리고 비석을 향해 망치를 들 수 없다면 펜을 들어야 합니다. 당신의 펜이 비석의 무게를 버텨낸다면 글을 기록할 수 있습니다. 비석 아래의 세상은 많은 조항이 있고 규칙이 있습니다. 그래서 나에게는 의미 없이 바쁘지만 기록합니다. 고요한 마음으로 '바쁨'을 비추어 보는 것, 행동 없이 무관심하게 봅니다.

문 듯, 말씀을 따라 기록하고 순서도를 그려보니 저에게는 아주 소중한 가르침이 되었어요. 어느 날 이상하게 빛이 따라와 자꾸 비추는 것이에요. 이게 무슨 일인가요? 그런데 너무나 강렬한 체험이라서 쉽게 잊히지 않았어요. 이것이 무엇일까요? 그래서, 도서관에 달려갑니다. 책은 많았으나 도무지 내게 필요한 책이 무엇인지 알 수 없었지요. 그렇게 고민하던 차에 마음속에서 이참에 "모든 것은 다시 공부하자."라고 내면에서 울리는 것입니다. 그 이후 20년 동안 책 한 권 읽지 않던 제가 책을 읽어서 일을 그만둡니다.

고등학교 취업을 자동차 정비로 진출해서 죽을 때까지 기름쟁이가 천 명이다고 생각했었습니다. 일을 그만두기 전, 자영업을 하고 있었고 적당히 벌어 먹고살고 있었습니다. 도서관에서 3년이 되는 해에 그 빚을 완전히 독대했어요. 소위 '깨달음을 위한 진보는 다분히 어떤 성향을 띄는데 종교적이기 싫어서 마음수련을 목표로 성학십도, 단학, 수심결 3권을 도구로 사용했었습니다. 대부분의 독서는 철학과 문학을 읽었습니다. 최근에 톨스토이의 고백록을 읽고 운동 후 짧게 명상하는데 "I AM" 내면에 목소리가 영어로 선명합니다. 며칠 전에 읽었던 톨스토이 책에서도 교회로 가기를 수십 번 들락날락하며 그만두기를 10년 가까이 반복한 이후 독실한 신자가 되었다던데 고생길이 열린 것인지 불안하기도 했었지요. 그래서 착실한 기독교 친구를 불러서 사정을 이야기하고 작은 교회에 출석과 동시에 독서의 방향을 종교로 바꾸었어요. 기독교는 넓게, 불교는 참선 기초까지만, 마음먹고 책을 읽던 중에 '영지주의'를 만나게 되었어요. 저는 동양사상에 근본을 두어서 신은 처음 들어보는 대상이었고 사실 생각이 거기까지 미치지 못했으며 더구나 플라톤까지 간다는 것이 더욱 신기했답니다. 이황 선생의 성학십도에는 '호령하고 신령한'이라고 표기되어있을 뿐이었지요.

'인식론'에서 키케로의 글을 보고 회의주의에서 신비주의로 넘어오는 과정에서 파스칼의 '팡세'가 신비주의로 저를 이끌었으며 '칼빈'의 '기독교 강요' 상권만 읽었는데도 목사님의 설교가 상당히 보수적이라는 것도 알았습니다.

동양에 유가, 도가, 불교, 동학은 서양의 영지주의와 결이 비슷합니다. 저는 오늘도 과거에 나에게서 벗어나지 못함을 성찰하고 독서와 명상으로 마음을 비우고 비워서 다른 분의 말씀을 가득 담고 판단 없이 바라봅니다. 그러다 시간이 지나면 문득 마음이 울려 퍼지는 목소리가 있을 것입니다. 만약 소리가 없더라도 양심과 비판적 사고 그리고 같이 공부하는 사람들의 대화로 그 문제를 풀어보려 합니다. 지적 유희, 체험을 선호하나 선과 악의 발현과 성찰 그 중심에 저는 마음에 문지기로 '성학십도'를 펼쳐둔 것이 행운아가 되었습니다.

나의 반은 나에, 모습을 반영(反影)합니다. 인간은 내 모습이 주변에 사람에게서 나타납니다. 그 사람에 잘못은 나를 닮은 것이고 이를 부끄럽게 여기며 실수를 곱씹어 다음을 소멸시키려 합니다. 내 영혼에 반은 내가 너무 타락하여 나에게 나타나지 못했던 것인가 봅니다. 고귀해지자! 반쪽을 만나기 위해서라도….

어느 일요일, 아버지는 어머니를 죽이려 했습니다.
그 후 그 일요일은 '나와 이전에 나'에 대한 모든 것 사이를 가르는 장막.
내가 찾아낸 어휘들은 불투명하고, 요지부동의 바윗덩어리입니다. 명확한 이미지는 빠져 있는 어휘들. 그 주위에는 어떤 초월의 꿈도 없습니다.
당시에는 감정을 표현하는 단어란 거의 존재하지 않았습니다. 실망했을 때에는 멍청했었지, 죽을 맛이야. 불행을 벌다. 차분한 마음으로 그 세계를 겪어야 했습니다. (부끄러움51))

시간의 흐름에서 내 자신인 '나'를 바로 바라보지 못하면, 모든 고통은 부끄러움으로 변해버립니다. 기억은 고통이 클수록 오래 각인되고, 그 영향력은 삶 전체에 손해를 끼칠 정도로 대단합니다. 그래서 부정적인 약점, 결점이라 생각하여 드러내기를 꺼립니다. 그 결과 그때 그 기억의 고통을 외면하고 부정하면 소나무의 옹이처럼 깊은 편견의 뿌리가 됩니다. 마음에 옹이들이 자꾸 쌓이면 그 삶은 불투명해집니다. 스승을 둔다는 것은 학생이 되는 것이고 배우는 것입니다. 그래서 돈을 투자해가며 학생이 되고자 합니다. 자신에게 능동적으로 깨달음의 기회를 인정하며 인간 존엄의 감수성을 깨달으려 노력합시다.

급한 맘은 빨리 달립니다.

---

51) 부끄러움: 2003년에는 아니 에르노상이 제정되었으며 2011년에는 소설과 미발표 일기들을 수록한 선집인 《삶을 쓰다》가 갈리마르 총서에 편입되었습니다. 생존한 작가로서는 처음입니다. 2022년 "개인 기억의 뿌리, 소외, 집단적 구속을 밝혀내는 용기와 임상적 예리함으로" 노벨문학상을 받았습니다.

그러다가 금방 사그라지고 맙니다.
급한 맘은 화를 잘 냅니다.
그러다 금방 후회라는 감정으로 가득 차 버립니다.
나는 어떤 사람인가?
말로 사람을 살리는 사람인가? 아니면 여전히 예전처럼 말, 말, 말로 사람의 마음을 해치는 사람인가?
깨어있을 때면 늘 이 생각뿐입니다.
변화가 정말로 나에게 있어서 위태로움을 맞이하게 했는가?

고쳐야 할 그것이 무엇일까요. 그리고 사고의 한계를 뛰어넘는 일이 가능할까요. 혹독히도 시린 이번 생에서 유순함을 깊게 되새기다가 돌아가고 싶습니다. 꽃을 보고 반한 꿀벌이 빈 벌집에 찾아들고 빈 벌집 구석구석 꿀로 가득 차면 겨울이 옵니다. 다시 봄이 오면 지난겨울과는 다른 모양으로 꿀이 채워지겠지요. 그러나 꿀이 가득 차서 넘치는 일은 없을 거예요. 늘 조금은 빈 곳이 있을 거예요. 내 몸에서도 계절과 같은 변화는 늘 있었어요. 힘의 방향에 따라 바라보는 시야가 그것을 말해주고 있으니까요. 나에게 힘든 길을 선택할수록 옳은 결정일 거예요. 또한, 이런 결정은 방향성을 잡아줄 거라 믿어요.

나는 마음의 문을 두드립니다.
그리고 오만해질 때마다 '자기 앞의 생'을 읽습니다.[52]

---

52) 자기 앞의 생: 프랑스의 소설가 로맹 가리가 '에밀 아자르라'는 필명으로 1975년 출판한 소설입니다. 1970년 파리의 빈민가를 배경으로 하며, 무슬림 고아 소년 '모모'를 주인공으로 합니다.

맺음말

외국어를 배워 습득한 사람은 두 개의 언어, 두 개의 영혼을 갖게 된다고 하지만, 저는 하나의 언어도 서툽니다.

'내 영혼은 지금 무엇을 어떻게 하는 것일까요?'

스치는 심상을 말로 표현하고 그 개념을 글로 옮기는 것이 바로 제 글쓰기입니다. 마음속의 지속적인 동요가 없으면 글쓰기가 멈추지만, 그 흐름만은 항상 유일합니다. 이 심상을 정확하게 글로 표현하기는 쉽지 않았습니다. 독서 후 생각을 기록한 메모지를 모아 긴 시간을 들여 글로 옮겼습니다. 7년간의 기록은 남아있었지만, 그것을 찾아내어 분류하고 수정하는 일은 생각보다 어려웠고 결국 수개월이 걸렸습니다. 이 책의 문장들은 '나'가 없는 '나'에서 시작한 말들의 순수함을 표현하고자 했습니다. 이 책은 깨우침, 각성, 직관, 또는 현실에 대한 분노 등의 주제를 다루고 있으며, 읽기에 도전적일 수 있습니다. 또한, 완벽에 가까운 책을 쓰는 것은 매우 어려운 일입니다. 때로는 미완성된 책도 세상에 나와 다른 생각을 불러일으킬 좋은 도구가 될 수 있다고 생각합니다. 지금 제 마음속의 말을 적어 남기는 이 글쓰기가 마음을 탐험하는 다른 누군가에게 작은 이정표가 되기를 바랍니다.

마지막으로, 오랫동안 함께 책을 읽어주신, 그리고 앞으로도 같이 읽어주실 대구 동구 2·28 도서관의 선생님들께 진심으로 감사드립니다.

책 수정 기록

1. 2024년 7월 7일 발간을 위한 모든 수정 완료.
2. 책 이미지-'레오나르도 AI'에서 작업.
3. 2024년 7월 24일-오타 수정 작업.

발　행 | 2024년 7월 12일

저　자 | 김종욱

펴낸이 | 한건희

펴낸곳 | 주식회사 부크크

출판사등록 | 2014.07.15.(제2014-16호)

주　소 | 서울특별시 금천구 가산디지털1로 119 SK트윈타워 A동 305호

전　화 | 1670-8316

이메일 | info@bookk.co.kr

ISBN | 979-11-410-9485-0

www.bookk.co.kr

ⓒ 심상에서 심경으로

심상에서 심경으로
문학 고전을 읽으며 5년간 내 영혼을 돌보았던 일